Jean-Pierre Thiollet

88 notes pour piano solo

« Il y a de la musique dans le soupir du roseau ; il y a de la musique dans le bouillonnement du ruisseau ; il y a de la musique en toutes choses, si les hommes pouvaient l'entendre : leur Terre n'est qu'un écho des astres. »
"There's music in the sighing of a reed; There's music in the gushing of a rill; There's music in all things, if men had ears : Their earth is but an echo of the spheres."

Lord Byron, *Don Juan*, XV

Crédit illustration couverture :
© Larysa Ray

Maquette :
Caroline Verret

Edité par NEVA éditions

Dépôt légal
ISBN 978-2-3505-5192-0

Imprimé en U.E.

Jean-Pierre Thiollet

88 notes pour piano solo

Avec des contributions de Anne-Elisabeth Blateau, Jean-Louis Lemarchand et François Roboth

Éditions

Programme

« Un pianiste s'affaire. Fredonnant la *Symphonie n° 3* (l'inconnue), il efface les dernières traces du meurtre. »

Yves Bonnefoy, *Le Traité du pianiste*

Ce livre est un clavier. Plus ou moins bien tempéré, il n'y a pas lieu de le dissimuler et encore moins de le réfuter. Qu'importe en vérité. Il se veut en libre accès. Il peut rester muet, être perçu comme un tout ou comme une série, résolument fragmentée, de morceaux, de petits bouts. Qu'il soit abordé à tête mal reposée ou lu d'une main et annoté de l'autre, abandonné une heure ou une année, il a vocation à toujours permettre de revenir à la clef. À volonté. Du livre-service en quelque sorte, au gré de ces quatre-vingt-huit touches, plus ou moins référencées, qui laissent au lecteur la possibilité de jouer les accordeurs, les interprètes, les transcripteurs, les zappeurs... Sans jamais oublier, selon la formule attribuée à Ignaz Friedman, ce grand pianiste-compositeur de la première moitié du siècle dernier, qu'il y a ces notes, ce qu'il y a derrière ces notes et ce qu'il y a entre ces notes.

À ce petit jeu, de nombreux auteurs et lecteurs le savent bien, un livre peut toujours en cacher un autre. Après la parution de *Piano ma non solo*, en 2012, ce nouvel ouvrage ne devrait donc pas trop surprendre. Dépourvu de toute origine d'ordre commercial, il n'est autre que le second tome d'un même livre, consacré, cette fois, au piano et aux pianistes dans leur version solo.

1

Au bonheur des gammes

« Si j'avais de l'argent, j'achèterais un piano. Quand j'aurai un piano, je pourrai faire des gammes / Dès qu'on sait faire des gammes, on peut jouer des morceaux / Aussi, salle Gaveau, je donnerai un programme / À ce programme viendrait tout un public ardant / qui, devant tant de talent, m'enverrait ses bravos / Et grâce à leurs bravos, je gagnerais de l'argent / Et, avec cet argent, j'achèterais un piano. »

Charles Aznavour, *Si j'avais un piano*

« La première chose à faire pour jouer du piano, c'est soulever le couvercle. » Truisme *a priori* fondamental et brève de comptoir bien connue, chère à Jean-Marie Gourio... Qu'importe si, aujourd'hui, l'instrument a ou non un couvercle, il faut en passer par-là. C'est-à-dire par la confrontation avec le clavier et ses quatre-vingt-huit touches qui, en tant que telles, ne sont rien d'autre que des « poids morts », inertes par essence, mais qui ne demandent qu'à s'animer, à séduire et à devenir une enjôleuse bande-son. Mieux vaut donc être prévenu : le fait d'avoir un superbe Steinway ou un instrument de marque notoirement inconnue n'a jamais fait de qui que ce soit un pianiste, et encore moins un musicien. Comme le rappelle Henry de Montherlant dans ses *Carnets*, un piano, pour avoir un bon usage, doit, comme une jeune fille et une machine à écrire, avoir été travaillé... Des heures durant et sans trop compter, à l'aide d'ouvrages pédagogiques de base, dont le célèbre *Piano virtuose* de Hanon (1). L'obtention d'un résultat modérément significatif et convaincant est à ce prix. Il faut du temps, beaucoup de temps, de la patience, beaucoup de patience, et une détermination durable. Même l'amateur le plus dilettante n'y échappe pas : il ne peut rien espérer sans faire preuve d'une obstination au très long

cours. Sinon, il n'aura bientôt que quelques touches... De plus en plus aléatoires, superficielles et sans intérêt véritable. Être pianiste, c'est, en réalité, parvenir à garder le contact et faire constamment l'apprentissage que rien ne s'obtient sans un minimum d'efforts à répétition. *« Soyez patients avec vous-mêmes »*, répétait Franz Liszt à ses élèves. L'époque des simples « clics » aux effets magiques n'y change rien, et le conseil vaut toujours. Liszt se l'appliquait à lui-même. Il ne ménageait guère sa peine et s'ingéniait, au point de craindre d'en devenir fou, à exercer ses mains tout en cultivant sa tête... *« Mon esprit et mes doigts travaillent,* a-t-il confié (2), *comme deux damnés : Homère, la Bible, Platon, Locke, Byron, Hugo, Lamartine, Chateaubriand, Beethoven, Bach, Mozart, Hummel, Weber, sont tous à l'entour de moi. Je les étudie, les médite, les dévore avec fureur, de plus, je travaille quatre à cinq heures d'exercices (tierces, sixtes, octaves, trémolos, notes répétées...). »*

Avec les arpèges, les gammes se doivent d'être l'ordinaire et humble quotidien de l'apprenti pianiste comme de l'instrumentiste très expérimenté. Tous les pédagogues le savent et le rappellent à l'envi : elles conditionnent tout ou presque. Elles permettent, comme disait si bien Yvonne Lefébure (1898-1986) dans ses master classes, de *« pétrir son piano »* pour, ensuite, parvenir à *« faire parler la note »*. Mais elles ne se réduisent pas à monter et à descendre, à pratiquer l'aller-retour des touches sur cinq ou six octaves. Indéfiniment et bêtement. Dans le *tempo*, le déroulé et le toucher, elles impliquent des variantes intelligentes, propres, entre autres vertus, à tester et à améliorer l'indépendance des mains.

Peu avant sa mort, France Clidat a rapporté cette idée chère à Lazare-Lévy qui fut son maître au conservatoire de Paris (3) : inculquer aux apprentis pianistes la nécessité de se soumettre à un travail immédiatement efficace (travaillez le moins possible, mais le mieux) et dirigé par la pensée, ce qui relève d'une approche en profondeur, en termes de culture générale et musicale. Lazare-Lévy pratiquait ses gammes « *à la tierce, à la sixte, à la dixième, mais aussi avec des nuances, en débutant pp, en terminant ff, en réalisant tout un éventail de* crescendi, *de* descrescendi *et de variations dynamiques.* » « *Il ne s'agissait pas,* selon France Clidat, *d'être un gymnaste du clavier, espèce tant répandue à l'heure actuelle. Il fallait exercer son cerveau.* »

Pour autant, les arpèges, gammes et autres exercices ou études de Czerny ont, dans une perspective professionnelle, leurs limites évidentes : ils ne suffisent pas à métamorphoser un honnête tâcheron du clavier en concertiste de renom, encore moins à le garantir. Aux jeunes pianistes comme aux autres instrumentistes qui viennent le voir, Martial Solal a le mérite de prévenir : « *Si vous êtes doué, travaillez comme des brutes pour arriver à quelque chose ; si vous n'êtes pas doué, arrêtez de travailler, ça ne servira à rien. (4)* »

(1) Depuis sa parution, en 1873, *Le Piano virtuose – 60 exercices calculés pour l'acquérir l'agilité, l'indépendance, la force et la plus parfaite égalité des doigts ainsi que la souplesse des poignets* de Charles-Louis Hanon (1819-1900) n'a cessé de faire l'objet, en dépit de critiques récurrentes, d'une large diffusion au niveau mondial. Le grand pianiste Vladimir Horowitz confiait volontiers que l'ouvrage de ce professeur de piano français avait beaucoup contribué à l'acquisition de sa technique instrumentale.

(2) *Franz Liszt's Briefe*, Éditions La Mara (Marie Lipsius), 8 vol., Liepzig, Brietkopt & Härtel, 1893-1905.

(3) Entretien avec Frédéric Gaussin, site Internet Jejouedu piano.com.

(4) *Martial Solal, compositeur de l'instant,* entretien avec Xavier Prévost, collection Paroles de musicien, Michel de Maule Éditeur, 2005.

« Dans un salon élégant, Baptiste, le valet, range le guéridon, tandis que Lucile, assise au piano, fait des gammes aussi rapides que possible...

Baptiste (après avoir écouté le jeu de Lucile, avec enthousiasme...). – Ah bravo !... Je demande pardon à Mademoiselle, mais Mademoiselle fait l'ouragan d'une manière !... oh !

Lucile. – Comment « l'ouragan » ? Ce sont des gammes.

Baptiste. – Moi, j'appelle ça l'ouragan, Mademoiselle... Ça représente mieux à l'imagination ! tandis que « gamme », c'est bête, Mademoiselle. C'est le vent à la campagne à travers les portes. (Il imite le sifflement du vent.) C'est tout à fait ça.

Lucile. – C'est possible, mais, à Paris, on appelle ça des gammes.

Baptiste. – Cela ne m'étonne pas ! On a la manie de traduire tout en anglais. »

Georges Feydeau (1862-1921), *Amour et Piano*
(extrait de la scène I de cette comédie en un acte jouée pour la première fois le 28 janvier 1883 au théâtre de l'Athénée à Paris)

2

Noir sur blanc

« Je ne sais pas pourquoi
Cette mélodie me fait penser à
Chopin
Je l'aime bien, Chopin
Je jouais bien Chopin
Chez moi à Varsovie
Où j'ai grandi à l'ombre de la gloire
de Chopin

Je ne sais pas pourquoi
Cette mélodie me fait penser à
Varsovie
Une place peuplée de pigeons
Une vieille demeure avec pignon
Un escalier en colimaçon
Et tout en haut mon professeur

Plus de sentiment
Plus de mouvement
Plus d'envolée
Bien bien plus léger

Joue mon garçon avec ton cœur
Me disait-il des heures, des heures
Premier concert devant le noir
Je suis seul avec mon piano
Et ça finit par des bravos
Des bravos, j'en cueille par millions
À tous les coins de l'horizon

Des pas qui claquent
Des murs qui craquent
Des pas qui foulent
Des rues qui croulent
Pourquoi ?

Des jours qui pleurent
Des mains qui meurent
Des pas qui chassent
Des pas qui glacent
Pourquoi ?
Le ciel est-il si loin de nous ?

Je ne sais pas pourquoi
Mais tout cela me fait penser
à Varsovie, Varsovie
Une place peuplée de pigeons
Une vieille demeure avec pignon
Un escalier en colimaçon
Et tout en haut mon professeur. »

Le Pianiste de Varsovie, 1956, paroles
de Pierre Delanoë (1918-2006),
musique de Gilbert Bécaud
(1927-2001)

Chopin l'enchanteur

Chopin l'enchanteur... Ô combien ! Tous les mélomanes le savent : le simple fait d'insérer son nom dans un programme de concerts constitue sinon un gage de succès du moins l'assurance de séduire un très large public. Impossible de résister au charme inouï d'œuvres pourtant mille fois jouées *urbi et orbi*. Marcel Proust l'avait merveilleusement bien compris en évoquant dans *Du côté de chez Swann* comment Mme de Cambremer, à l'écoute d'un pianiste ayant commencé un prélude de Chopin, avait lancé à Mme de Franquetot *« un sourire attendri de satisfaction compétente et d'allusion au passé »*. *« Elle avait appris dans sa jeunesse,* écrit l'auteur de *À la recherche du temps perdu, à caresser les phrases, au long col sinueux et démesuré, de Chopin, si libres, si flexibles, si tactiles, qui commencent par chercher et essayer leur place en dehors, et bien loin, de la direction de leur départ, bien loin du point où on avait pu espérer qu'atteindrait leur attouchement, et qui ne se jouent dans cet écart de fantaisie que pour revenir plus délibérément – d'un retour plus prémédité, avec plus de précision, comme sur un cristal qui résonnerait jusqu'à faire crier – vous frapper au cœur. »*

Oui, cette expression, « frapper au cœur », Louis-Ferdinand Céline a, lui aussi, perçu combien elle vise à la perfection. *« La magie,* souligne-t-il dans une lettre à Albert Paraz (1), *n'est pas dans les mots, elle est dans leur juste touche, ainsi du piano – des airs de Chopin – des notes... »*

Bien sûr, il y aura toujours, de-ci, de-là, des esprits grincheux, rabat-joie ou insensibles au grand art du compositeur des *Nocturnes, Préludes* et autres *Études*... Emil Cioran n'a-t-il pas maugréé dans ses *Syllogismes de l'amertume* que *« Chopin a promu le piano au rang de la phtisie »* ? Qu'importe, en vérité, puisque ce créateur, à la fois si populaire et si mondain, transcende tout : les catégories sociales,

les continents, le temps qui passe. Alors comment s'étonner que, en Pologne, il y ait des bancs musicaux qui jouent du Chopin quand on s'assoit dessus...

(1) in *Le Gala des vaches* d'Albert Paraz.

« Fais, au blanc frisson de tes doigts,
Gémir encore, ô ma maîtresse !
Cette marche dont la caresse
Jadis extasia les rois.

Sous les lustres aux primes froids,
Donne à ce cœur sa morne ivresse,
Aux soirs de funèbre paresse,
Coulés dans ton boudoir hongrois.

Que ton piano vibre et pleure,
Et que j'oublie avec toi l'heure
Dans un Eden, on ne sait où...

Oh ! Fais un peu que je comprenne
Cette âme aux sons noirs qui m'entraîne
Et m'a rendu malade et fou ! »

Emile Nelligan (1879-1941), *Chopin*

3

Éloge du pouce

> « Quand on fait mal ce qu'on doit faire,
> On s'en mord les pouces, dit-on.
> C'est du péché du premier père
> Que dérive ce vieux dicton.
> Car le gourmand avec sa pomme
> Se mordit les pouces aussi,
> Et, de père en fils, voilà comme
> Nous avons le doigt raccourci. »
>
> Anonyme, XVIIe siècle.

Jouer sur le pouce devrait, chez les pianistes, être une expression plus que courante : consacrée. Car ce doigt, plutôt discret et, de prime abord, assez maladroit, a un rôle à la fois pivot et moteur. Il est celui qui permet à l'instrumentiste de se lancer dans des cascades d'arpèges et au clavier d'avoir toujours la bonne amplitude. C'est là, sans doute, l'une des différences clés entre le claveciniste et le pianiste. L'un a un toucher dynamique, un brin espiègle, avec des mains qui, gracieusement, sautillent. L'autre survole le clavier en cultivant son fameux « passage du pouce ». Expression qui revient comme un leitmotiv tout au long des années d'apprentissage. Au point que le geste – indispensable pour jouer pratiquement toutes les partitions dignes de ce nom, quel que soit le compositeur – finit par se transformer en réflexe, en pur automatisme. Dès le milieu du XVIIIe siècle, Carl Philipp Emanuel Bach, l'un des fils les plus glorieux de l'illustre Jean Sébastien, ne s'y est pas trompé. Dans son *Essai sur la vraie manière de jouer des instruments à clavier*, il a souligné l'importance cruciale du plus gros et du plus court des doigts de la main : *« Ceux qui n'utilisent leurs pouces que rarement joueront habituellement avec plus de raideur que ceux qui l'utilisent correctement et pour qui tout sera facile,* assure-t-il. *Cette aisance se reconnaît d'un coup d'œil chez le claviériste. S'il comprend le vrai doigté, il jouera les pièces les plus difficiles d'une telle manière que les mouvements de ses mains seront à peine visibles (...). Ceux qui n'utilisent pas le pouce le laissent pendre pour qu'il ne gêne pas les autres doigts. Que peut-on jouer correctement dans une telle position ? L'utilisation du pouce ne donne pas seulement un doigt de plus à la main, elle est aussi la clé vers toutes les sortes de doigtés. Ce doigt important est même encore plus utile par le fait qu'il force les autres à rester souples (...). Ce qui est joué sans le pouce, avec des muscles raidis et étirés, peut être joué rondement, clairement, avec une tension entièrement naturelle et donc facilement avec le pouce. »*

Plus de deux siècles et demi plus tard, il ne faudrait pas s'imaginer pour autant qu'un doigt suffit à faire office de main et, au piano, tout, absolument tout, se joue... sur le pouce. Mais, une bonne fois pour toutes, qu'on se le dise : quand les pianistes se tournent les pouces, c'est le plus souvent pour la meilleure des causes !

« Et les assis, genoux aux dents, verts pianistes,
Les dix doigts sous leur siège aux rumeurs de tambour,
S'écoutent clapoter des barcarolles tristes,
Et leurs caboches vont dans des roulis d'amour. »

Arthur Rimbaud, *Les Assis*

4

Des doigts, du doigté et des acrobaties

« Il dégote, Crouïa-Bey. Il a des yeux de braise, un front de penseur, des mains de pianiste, une taille de guêpe, une barbe de sapeur, des lèvres de corail, un thorax de taureau, ah ! qu'il est beau ! ah ! qu'il est beau ! »

Raymond Queneau (1903-1976), *Pierrot mon ami*

En dépit de tout ce qui a pu être dit et écrit au sujet des mains du pianiste, il n'y a toujours pas de vérité absolue à leur sujet, du moins en ce qui concerne leur taille. Il n'est pas indispensable d'avoir de grandes mains pour jouer et il n'y a pas non plus de quelconque relation entre la longueur des doigts et la qualité de l'interprétation. France Clidat (1932-2012) racontait volontiers qu'Alfred Cortot *« avait des doigts très longs qui le gênaient beaucoup »* et que Monique de la Bruchollerie lui avait dit un jour qu'elle était *« incapable de jouer la* Campanella *pour les mêmes raisons : ses doigts butaient dans le couvercle du piano (1) ». « Quand on pense,* ajoutait France Clidat, *qu'Yves Nat avait des doigts qui le gênaient lui aussi, très épais... Mais quel son ! Ses scènes d'enfants restent un exemple. Rien que le tout début est déjà fantastique. »*

Cependant, comme le remarquait à juste titre Madeleine Malraux (1914-2014), l'épouse du célèbre homme de lettres et ministre, qui fut concertiste, *« les pianistes peuvent avoir des mains un peu anormales... Qu'on le veuille ou non (2) »*. Il arrive même qu'elles exercent une certaine fascination. À l'exemple de celles de Serge Rachmaninov (1873-1943), bien connues pour leur gigantisme. À l'exemple aussi de celles de Georges Cziffra (1921-1994). Observées en récital au milieu des années 1970 (3), elles ne pouvaient pas manquer de frapper les esprits et de laisser un souvenir durable : elles étaient hallucinantes. Non seulement lorsque, diaboliques, elles s'agitaient sur le clavier, mais, encore, quand elles ne faisaient que pendre, inertes et monstrueuses, à bout de bras, après le concert.

A contrario, d'autres grands pianistes, en particulier des femmes concertistes, comme Alicia de Larocha (1923-2009) ou Florence Delaage, vont avoir des mains plutôt petites et des doigts relativement courts qui surprennent et enchantent les auditoires par leur capacité à se jouer des plus redoutables difficultés techniques.

Ce qui est tout à fait certain, en revanche, c'est que, au piano, plus encore que dans la vie en société, les doigts vont de pair avec le doigté. Il n'y a pas de jeu concevable et audible au clavier, et encore moins d'« acrobaties » possibles, sans le respect des préséances et d'un certain ordre protocolaire, qu'il soit préétabli par le compositeur ou pas. Concernant le doigté, Claude Debussy (1862-1918) a, au début de ses *Études*, versé au débat des lignes fort intéressantes et sans doute définitives. *« Imposer un doigté ne peut logiquement s'adapter aux différentes conformations de la main,* assure-t-il. *La pianistique moderne a cru résoudre cette question en en superposant plusieurs ; ce n'est qu'un embarras... La musique y prend l'aspect d'une étrange opération où, par un phénomène inexplicable, les doigts devraient se multiplier (...). Le cas de Mozart, claveciniste précoce, lequel ne pouvait assembler les notes d'un accord, imaginait d'en faire une avec le bout de son nez, ne résout pas la question et n'est peut-être dû qu'à l'imagination d'un compilateur trop zélé ? Nos vieux maîtres – je veux nommer "nos" admirables clavecinistes – n'indiquèrent jamais de doigté, se confiant sans doute à l'ingéniosité de leurs contemporains. Douter de celle des virtuoses modernes serait malséant. »* Debussy en arrive à conclure que l'absence de doigté est *« un excellent exercice »*, qu'elle *« supprime l'esprit de contradic-*

tion qui nous pousse à préférer ne pas mettre le doigté de l'auteur » et qu'elle *« vérifie ces paroles éternelles : on n'est jamais mieux servi que par soi-même. »*

(1) Dans un entretien avec Frédéric Gaussin (site Internet jejouedupiano.com). France Clidat y rapporte, en outre, que *« Lazare-Lévy préconisait une chose qu'elle retrouva chez Gilels : le son que vous produisez doit être préparé mentalement, avant que vous n'attaquiez la touche. On ne se contente pas d'attaquer les notes "au petit bonheur la chance", selon l'expression consacrée, en posant ses doigts là où il faut : c'est sa pensée, que l'on projette sur le clavier. Et cela, c'était extraordinaire. Lazare-Lévy savait toujours exactement ce qu'il voulait obtenir au piano. »*

(2) Dans *Silence Genius At Work*, film de Katerina Jebb, The Film Project, Comme des Garçons.

(3) Sur la scène du théâtre municipal de Poitiers, dans une salle aujourd'hui menacée de destruction (bien qu'elle soit l'une des très rares réalisations de l'architecte Edouard Lardillier qui subsistent sur le territoire français).

« Au piano, le "doigté" ne désigne nullement une valeur d'élégance et de délicatesse (ce qui, alors, se dit : "toucher"),
mais, seulement, une façon de numéroter les doigts
qui ont à jouer telle ou telle note… »

Roland Barthes (1915-1980), *Roland Barthes par Roland Barthes*

« On ne joue pas du piano avec deux mains :
on joue avec dix doigts.
Chaque doigt doit être une voix qui chante. »

Attribué à Samson François (1924-1970)

5

Noir sur blanc

« L'art s'enrichit par le style et s'appauvrit par la tradition. »
Attribué à Alfred Cortot (1877-1962)

Cortot toujours au plus haut

Ce n'est pas un hasard si le nom de Cortot est si fortement rattaché à celui de Chopin, si Chopin et Cortot ne font qu'un... D'emblée, et par-delà l'influence majeure et hautement bénéfique qu'exerça sur lui le grand interprète Edouard Risler (1873-1929), Alfred Cortot présente une double particularité. Celle d'avoir reçu l'enseignement d'Émile Decombes (1829-1912), ce pianiste et pédagogue français qui fut un disciple de Frédéric Chopin, et sans doute l'un de ses derniers élèves. Mais aussi celle – et c'est là un aspect un peu étrange, souvent ignoré ou sous-estimé – de ne pas du tout avoir été doué pour l'instrument et d'avoir enduré plus d'une fois la torture en livrant de très durs combats, au « corps à corps », avec le clavier. À l'occasion d'un entretien qu'elle accorda à Frédéric Gaussin, France Clidat (1932-2012) l'a fort justement souligné : *« Cortot n'avait pas de facilité naturelle pour le piano. C'est tellement vrai que l'une des études de Chopin que je l'ai entendu jouer le mieux – vous allez voir, c'est paradoxal – est précisément* l'Étude en tierces, *parce qu'il l'a eue, si j'ose dire, au* finish, *à force de la travailler. »*

Les indications fournies par Alfred Cortot lui-même au sujet de l'art du toucher n'en prennent que davantage de relief et montrent l'ampleur des efforts à consentir qu'impliquent certains résultats

sonores à obtenir : « *Les sonorités de ces premiers arpèges doivent,* explique-t-il, notamment dans l'édition de travail d'une œuvre de Liszt (1), *sourdre du clavier ainsi qu'un bruissement de fusées liquides échevelées par la brise, et ici, tout au moins, à l'imitation aussi suggestive que possible des enchevêtrements de poussières d'eau qui tracent au travers des cyprès et sur les dalles du célèbre jardin padouan les mille dessins de leurs capricieuses arabesques* ». « *Rien dans le toucher,* souligne-t-il encore, *n'y doit éveiller l'idée de la percussion. Ce ne sont que cascades d'effleurements auxquelles l'articulation des doigts n'a de part à prendre qu'autant qu'elle en favorise la transparente exécution, immatérialisée par l'emploi simultané des deux pédales.* »
Au lieu de jouer des morceaux de musique, Cortot les rêvait et réussissait à laisser l'auditeur en présence d'un rêve qui se poursuivait...

(1) *Jeux d'eaux à la Villa d'Este*, Franz Liszt, Édition de travail, Éditions Salabert, 1949, première note en bas de page, p. 5.

« C'est dans le toucher, un toucher très fin et très différencié que se construit d'abord l'intimité d'une appropriation de l'instrument par l'instrumentiste. Le toucher n'est pas seulement esthétique ou sensible ; il est aussi cognitif : le toucher permet au musicien de recevoir et de comprendre les réactions de l'instrument (indépendamment de ce que lui apprennent ses oreilles). Par le toucher (des doigts, des lèvres, etc.), je sens et j'interprète la résistance de la touche ou de la corde, la vibration du violon ou de l'anche, etc. »

Bernard Sève, *L'Instrument de musique*

« La salle est-elle pleine ? »

Dernière parole d'Alfred Cortot à son épouse

6

Salon sans piano ni rondo

« Piano : indispensable dans un salon. »
Gustave Flaubert (1821-1880), *Dictionnaire des idées reçues*

Le piano ne fait plus salon. Sur le territoire français, il est en voie de raréfaction. Tout au moins dans sa version acoustique la plus classique. Il a beau être, selon les mots de Giacomo Meyerbeer (1791-1864), un *« instrument pour une grande intimité, destiné aux nuances délicates, à la cantilène (1) »* : il fait du bruit, certes de moins en moins depuis qu'il est devenu possible de jouer en silence, grâce à la technologie (2). Mais il prend de la place et a à peine droit de cité. Plus de piano ni de rondo au salon. Écran et haut-parleur ont pris la relève, sous le règne de la télécommande. Qu'on le déplore ou non, peu importe. À l'évidence, c'est, comme il se dit dans les instituts de sondage, une donnée factuelle objective. Résultat d'un choix de société ou d'une évolution socio-culturelle plus ou moins contrainte. L'époque de Flaubert est révolue. Celle d'André Breton également. Sous le titre *Monde* et dans *Signe ascendant*, le poète-théoricien pouvait encore évoquer, sans trop verser dans le surréalisme, *« le salon de madame des Ricochets »* où *« le tapis meurt comme les vagues »*, où *« les rideaux amorcent la fonte des neiges »* et où *« le piano en perspective perdue sombre d'un seul bloc dans la nacre »*... Un autre salon, celui, très parisien, de la princesse Nathalie Paley dont un autre poète, Jean Cocteau, avait eu le goût de s'enticher, ne donne plus sur la place des Invalides. Avec *« ses murs d'une blancheur liliale »*, il était pourtant à l'image de sa propriétaire : la lumière entrait *« à flots par quatre croisées d'angle, illuminant un piano d'un noir féroce »* et *« un divan vert d'eau sur lequel une main invisible avait jeté une peau de bête »*, avec *« partout des roses, roses rouges, roses roses, roses blanches »* (3)...

Deux guerres mondiales ont ébranlé tout esprit de résistance. La « révolution de 68 », le triomphe des vacances en collection été ou hiver, les modes de vie du « monde moderne » et de nouvelles références culturelles en version numérique en sont venues à bout. Peut-être pas définitivement ni en tout lieu. Dans un film documentaire diffusé sur la chaîne de télévision Arte (4), un piano, de toute évidence en activité, s'est encore trouvé en bonne place naturelle dans le salon d'un agriculteur allemand... Mais un poète visionnaire comme Émile Nelligan n'en a pas moins laissé avant sa mort, en 1941, ce poème, *Le Salon*, en forme de *requiem* pour une pièce défunte :

« La poussière s'étend sur tout le mobilier,
Les miroirs de Venise ont défleuri leur charme ;
Il y rôde comme un très vieux parfum de Parme,
La funèbre douceur d'un sachet familier.

Plus jamais ne résonne à travers le silence
Le chant du piano dans des rythmes berceurs,
Mendelssohn et Mozart, mariant leurs douceurs,
Ne s'entendent qu'en rêve aux soirs de somnolence.

Mais le poète, errant sous son massif ennui,
Ouvrant chaque fenêtre aux clartés de la nuit,
Et se crispant les mains, hagard et solitaire,

Imagine soudain, hanté par des remords,
Un grand bal solennel tournant dans le mystère,
Où ses yeux ont cru voir danser les parents morts. »

(1) Cités dans *Style et Piano* de Peter Cooper.

(2) in *Marie-Laure de Noailles, la Vicomtesse du bizarre*, Laurence Benaïm, Grasset, 2001.

(3) « Bien manger, mais à quel prix ? », documentaire télévisuel réalisé par Klaus Balzer et Romy Strassenburg et diffusé pour la première fois sur Arte le 25 juin 2013, à 20 h 50.

« Mme Barbotin, jolie femme, est une femme distinguée. Elle possède, dans son grand salon, un piano à queue, le seul de la localité ; un piano à queue avec, dessus, un vase "Arts déco" où meurt une fleur, solitaire, toujours. »

Georges David (1878-1963), *Madeluche*

« Le canapé et les fauteuils tapissés de peau de léopard flottaient dans le salon à différentes hauteurs, parmi les bouteilles du bar, le piano à queue et son châle andalou qui voletait comme une grande raie couleur d'or. »

Gabriel García Márquez (1927-2014), *Douze Contes vagabonds*
(La lumière est comme l'eau)

7

Noir sur blanc

« Le plus nécessaire et le plus difficile, c'est la chose essentielle de la musique, c'est le *tempo* ! »

Wolfgang Amadeus Mozart,
dans une lettre à son père datée du 24 octobre 1777

Le secret du rubato selon Saint-Saëns

« J'ai connu le secret du *tempo* rubato déjà préconisé par Mozart, nécessaire même chez Sébastien Bach, indispensable dans la musique de Chopin. Ah ! Ce rubato, que d'erreurs on commet en son nom ! Car il y a le vrai et le faux, comme dans les bijoux. Dans le vrai, l'accompagnement est imperturbable, alors que la mélodie flotte capricieusement, avance ou retarde pour retrouver tôt ou tard son support. Ce genre d'exécution est fort difficile, demandant une indépendance complète des deux mains. Et quand on ne peut y parvenir, on en donne à soi-même et aux autres l'illusion en jouant la mélodie en mesure et en disloquant l'accompagnement pour le faire tomber à faux : ou bien, encore, c'est le dernier degré, on se contente de faire arriver les deux mains l'une après l'autre. Le comble de la difficulté en ce genre se trouve dans l'*Étude* en *ut dièse mineur*. Dans cette étude, qu'on dirait conçue pour le violoncelle, la mélodie est à la main gauche. C'est celle-ci qui doit chanter librement, et la main droite l'accompagne en gardant un rythme régulier. C'est généralement l'effet contraire qui se produit. »

Camille Saint-Saëns (1835-1921), *Portraits et Souvenirs*

« Le rubato consiste ici à donner aux notes essentielles de la mélodie, à celles qui sont les plus douloureuses, leur pleine valeur expressive. »

Alfred Cortot (1877-1962), au sujet du *Sixième Prélude* de Chopin, dans *Cours d'interprétation*

« La musique a besoin de respirer. »

François-Frédéric Guy, dans la revue *Piano* (n° 27, p. 7)

8

Huitième note pour septième ciel

« Je n'ai qu'une quête, celle de la "blue note", "des mots bleus qu'on dit avec les yeux" et qui, un jour, s'incrusteront sur une page blanche, rougeoyante, noire. »

Arnaud Le Guern, auteur de *Stèle pour Edern*,
dans un entretien avec Mylène Koziel

Qu'est-ce que la huitième note, sinon celle qui n'existe pas et qui constitue la quête absolue du pianiste soliste ? Pour découvrir cette note intégrale censée contenir toutes les autres et la façon de jouer propre à l'atteindre, nombreux sont les musiciens prêts à tous les sacrifices. Dans le jazz, ils savent, au moins, qu'elle a une couleur puisque c'est elle qui donne sa couleur musicale au blues : ils appellent donc « note bleue » ou « blue note » (1), la note jouée – ou chantée – avec un très léger abaissement, tout au plus d'un demi-ton, et utilisée à des fins expressives, afin de marquer la nostalgie ou la tristesse lors de la narration d'une histoire personnelle, d'une... « bluette ». Selon de nombreux musicologues, la « note bleue » trouverait son origine dans le système musical pentatonique africain. La confrontation des Noirs américains avec le système tonal européen et ses sept degrés aurait engendré une adaptation du troisième et du septième degré (absents de leur gamme) au travers d'un infléchissement d'un demi-ton, vers le mode soit majeur, soit mineur. De là, l'ambiguïté du climat harmonique de la musique de jazz où coexistent des tonalités majeures et mineures qui, en raison de la façon de jouer et de la manière dont l'auditeur la ressent, ne sauraient être automatiquement associées à la joie ou à la tristesse... Comme le système pentatonique n'est pas propre à l'Afrique, il est tout à fait possible de retrouver la « note bleue », en particulier dans la musique folklorique celtique ou en Irlande, où elle se fait baptiser *bent note* ou « note longue ».

Si de nombreux établissements, un peu partout dans le monde, ont porté ou portent le nom de « Blue Note », ce n'est pas sans raison. Ils montrent que la quête de la quatrième dimension, avec ou sans piano, est à la fois intemporelle et universelle. Et si une troupe d'artistes professionnels handicapés physiques fait une tournée en France avec un spectacle intitulé « La Huitième Note », ce n'est pas non plus un hasard. Il s'agit là de démontrer que l'alchimie des talents parvient à venir à bout de ce qui paraît *a priori* impossible.

(1) Le terme « blue » viendrait en réalité de l'abréviation de l'expression anglo-saxonne blue devils (« diables bleus), qui signifie... « idées noires ».

« La baleine bleue, sa musique ressemble à celle du piano, à cause de ses dents qui sont des touches géantes. Quand elle souffle, les touches bougent et son chant fait vibrer le ciel entier. »

Jean-Edern Hallier (1936-1997), *Chagrin d'amour*

9

Démangeaisons digitales

« Ce qui me tourmentait le plus, c'était le jeûne infligé à mes sens. Mon énervement était celui d'un pianiste sans piano, d'un fumeur sans cigarettes. »

Raymond Radiguet, *Le Diable au corps*

« Mais, ma parole ! Il… Il ne vit plus que pour… redouter de ne plus pouvoir jouer du… du piano ! »

Maurice Renard, *Les Mains d'Orlac*

Difficile souvent, impossible parfois, pour un pianiste de ne pas succomber à l'attirance d'un clavier... Comme s'il avait les doigts qui le démangeaient. S'il est incité à jouer dès qu'une occasion se présente, c'est qu'il a quelques circonstances atténuantes. En particulier, les exigences spécifiques qu'implique le simple entretien de la technique pianistique qui ne se réduit – tant s'en faut ! – ni aux gammes et aux arpèges, ni aux doubles-notes et aux trilles, ni même aux traits chromatiques et aux accords plaqués.

Outre les arpèges et octaves brisés, les gammes chromatiques en tierces, les trémolos, *gruppetti*, appoggiatures et autres mordants, il existe de nombreuses autres figures ou formules dites « de base » ou « classiques » qui ne se maîtrisent pas en deux temps trois mouvements... D'autant que, au fil du temps, les compositeurs semblent s'être ingéniés à faire évoluer cette technique et à la rendre de plus en plus ardue et compliquée au point de devenir quelquefois fort complexe... L'écriture pour le piano a peut-être connu un « sommet » avec Franz Liszt, mais elle ne s'est pas figée pour l'éternité dans les années 1880. Bien au contraire. Si elle a connu de nouveaux horizons avec Maurice Ravel et Serge Rachmaninov, elle se renouvelle encore aujourd'hui et s'enrichit constamment de tout ce que les grands pianistes ont fait ou font, par confrontation inlassable aux partitions et par instinct. Au clavier, c'est généralement la pratique qui précède la théorie et la description, à l'aide de mots ou de dessins, des mouvements pianistiques les plus appropriés pour parvenir aux résultats sonores escomptés. Et, toujours, la pratique quotidienne qui permet à l'*« homo pianisticus »* de disposer – en fonction de son niveau – de bonnes marges de liberté. S'il est un musicien amateur, il pourra être éloigné de son instrument durant de nombreux mois et même des années, puis se remettre à jouer et, peu à peu, « retrouver ses marques ». Mais au prix de beaucoup de peine, parfois, et sous réserve d'avoir des « acquis », et donc d'avoir travaillé ou, plus exactement – nuance très importante –, bien travaillé, durant quelques milliers d'heures... Au piano, le simple fait de bien travailler relève déjà de toute une technique, voire de tout un art !

« Quand il sortait de là, pianotant des gammes sur tout ce qui se trouvait à sa portée, étirant ses doigts ou les remuant comme s'il eût craint qu'une seconde de repos ne les paralysât, frappant ses mains, les giflant comme des marionnettes épileptiques... »

Maurice Renard (1875-1939), *Les Mains d'Orlac*

10

Noir sur blanc

« Qu'est-ce que la musique ? Comme la définir ? La musique est une calme nuit au clair de lune, un bruissement de feuillage en été. La musique est un lointain carillon au crépuscule ! La musique vient droit du cœur et ne parle qu'au cœur : elle est amour ! La sœur de la musique est la poésie, et sa mère est le chagrin ! »

Serge Rachmaninov (1873-1943), dans une lettre à Walter E. Koons, 1932

Danse sur clavier

Quel est le premier art de l'homme ? Sans doute la danse qui, selon le poète Lucien, *« symbolise l'union des éléments, la ronde des étoiles »*. Dans les temps les plus anciens, elle fut considérée comme un lien privilégié avec le divin. Il a fallu une bonne dose d'obscurantisme pour qu'elle en arrive à représenter la relation au démon. Au Moyen Âge, les danseuses étaient diabolisées et, parfois, brûlées vives. Encore aujourd'hui, en Égypte, elles sont « pointées du doigt », et « fille de danseuse » apparaît comme la pire des insultes. Il n'empêche que de la danse à la poésie et au piano, il n'y a souvent qu'à peine un pas... Des étoiles comme Sylvie Guillem, Marie-Claude Pietragalla (1) ou Clairemarie Osta ne sauraient dire le contraire. Accompagnées par un excellent pianiste, les voilà qui métamorphosent les saltos et les sons en touches poétiques. Déesses *ex machina*, elles leur donnent une nouvelle dimension, ni terrestre, ni aérienne, irréelle. Soudain, les repères habituels sont réduits à néant. Il n'y a plus ni chorégraphie, ni danse, ni piano. Juste un songe... Dans la réalité, il arrive que le pianiste parvienne à donner l'impression de se métamorphoser en danseur sur clavier. Avec ses doigts agiles se grisant de virtuosité sur les octaves et virevoltant de l'extrême grave au plus aigu, le voilà qui enchaîne les figures, apparemment en toute facilité et grâce. Se jouant des écueils techniques, il est à la recherche du son le plus éloquent ou le plus chantant. Grâce à lui et à ses mouvements qui naissent des passions et non de configurations codées, la partition n'est plus un amoncellement de points noirs sur ou entre des lignes tout aussi noires : elle s'anime et prend des couleurs. Elle est devenue le prétexte de la plus exquise poésie, à moins qu'il ne s'agisse de son meilleur alibi.

(1) Sublime et inoubliable lors d'une soirée de prestige sur la scène du théâtre des Champs-Élysées à Paris, au milieu des années 1990.

« Les routes de musique et de poésie se croisent. »
Paul Valéry (1871-1945), *Rhumbs*

« Il y a simplement des danseurs en mouvement sur une magnifique partition, la seule histoire est l'histoire de la musique : une danse, si vous voulez, dans la lumière de la lune. »

Georges Balanchine (Giorgi Melitonis dze Balanchivadze dit, 1904-1983), dans *Histoire de mes ballets* (au sujet de Sérénade sur une musique de Tchaïkovski). Ce célèbre chorégraphe avait pour précepte : *« Voyez la musique, écoutez la danse. »*

11

Top concert

« Le pianiste parti, il n'y a pas un seul piano au monde qui se souvienne du récital. »
Stephen King, *La Ligne verte* (traduction de Philippe Rouard)

« Un concertiste n'existe vraiment que sur scène. Devant un ou mille auditeurs, même frisson, on s'élance dans l'imprévu, parfois récompensé par de belles surprises. » Ces phrases, Éric Ferrand-N'Kaoua ne s'est pas contenté pas de les écrire. Il les a vécues – et les vit encore – comme pianiste-concertiste. Rien d'étonnant dans ces conditions à ce qu'il ait choisi de présenter sur son site Internet *« des extraits live, qui le montrent "tout entier et tout nu" (ou presque), comme dit Montaigne »*. Non qu'il se prenne au sérieux. Tout pianiste-concertiste sait qu'il doit travailler sérieusement, se remettre régulièrement en question et, de toute façon, avoir un réel courage ou une certaine dose d'inconscience pour affronter la scène. *« À travers les pianistes, on admire aussi les œuvres,* prévient à juste titre Martial Solal (1). *Mais il faut un talent considérable pour les interpréter d'une manière digne d'être présentées sur une scène. »*

Si l'expérience du récital solo fascine tant de nombreux artistes, ce n'est pas sans raison. Elle marque l'aboutissement, éphémère quoique régulièrement renouvelé, d'une démarche artistique. Elle est, à proprement parler, unique et magique. Dans ses essais rassemblés sous le titre *À corps perdu*, le littérateur et conférencier Robert Bréchon ne cache pas sa frustration d'avoir seulement pu la pressentir et non la vivre... *« En écoutant à la radio un concerto (...), je pense au soliste,* confie-t-il, *puis à tous les solistes que j'ai entendus (et vus), au rite du concert, que j'aime, au premier concert auquel j'ai assisté dans ma jeunesse, au dernier auquel je suis allé avant ma maladie. Pendant que le concertiste "joue", qu'il "exécute" le morceau, sa vie est multipliée, sa conscience élargie, son espace et son temps transfigurés. De quoi, donc, pour lui, est ce moment qui, déjà, pour moi, est tellement privilégié ? Je ne connaîtrai jamais cette akmé, cette extase d'expression de soi, qui est la grâce concédée aux seuls artistes. Les conférences, dont j'ai, hélas ! l'innombrable expérience, sont la prose de cette expérience poétique ou mystique de soi, que je ne peux qu'imaginer, rêver. (2) »*

Comment le pianiste-concertiste n'aspirerait-il pas à jouir de ce grand privilège de se produire seul sur une scène ? Le plus souvent, il éprouve un désir inextinguible. Même s'il connaît ses propres limites... qu'il est bien placé pour constater et analyser. Comme il assiste à tous ses concerts et qu'il s'écoute, il sait mieux que quiconque ses points faibles, ses insuffisances comme ses erreurs... Il arrive aussi que le public écoute avec attention, lui aussi, et se cultive assis. Écouter n'est-il pas, avec voir et lire, l'une des trois formes de la culture qui sous-entend le fait d'assimiler, de comprendre, de participer et même de créer ? C'est ainsi que le récital de piano peut être considéré comme à la fois un loisir et un élément important de la culture et de la civilisation. Deux aspects tout à fait compatibles et complémentaires, comme l'étymologie le rappelle : le mot *scola* en latin, dont l'Occident a fait l'« école », signifiait bien le « loisir » et il est sans doute regrettable que cette parfaite association ait été, au fils des siècles, complètement perdue de vue.

(1) *Martial Solal, compositeur de l'instant*, p. 153.

(2) *À corps perdu*, Robert Bréchon, L'Escampette, 2001.

« C'est comme l'écho d'un sacré concert
Qu'on entend soudain sans rien y comprendre ;
Où l'âme se noie en hachich amer
Que fait la douleur impossible à rendre.

De ces flots très lents, cœurs ayant souffert
De musique épris comme un espoir tendre
Qui s'en va toujours, toujours en méandre
Dans le froid néant où dorment leurs nerfs.

Ils n'ont rien connu sinon un grand rêve.
Et la mélodie éveille sans trêve
Quelque sympathie au fond de leurs cœurs.

Ils ont souvenant, aux mélancoliques
Accords, qu'il manquait à leurs chants lyriques
La douce passion qui fait les bons heurs. »

Émile Nelligan, *Mélodie de Rubinstein*

12

Noir sur blanc

« Le poète, pour représenter l'univers visible, est bien en dessous du peintre, et pour l'univers invisible, il est bien en dessous du musicien. »

Léonard de Vinci (1452-1519), dans ses *Carnets*

Da Vinci Coda

Veni, vidi... Vinci ! La formule, plus que connue, mérite bien son abusive et facile transposition. Cinq siècles après que l'auteur de *La Joconde* a laissé des croquis (1) d'un nouvel instrument de musique issu de sa débordante imagination et de son expérience, a, en effet, eu lieu la concrétisation. De son vivant, l'inventeur – qui n'était pas génie pour rien – n'a, semble-t-il, jamais entrepris sa fabrication. Après sa mort, rares sont les facteurs à s'y être attelés et à se livrer à l'ébouriffant casse-tête qui consiste à utiliser une ou plusieurs roues en rotation perpétuelle afin d'entraîner, perpendiculairement aux cordes, un archet en boucle, un peu à la manière d'une courroie de ventilateur d'automobile... En principe, si tout se passe bien, les cordes vont être abaissées vers la boucle de l'archet par l'action des touches du clavier, ce qui doit provoquer la résonance de la corde à sa hauteur d'accordage. Un engrenage élémentaire, si élémentaire, que la première trace d'un instrument qui a, sans doute, été construit vers 1575, réside dans la gravure du *Geigenwerk* de Hans Haiden, inventeur musical à Nuremberg, reproduite dans le *Syntagma Musicum* de Michael Praetorius, en 1619, et qu'il n'existe qu'un seul exemplaire pour témoigner de cette tentative très artisanale :

celui qui a été réalisé, en 1625, sur le modèle du *Geigenwerk*, par un facteur et religieux espagnol Fray Raymundo Trucado, aujourd'hui propriété du Musée des instruments de musique de Bruxelles. Plusieurs siècles plus tard, à partir de 1993, Akio Obuchi, un facteur japonais de Nagano, a, lui aussi, réalisé plusieurs reconstitutions modernes de l'instrument conçu par Léonard de Vinci. L'une d'elles a même été utilisée en concert à Gênes, en 2004, sans toutefois se révéler convaincante. En fait, ce n'est que depuis le 18 octobre 2013, date de son premier concert, au sein de l'académie de musique de Cracovie, que le « piano-viola-organista » existe réellement. Au prix de plus de quatre années d'efforts et en s'appuyant, bien sûr, sur les indications fournies par Léonard de Vinci dans le *Codex Atlanticus*, le recueil des inventions scientifiques et techniques conservé, que l'on se rassure, non entre les mains d'un quelconque cousin de l'émir du Qatar (2), mais par la Bibliothèque ambrosienne de Milan, un pianiste et facteur polonais, Slawomir Zubrzycki, est parvenu à le fabriquer et à le rendre tout à fait jouable. L'étonnant instrument, à cordes frottées et à clavier, se présente comme un piano à queue, mais émet des sons qui s'apparentent à ceux de l'orgue, du clavecin, de la viole de gambe et du violoncelle. Provoquant la légitime curiosité des musiciens, musicologues et étudiants, il a naturellement fait salle comble et suscité des réactions le plus souvent positives, voire enthousiastes. *« C'est un instrument à clavier*, a ainsi témoigné Gabor Farkas, un professeur de piano hongrois de l'académie de musique de Budapest, *mais on a l'impression que quelqu'un y joue avec un archet comme sur un violon ou un violoncelle. La sonorité est très douce, chaleureuse, comme du velours, très belle... »* Alors, cette fois, il y a lieu de se réjouir : *Da Vinci Coda* pour le « piano-viola-organista » !

(1) L'idée originale de Léonard de Vinci a été conservée dans son carnet d'annotations de 1488-1489 et dans ses dessins du *Codex Atlanticus*.

(2) Allusion non voilée, comme il se doit, à son altesse Sheikh Hamad bin Abdullah al Thani, dont le nom est désormais associé, pour toutes les personnes qui s'intéressent à l'histoire de l'architecture et de la création artistique, à la perte irrémédiable et officiellement accidentelle, en juillet 2013, – dans le cadre d'un chantier agréé par les Bâtiments de France et le ministère français de la Culture – du Cabinet des bains de l'hôtel Lambert à Paris, très incorrectement décoré, il est vrai, par un certain Eustache Le Sueur (1616-1655).

« Les détails font la perfection, et la perfection n'est pas un détail. »
Léonard de Vinci, *Carnets*

13

Festival en toute saison

« Mais, silence, le festival a commencé. La première note est de celles qui firent tomber les remparts d'une ville de Judée. Heureusement, la salle est solide ; elle résiste ;
la vie est sauve si les oreilles ne le sont pas… »
Louis Reybaud (1799-1879), *Jérôme Paturot à la recherche d'une position sociale*

Le piano fait de plus en plus son festival. En tout lieu et en tout temps. Au point de donner parfois l'impression d'être atteint de festivalité aiguë. À ce petit jeu qui incite à se demander jusqu'où certains organisateurs finiront par aller pour se démarquer de la concurrence et se distinguer du voisin, il arrive que les lieux les plus inattendus, voire incongrus, soient mis à contribution. Un plan d'eau (1), une grange (2) et même une chèvrerie (3), aménagée en espace atypique de concert, tout près des chèvres et au milieu du matériel agricole... *A priori*, le principe du festival paraît, il est vrai, fort sympathique et a beaucoup de vertus, tant, bien sûr, pour les passionnés de musique et les artistes que pour les précieuses retombées économiques et sociales qu'il peut générer. Mais encore faut-il que la manifestation bénéficie d'un environnement à plus d'un égard favorable, qu'elle relève d'une démarche artistique réfléchie, consensuelle et, au bout du compte, convaincante, et que sa thématique ne soit pas quelque peu gratuite, c'est-à-dire dépourvue de sens. Si l'approche marketing n'est pas, en tant que telle, nécessairement blâmable, le public semble avoir de plus en plus tendance à se méfier et, s'il « flaire » une entourloupe, aussi agréable soit-elle, à vite se détourner ou se lasser.

Aussi curieux que cela puisse paraître, et au risque que trop de festivals en arrivent à tuer les festivals, les années 2010 continuent donc d'être marquées par des créations d'événements qui s'appuient volontiers sur l'existence de lieux patrimoniaux.

Dans le Midi de la France, ce n'est certes pas « le château des pianos » – et le grand comédien Pierre Arditi ne le magnifie pas encore par sa présence et sa voix –, mais c'est bien le château de Pompignan, à quelques kilomètres de Toulouse, qui sert d'écrin au nouveau festival qu'Anna Golubkova-Carrère a pris la belle initiative de lancer en 2012... En juin de chaque année, cette pianiste-soliste et pédagogue y présente de jeunes lauréats de concours internationaux. Dans le cadre de sa démarche, elle a également pu d'ores et déjà inviter Oxana Yablonskaya, une figure émérite du piano russe, qui officie généralement à New York.

(1) « Un piano sur le lac – festival flottant » à Saint-Croix-du-Verdon dans les Alpes-de-Haute-Provence.

(2) Cas, bien sûr, du célèbre Festival de la grange de Meslay, en Touraine. Inauguré en 1964 par Sviatoslav Richter, il est parvenu à fêter, en 2014, son cinquantième anniversaire, avec, comme directeur artistique, René Martin, le cofondateur, entre autres événements, du prestigieux Festival international de piano de la Roque d'Anthéron, près d'Aix-en-Provence, et le créateur de la Folle Journée de Nantes.

(3) Fondé et dirigé depuis 2008 par le pianiste Jérémie Honnoré, le Festival Musique à la ferme a lieu, notamment, à La Chèvrerie-Fromagerie Honnoré, chemin du Devenset, route de Coudoux à Lançon-Provence, dans les Bouches-du-Rhône.

« Si tu peux demeurer toujours dans le présent, alors tu seras un homme heureux. La vie alors sera une fête, un grand festival, parce qu'elle est toujours le moment que nous sommes en train de vivre, et cela seulement. »

Paulo Coelho, *L'Alchimiste*

14

Noir sur blanc

« La musique nous enseigne que le temps est la métaphore de Dieu. »
Elizabeth Sombart

Elizabeth Sombart et les couleurs de l'âme

Nul ne sait de quelle matière organique est constituée Elizabeth Sombart. Voilà une question sans doute appelée à rester longtemps en suspens. Et pour cause. La dame est un aérolithe dans l'univers pianistique. Elle ne se contente pas d'être une grande interprète qui se produit dans le monde entier, où les salles les plus prestigieuses l'accueillent. Elle ne se satisfait pas non plus d'être auteure de plusieurs livres, dont *La Musique au cœur de l'émerveillement – Confidences pour piano de Bach à Bartok*, chargée de cours à l'école polytechnique fédérale de Lausanne et à l'université La Greforiana, à Rome, et responsable, depuis 2011, d'un cursus d'enseignement de plusieurs années au conservatoire russe Serge Rachmaninov, à Paris. Depuis plus d'un quart de siècle, elle se consacre à la formation des professeurs et des pianistes qui dispensent des cours au sein de Résonnance, la fondation qu'elle a créée et qu'elle préside. Elle contribue ainsi à renforcer le rayonnement international de son organisation, implantée en 1988, en France, à Paris, en 1998, en Suisse, à Lausanne, en 2003, au Liban, à Beyrouth et Kaslik, en 2007, en Belgique, à Louvain, et également bien présente en Espagne, à Barcelone et, en Italie, à Rome. Unique et novateur, son enseignement se présente comme une synthèse des leçons qu'elle a reçues de trois maîtres, Peter Feuchtwanger, à Londres, Hilde Langer-Rülh à Vienne, notamment pour l'approfondissement du travail sur l'utilisation de la respiration dans le jeu pianistique, et Sergiu Celibidache, à l'université de Mayence où elle a poursuivi de longues études de phénoménologie musicale.

Les nobles missions de la fondation Résonnance consistent non seulement à *« porter la musique dans les lieux où elle ne va pas »*, comme les établissements pénitentiaires, les centres médico-sociaux et les hôpitaux, mais encore à implanter des écoles de piano gratuites de haute qualité, sans examen ni considération d'âge ou de nationalité et à promouvoir la pédagogie Résonnance, phénoménologie du son et du geste, pour reprendre le titre d'un des ouvrages d'Elizabeth Sombart dont les cinq cents pages sont le fruit de trois décennies de recherches et d'expériences et le reflet d'une approche spirituelle.

« L'apprentissage de la musique est comme une grande mosaïque, explique la pianiste, *mais ce qu'il faut surtout comprendre, c'est que celui-ci ne sert pas à faire carrière. La musique n'est pas un but, c'est le moyen par lequel une rencontre entre le corps et l'âme peut se faire. » « Tout naît de l'écoute du son qui puise ses racines dans le silence du principe,* précise-t-elle encore. *C'est pourquoi chaque interprète doit, avant tout, avoir fait vœu de silence, car les sons s'y inscrivent et non le contraire. »*

Reçue comme une grâce et comme une voie d'accomplissement vers le divin, la musique devient alors le lieu d'unification de soi-même et de soi avec le reste du monde. Mais sous la réserve expresse de spontanéité de l'écoute et d'obéissance à la loi tonale, donnée naturelle, humaine, de la musique, pour que celle-ci conserve sa vocation d'élever l'âme (1). *« Voilà le pouvoir mystérieux de la musique, sa dimension métaphysique,* aime à rappeler Elizabeth Sombart : *nous permettre d'être ce lien entre le majeur et le mineur, le fini et l'infini, le son et le silence, le particulier et l'universel. »*

(1) Réalisé en 2008 par Serge Schmidt et Gérard Bruchez, un film intitulé *Elizabeth Sombart, une musique aux couleurs de l'âme* a fait l'objet de diffusions sur la chaîne Mezzo.

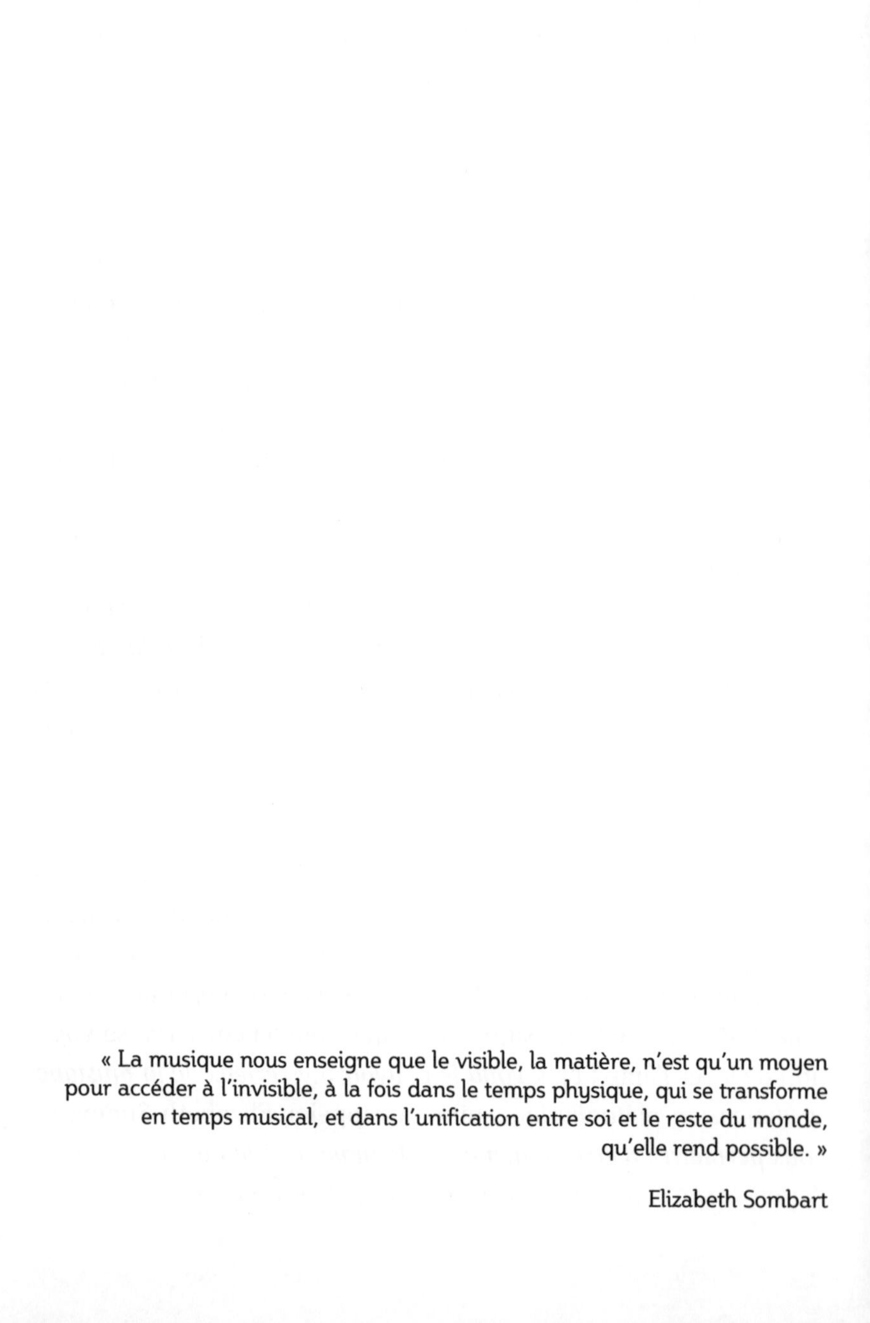

« La musique nous enseigne que le visible, la matière, n'est qu'un moyen pour accéder à l'invisible, à la fois dans le temps physique, qui se transforme en temps musical, et dans l'unification entre soi et le reste du monde, qu'elle rend possible. »

Elizabeth Sombart

15

Solo nec plus ultra

« Les foules n'accèdent jamais aux sommets.
Seules quelques personnes peuvent y parvenir. »
Sir Edmund Hilary (1919-2008), vainqueur de l'Everest

« Je suis pianiste de concert. C'est une façon un peu prétentieuse de dire que je suis actuellement sans emploi. »
Réplique dans le film *Un Américain à Paris*, de Vincente Minelli

Un pianiste n'est jamais célibataire. Toujours marié. Au moins deux fois. Avec son piano et son public. Rien d'étonnant, dans ces conditions, à ce que sa groupie *« passe ses nuits sans dormir, à gâcher son bel avenir »... « Dieu que cette fille a l'air triste – Amoureuse d'un égoïste. »* Michel Berger (1), en sa fameuse chanson, a prévenu. Le piano est un compagnon extrêmement exigeant. Le constat vaut quel que soit le sexe de l'instrumentiste. La vie sentimentale de la chanteuse Barbara (2) l'a démontré avec un certain éclat. Dans un petit ouvrage biographique qui lui a été consacré (3), il apparaît que *« Barbara a d'Hubert le souvenir d'un amant qui savait être merveilleux, allant bien plus loin que le simple missionnaire. Mais il était particulièrement jaloux. Oh, pas d'un autre amant ou d'une hypothétique maîtresse de Barbara, mais tout simplement de son piano, avec qui elle passait plus de temps. Cela a d'ailleurs été la cause de leur séparation »*... Alors pourquoi devient-on pianiste-concertiste ? Quelles sont les raisons qui incitent à vouloir entreprendre et, surtout, poursuivre une aventure aussi solitaire, aussi désespérante parfois, voire douloureuse, sans aucune certitude de reconnaissance et encore moins de réussite ? Comment se fait-il que des êtres humains, dotés d'intelligence et souvent en proie à un doute récurrent, se soumettent à une pression psychologique extrême et persistent dans une voie si aléatoire ? La réponse reste volontiers énigmatique. Elle ne s'inscrit pas seulement dans un processus narcissique : elle réside peut-être, davantage, dans la foi chevillée au corps que l'art pianistique peut aider à vivre et dans une forme de sacerdoce. Aucun grand pianiste soliste, quel que soit son degré de conscience du caractère asocial de son activité, ne se laisse détourner de la voie dans laquelle il s'est résolument engagé.

Arturo Benedetti Michelangeli considérait, pour sa part, qu'être pianiste et musicien n'était pas une profession, mais *« une philosophie, un style de vie qui ne peut se fonder ni sur les bonnes intentions ni sur le talent naturel »*. *« Il faut,* aimait-il à souligner, *avoir avant tout un esprit de sacrifice inimaginable. »* Excessif le propos ? Certainement pas et qu'importe de toute façon. Comme l'écrivait Paul Léautaud dans son *Journal littéraire, « en individus, en sentiments et en œuvres, il n'y a que l'excessif qui compte »* ! Il suffit d'écouter une sonate de Baldassare Galuppi – un compositeur injustement oublié ou méconnu de nos jours –, jouée au début des années 1960 par Michelangeli pour approuver sans réserve son *« esprit de sacrifice inimaginable »* et se réjouir de son aboutissement. Le célèbre pianiste parvient à faire revivre de manière magistrale cette œuvre composée vers 1750, initialement pour clavecin ou pour clavier (vers 1750). Son interprétation, très intéressante et exquise, est une pure merveille.

Arthur Rubinstein, autre illustre artiste, avait l'habitude d'observer que tous les pianistes-concertistes renommés pouvaient avoir une technique fabuleuse, mais qu'il leur fallait aussi se montrer capables de captiver le public (*« capture the audience »*, selon ses propres mots). Cette exigence, qui n'est évidemment pas mince, permet, en quelque sorte, de faire la différence, ou du moins de contribuer à établir une hiérarchie entre les très grands artistes ayant une approche profondément personnelle et originale, les musiciens dignes d'estime et les autres... Le pianiste Martial Solal a, de son côté, bien résumé le défi qu'elle représente dans le domaine du classique comme dans celui du jazz. *« Être un pianiste accompli, c'est relativement banal, il y en a des milliers,* constate-t-il. *Être un compositeur accompli est aussi assez banal. Être un jazzman accompli, également. Ma fierté, si je peux avoir une fierté quelconque, c'est d'avoir eu la chance d'être singulier, d'avoir un langage différent, puis d'avoir pu, grâce à un travail technique et intellectuel, arriver à l'exprimer. (4) »*

Au premier abord, il peut sembler impossible qu'un grand pianiste puisse parvenir à se singulariser en s'appuyant sur des partitions connues de tout un chacun et déjà brillamment jouées par des milliers de prédécesseurs. Pourtant, chaque nouvelle génération d'interprètes démontre, parfois de manière éclatante, qu'il n'en est rien, que l'artiste ne saurait être assimilé à un automate, à un *computer*, et qu'il est capable, sans ignorer le passé, d'avoir sa propre démarche pour mieux se projeter dans l'avenir... « *Tout est style,* martelait Michel Seuphor, le critique d'art abstrait. *On n'invente qu'en approfondissant ce qui a été fait, en lui trouvant de nouvelles certitudes (...). Le style (...) est le caractère même. C'est pourquoi il y a autant de styles que d'individus distincts. (5)* » Michel Seuphor avait raison et ses textes mériteraient sans doute d'être lus par les concertistes débutants car ils contiennent, non pas une quelconque « recette » du succès, mais des remarques qui valent la peine d'être méditées et invitent sinon à l'optimisme du moins à une certaine confiance : « *Toute grâce et toute noblesse sont dans la lenteur, partant, la durée. Lentement, donc, sans jamais lâcher prise (6)* ».

(1) Auteur-compositeur-interprète né en 1947 et mort en 1992, fils de la pianiste-concertiste Annette Haas-Hamburger (1912-2002) et époux de la chanteuse France Gall.

(2) Monique Serf, dite Barbara, auteure-compositrice-interprète née en 1930 et morte en 1997.

(3) *Dans l'ombre de Barbara*, Kävin'Ka et Catherine Le Cossec.

(4) *Martial Solal, compositeur de l'instant*, entretien avec Xavier Prévost, collection Paroles de musicien, Éditions Michel de Maule, 2005.

(5) (6) Michel Seuphor, *Autour du cercle et du carré.*

« La soirée du pianiste
« L'artiste est à son piano,
Sa main droite joue en solo,
Ses cinq doigts sont longs et fins cinq fois un, cinq
Puis, des deux mains, il s'enhardit cinq fois deux, dix.

Le piano tonne, hurle, grince, cinq fois trois, quinze
Un dernier accord, c'est la fin !... cinq fois quatre, vingt.

Après le concert, le pianiste trinque, cinq fois cinq, vingt-cinq.
Puis, il rentre dans sa soupente, cinq fois six, trente.

Passe sa chemise en lin,
Cinq fois sept, trente-cinq.
Puis, sa tête devient dolente, cinq fois huit, quarante...

Il dort déjà. Tout est éteint, cinq fois neuf, quarante-cinq.
Sauf la Lune, qui se lamente, cinq fois dix, cinquante... »

Jean Tardieu, *Il était une fois, deux fois, trois fois ou La Table de multiplication en vers* (1947), in *Je m'amuse en rimant*, Gallimard, Folio cadet

16

Solo nec plus ultra (bis)

« Être supérieur aux autres n'a jamais représenté un grand effort si l'on n'y joint pas le beau désir d'être supérieur à soi-même. »
Claude Debussy (1862-1918), *Monsieur Croche et autres écrits* (1901-1914)

La guerre des pianistes-concertistes fait rage. Sans trop surprendre puisqu'elle existe depuis des lustres. Simplement, elle ne paraît pas appelée à diminuer d'intensité de sitôt. Bien au contraire. Elle devrait de plus en plus s'exacerber, en raison, notamment, de la profusion récurrente de jeunes instrumentistes talentueux qui cherchent à se faire connaître du public et de la « démographie » pianistique ébouriffante en Asie (1). Y a-t-il lieu de s'en émouvoir ? Pas nécessairement. Sous réserve que certaines « vieilles gloires » acceptent de ne pas accaparer le terrain au-delà du raisonnable et des limites de la décence, il y a de la place. Le marché est étroit, mais moins qu'il y paraît, et, surtout, les modalités de son fonctionnement au niveau planétaire connaissent des évolutions parfois considérables. En tout et pour tout, qu'il s'agisse des supports de contenus musicaux, des circuits de diffusion, des modes de distribution, des manifestations culturelles ou des lieux de concerts, les changements s'inscrivent dans l'environnement du pianiste soliste et conditionnent l'évolution de son parcours. Le musicien doit donc en tenir compte et s'adapter dans la mesure du possible à la nouvelle donne ou s'organiser pour ne pas devoir passer sous les fourches Caudines d'un système de marketing culturel qui lui déplaît et tenter de mener à bien, de façon indépendante, ses projets.

En outre, que cela plaise ou non, il y a vraiment... soliste et soliste. Autrement dit, il existe des catégories et une hiérarchie. Toutefois, cette hiérarchie n'a rien de figé. Un pianiste « cinq étoiles » peut fort bien, au fil des vicissitudes de l'existence, ne plus faire partie de l'élite internationale, sans cesser d'être un très bon instrumentiste. Simplement, il y aura là une différence... Qui, il convient de le reconnaître, fait toute la différence !

Impossible d'établir la liste complète des grands pianistes classiques du siècle dernier et de notre époque. Sans doute y trouverait-on Claudio Arrau (1903-1991), Alfred Brendel, Alfred Cortot (1877-1962), Georges Cziffra (1921-1994), Edwin Fischer (1886-1960), Emil Gilels (1916-1985), Alexandre Goldenweiser (1875-1961), Vladimir Horowitz (1903-1989), Lang Lang, Arturo Benedetti Michelangeli (1920-1995), Sviatoslav Richter (1915-1997), Arthur Rubinstein (1887-1982) et Van Cliburn (Harvey Lavan Cliburn dit, 1934-2013). Sans doute aussi y insérerait-on Martha Argerich, Vladimir Azhkenazy, Gina Bachauer (1913-1976), Wilhelm Backhaus (1884-1969), Samouïl Feinberg (1890-1962), Annie Fischer (1914-1995), Samson François (1924-1970), Walter Gieseking (1895-1956), Leopold Godowsky (1870-1938), Grigory Ginzburg (1904-1961), Youra Guller (1895-1980), Josef Hofmann (1876-1957), Julius Katchen (1926-1969), Alicia de Larrocha (1923-2009), Dinu Lipatti (1917-1950), Stanislas Neuhaus (1927-1980), Guiomar Novaes (1895-1979), Maria João Pires, Ivo Pogorelić, Maurizio Pollini, Serge Rachmaninov (1873-1943), György Sándor (1912-2005), Arthur Schnabel (1882-1951), Rudolf Serkin (1903-1991), Maria Yudina (1899-1970) et Krystian Zimerman. Très vite, on s'apercevrait que Glenn Gould (1932-1982) a été scandaleusement oublié et que de nombreux autres sont très abusivement omis. De Evgeny Kissin à Alexandre Tharaud, en passant par Emanuel Ax, Paul Badura-Skoda, Daniel Barenboim, Lazar Berman (1930-2005), Robert Casadesus (1890-1972), Aldo Ciccolini (1925-2015), Maurice Dumesnil (1884-1974), Léon Fleisher, Hélène Grimaud, Grigory Ginzburg (1904-1961), Friedrich Gulda (1930-2000), Ingrid Haebler, Clara Haskil (1895-1960), Mieczysław Horszowski (1892-1993), Stephen Hough, Byron Janis, William Kapell (1922-1953), Wilhelm Kempff (1895-1991), Raoul Koczalski (1884-1948), Stephen Kovacevich (connu également sous le nom de Stephen Bishop), Josef Lhevinne (1880-1976), Mischa Levitzki (1898-1941), Lev Oborine (1907-1974), Nikita Magaloff (1912-1992), Ivan Moravec, Murray Perahia, Rosita Renard (1894-1949), Grigory Sokolov, Dang Thaï Son, Moura Lympany (1916-2005), Yundi Li, Fazil Say, Blanche Selva (1884-1942), György Sebök (1922-1999), Vladimir Sofronitsky (1901-1961), Rosalyn Tureck (1913-2003), Mitsuko Uchida, Arcadi Volodos, Yuja Wang, Alexis Weissenberg (1929-2012), Earl Wild (1915-2010) ou Magda Tagliaferro (1893-1986), cette interprète de légende qui avait connu Fauré, Granados, Ravel et qui, à quatre-vingt-douze ans et fatiguée, jouait somptueusement Debussy... Très vite encore, on ferait semblant de se poser la question de savoir si mériteraient bien de faire partie de la compagnie d'autres solistes éminents de la sphère musicale internationale comme Piotr Anderszewski, Idil Biret, Jorge Bolet, Teresa Carreno (1853-1917) qui a donné son nom au nouveau grand théâtre de Caracas, Abdel Rahman El Bacha, Victor Eresko, Mikhail Pletnev, Denis Matsuev, Daniil Trifonov, Boris Berezovsky, Nelson Freire, Carlo Grante, Cor de Groot (1914-1993) (2), Radoslav Kvapil, Elisabeth Leonskaïa, Zinaida Ignatieva, Monique de La Bruchollerie (1915-1972), Jerome Lowenthal, Yundi Li, Dominique Merlet, Marcelle Meyer (1897-1958), Rafael Orozco (1946-1996), Menahem Pressler, Pascal Rogé, Andras Schiff, Peter Schmalfuss (1937-2008), Setrak (Setrak Yavruyan, naturalisé français sous le nom d'Yves Petit, 1930-2006), Gabriel Tacchino, Maria Tipo, Elisso Virssaladze, Ventsislas Yankoff ou Yakov Zak (1913-1976). Très vite, donc, seraient perçus les difficultés de l'entreprise, les risques d'injustice et, finalement, l'impossibilité manifeste de l'exhaustivité. Chaque mélomane a ses critères hiérarchiques et son propre Panthéon où il insère – ou pas – tel ou tel nom, en fonction souvent des compositeurs et des œuvres joués, des concerts auxquels il a assisté, des attentes particulières qui sont les siennes... Ainsi que de l'image qu'il a de tel ou tel interprète. Certaines personnes songeront, à juste titre, à des pianistes comme Eugen d'Albert (1864-1932), Géza Anda (1921-1976), Leif Ove Andsnes, Nicolas Angelich, Maurizio Baglini, Dmitri Bachkirov, Giovanni Bellucci, décrit par la revue britannique *Gramophone* comme *« un artiste destiné à poursuivre la grande tradition italienne, historiquement représentée par Busoni, Zecchi, Michelangeli, Ciani et Pollini »*, Joseph Benvenuti (1898-1967), Michel Béroff, Rafal Blechacz, Youri Boukoff (1923-2006), Alexander Brailowsky (1896-1976), Philippe Cassard, Shura Cherkassky (1909-1995), France Clidat (1932-2012), Jeanne-Marie Darré (1905-1999) (3), Bella Davidovich, Florence Delaage, François-René Duchâble, Youri Egorov (1954-1988) (4), Severin Eisenberger (1879-1945), Brigitte Engerer (1952-2012), Christoph Eschenbach, Peter Frankl, Arthur Friedheim (1859-1932), Pascal Gallet, Bruno-Leonardo Gelbert, Nelson Goerner. D'autres évoqueront Michael Brimer, Catherine Collard (1947-1993), Jörg Demus, Jean Doyen (1907-1982), Vera Gornostayeva, Éric Heidsieck, Jean Hubeau (1917-1992), Myra Hess (1890-1965), Rudolf Ganz (1877-1972), Veronica Jochum, Zoltan Kocsis, Danielle Laval, Michaël Levinas, Teresa Llacuna (Teresa Llacuna i Puig dite) (5), Louis Lortie, Nikolaï Louganski, Jean-Marc Luisada, Radu Lupu, *« l'homo pianisticus »* (6), Witold Malcucinski (1914-1977), André Mathieu (1929-1968), Benno Moïseïwitsch (1890-1963), Yves Nat (1890-1956), Elly Ney (1882-1968), Garrick Ohlsson, Janusz Olejniczak, Cécile Ousset, Vladimir de Pachman (1848-1933), Kun-Woo Paik, Vlado Perlemuter (1904-2002), Francis Planté (1839-1934), Marian Ribicki, Tatiana Shebanova (1953-2011) (7), Abbey Simon, Elizabeth Sombart, Mustapha Skandrani (1920-2005) (8), Solomon (Solomon Cutner dit, 1902-1988), Germaine Thyssens-Valentin (1902-1987), l'interprète inspirée de Gabriel Fauré, Peter Toperczer (1944-2010), Per Tengstrand ou André Watts (9)...

D'autres encore citeront Dong-Hyek Lim, ce Sud-Coréen devenu, en 2001, le plus jeune premier grand prix dans l'histoire du concours Long-Thibaud, Pierre-Laurent Aimard, Pascal Amoyel, Racha Arodaki (10), Jean-Efflam Bavouzet, dont l'un des mérites consiste à bien faire valoir des œuvres de compositeurs contemporains (dont Bruno Mantovani), Philippe Bianconi, Stéphane Blet, Frank Braley (11), Laurent Cabasso, Bertrand Chamayou, Frederic Chiu, Jean-Philippe Collard, Michel Dalberto, Jean-Nicolas Diatkine, Akiko Ebi, Severin von Eckardstein, David Fray, Richard Goode, François-Frédéric Guy, Marc-André Hamelin (12), Yves Henry (13), Romain Hervé, Angela Hewitt, Dina Joffe, Cyprien Katsaris, Guigla Katsarava (14), Julius-Jeongwon Kim, Alain Lefèvre, Paul Lewis (15), Valentina Lisitsa, Vahan Mardirossian, Roger Muraro, Désiré N'Kaoua, Alexandre Paley, Alain Planès, Simone Pedroni, Awadagin Pratt, Anne Queffélec, Bruno Rigutto, Muza Rubackyté (16), Jean-Paul Sévilla, Jean- Yves Thibaudet, François-Joël Thiollier, Cédric Tiberghien, Simon Trpčeski, Genc Tukiçi, Ayako Uehara (17), Mihaela Ursuleasa (1978-2012), Frédéric Vaysse-Knitter, Anna Vinnitskaya, Gerard Willems ou Ramzi Yassa... Ils relèveront de surcroît que le nom de Dino Ciani (1941-1974), en dépit d'une disparition accidentelle très prématurée de la scène et des studios d'enregistrement, est attaché à des interprétations qui font partie du patrimoine pianistique. D'autres, enfin, feront remarquer que par-delà les controverses liées à sa forte personnalité, à son tempérament violent et à sa vulgarité, Ignacy Paderewski (1860-1941), qui fut un Premier ministre polonais et une « star » hollywoodienne, mérite d'être classé parmi les pianistes solistes célèbres.

(1) Rien qu'en Chine, le nombre d'habitants qui apprennent le piano se situerait autour de cinquante millions et les pianistes de haut niveau technique, qui vont jusqu'à consacrer leur vie à l'instrument, s'y compteraient par dizaines de milliers...

(2) Souvent oublié ou méconnu, ce pianiste hollandais de haut rang eut un grave problème d'utilisation de sa main droite à la suite de problèmes nerveux, mais parvint à s'en remettre.

(3) En dépit du surnom de « néant avec des doigts » dont l'avait, semble-t-il, affublée Yves Nat.

(4) Décédé à l'âge de trente-trois ans des complications du sida, cet artiste russe formé au conservatoire de Moscou fut un très jeune lauréat des principaux concours internationaux de piano. Il est resté dans la mémoire de plus d'un mélomane pour la délicatesse et la clarté inouïes de son jeu.

(5) Fille du poète catalan Joan Llacuna, elle a enregistré une intégrale des œuvres de Manuel de Falla, donné son nom à un concours international de piano et compte le pianiste Pascal Gallet parmi ses principaux disciples.

(6) Surnommé ainsi dans un article de Marie-Aude Roux paru dans *Le Monde* du 7-8 avril 2013.

(7) Parmi ses anciens élèves, figurent Stanislaw Drzewiecki et Anieszka Ufniarz.

(8) Originaire de la casbah d'Alger, ce musicien est un maître légendaire du « piano algérien ».

(9) Considéré durant son enfance comme un musicien prodige, ce pianiste américain, né en 1946, a tenu ses promesses et s'est imposé auprès de nombreux mélomanes comme une référence, en particulier pour Liszt.

(10) Pianiste française d'origine syrienne, Racha Arodaki a été, en 2001, « révélation classique » de l'Adami (Société civile pour l'administration des droits des artistes et musiciens interprètes) au Midem (Marché international de l'édition musicale). Par la suite, ses récitals et plusieurs de ses enregistrements – consacrés à Scarlatti et à Haendel – lui ont valu une belle renommée.

(11) L'obtention, en 1991, du premier prix au prestigieux concours Reine-Elisabeth-de-Belgique a donné une dimension internationale à la carrière de ce pianiste français né à Corbeil-Essonnes.

(12) Ce musicien canadien a été, comme Louis Lortie et de nombreux autres concertistes internationaux, élève de la pianiste et grande pédagogue québécoise d'origine belge Yvonne Hubert (1895-1988).

(13) Premier grand prix du concours Robert Schumann à Zwickau, en 1981, ce pianiste formé par Pierre Sancan, puis par Aldo Ciccolini, a acquis un certain rayonnement international comme interprète de Schumann. Il préside le Festival de musique de Nohant, dans l'Indre, qui regroupe les Fêtes romantiques de Nohant et les Rencontres internationales Frédéric Chopin.

(14) Né en 1972 à Tbilissi, en Georgie, ce pianiste a été formé au conservatoire de Moscou et a eu pour maître Lev Naoumov. La qualité de ses propres disciples – d'Olga Panova à Miho Nagata en passant par Ecaterina Baranov, André Roque Cardoso, Fumiwo Matsushima, Mihyun Ahn et Zachary Deak – donne la mesure de son rayonnement.

(15) Encore peu connu en France, ce musicien anglais né en 1972 n'en a pas moins acquis, en raison de ses initiatives et de ses enregistrements, une stature internationale. Il s'est souvent produit à Wigmore Hall, la célèbre salle de concerts londonienne.

(16) Formée au conservatoire de Moscou, grand prix du concours international de piano Liszt-Bartok de Budapest en 1981, cette pianiste lituanienne a créé le Festival de piano de Vilnius. Bien qu'elle soit installée en France depuis 1991, qu'elle ait poursuivi une carrière internationale et enregistré une vingtaine de disques, elle ne jouit toujours pas auprès du grand public de la notoriété qu'elle mérite.

(17) Née à Takamatsu en 1980, elle est la première femme et la première Japonaise à avoir remporté en 2002 le Concours Tchaïkovski à Moscou.

« On ne s'adresse plus à une petite élite, mais à tout un peuple. Comment faire pour que cent mille personnes retiennent mon nom ? D'autant que leur mémoire est déjà surchargée : il y a trop de noms qui prétendent à leur attention ; chaque été, trois ou quatre mille peintres à l'Exposition ; pendant six mois, des centaines de musiciens qui bourdonnent le soir comme des insectes à la lumière des lustres ; tous les jours, au bas de vingt revues et de cinquante journaux, une population d'écrivains ; tous travaillant à coups répétés d'articles, de concerts et de tableaux à s'approprier un coin dans cette mémoire pleine ; elle déborde ; au bout d'un temps, rien n'y entre plus. »

Hippolyte Taine (1828-1893), *Notes sur Paris : vie et opinions de Frédéric-Thomas Graindorge*, 1867

17

Noir sur blanc

« Les pianistes âgés aiment les vieux pianos. »
Stefan Askenase (1896-1985)

« L'âme ne frémit plus chez ce vieil instrument ;
Son couvercle baissé lui donne un aspect sombre ;
Relégué du salon, il sommeille dans l'ombre
Ce misanthrope aigri de son isolement.

Je me souviens encor des nocturnes sans nombre
Que me jouait ma mère, et je songe, en pleurant,
À ces soirs d'autrefois – passés dans la pénombre,
Quand Liszt se disait triste et Beethoven mourant.

Ô vieux piano d'ébène, image de ma vie,
Comme toi du bonheur ma pauvre âme est ravie.
Il te manque une artiste, il me faut L'Idéal ;

Et pourtant là tu dors, ma seule joie au monde,
Qui donc fera renaître, ô détresse profonde,
De ton clavier funèbre un concert triomphal ? »
Émile Nelligan (1879-1941), *Vieux Piano*

Seniors sur la touche

Un piano n'est pas un placement. À prendre de l'âge, il ne gagne généralement ni en sonorité ni en valeur. Il apparaît au mieux comme un emplacement, à vocation plus ou moins décorative, au pis comme un encombrement. Mais il lui arrive, en souvenir des jours joyeux et de la jeunesse enfuie, de susciter de la nostalgie. Ce qui lui vaut sinon la considération, du moins la conservation. Dans certains cas, très rares, il peut avoir un intérêt historique. Plus qu'un instrument de musique, il devient alors un morceau d'histoire. Le piano qui a servi à Frédéric Chopin, à Nohant, la résidence berrichonne de George Sand, en est un exemple. Comme le fameux Steinway CD 318 de Glenn Gould, exposé en permanence - avec le banc ajustable créé par le père de Gould pour son fils et la chaise qui a suivi l'interprète des *Variations Goldberg* de Bach partout dans le monde - au Centre national des arts d'Ottawa, le Steinway qu'Alfred Cortot a légué à la pianiste Florence Delaage, en est un autre. Le pianoforte qui a accompagné Mozart pendant une décennie et jusqu'à sa mort, un autre encore, et ô combien ! Il a été utilisé par l'illustre musicien, à la fois dans tous ses déplacements et pour ses dernières compositions. Aujourd'hui, il est préservé à la Fondation Mozart, de Salzbourg, d'autant plus pieusement que les plus fervents admirateurs mozartiens lui attribuent des sonorités qu'ils qualifient volontiers de multiples et d'indescriptibles... Selon eux, c'est grâce à lui que la véritable symphonie des partitions du génie est en mesure de renaître. Sans doute n'ont-ils pas quelques bonnes raisons de l'affirmer, mais il semble préférable de savoir... raison garder, de ne pas trop sombrer dans le culte de l'instrument patrimonial et l'excès nostalgique. À sa manière, Voltaire y incite quand il croit bon d'asséner dans ses *Lettres en vers et en prose* qu'un pianoforte n'est qu'un *« instrument de chaudronnier en comparaison du clavecin »*... De toute évidence, si hier n'est pas nécessairement mieux qu'aujourd'hui, aujourd'hui peut se révéler moins séduisant que demain ! Du charme, les vieux pianos en ont parfois à revendre et c'est tant mieux (1). Mais il serait aventureux de leur attribuer plus de mérites et de vertus qu'ils n'ont.

(1) Une pianiste-concertiste française comme Claire Chevallier est ainsi très sensible aux attraits des instruments anciens, au point d'avoir une vraie passion pour eux. Installée en Belgique, cette artiste est une collectionneuse avisée de claviers historiques, en particulier de la marque Erard.

« Y'a pas tellement longtemps
Vous vous rappelez au temps du Guignol, de la dentelle ?
On se saoulait le dedans de pathétique
C'était la belle époque du piano nostalgique

Adieu rengaines qui nous suivaient la semaine
Et savaient nous réjouir quand nous vivions le pire
Mais déjà depuis longtemps, on vous a oubliées
Vous n'êtes plus de notre temps, restez dans vos musées

Ce sont vos pianos mécaniques
Que vous avez remplacés par des boîtes à musique
Qui, pour trente sous, vous tirent deux disques coup sur coup
Pourvu que ça joue, nous on s'en fout

Ce sont vos pianos tout usés qui se sont tus paralysés
Et qui ne sont plus qu'objets d'antiquités
Qui, autrefois, faisaient la joie des salons
Et ils étaient les grands rois de la chanson

Mais, malgré tout, on se souvient de vous
Et c'est avec regret que l'on vous sait parfois muets
Mais, ce soir, moi je vous aime
Et je veux que l'on vous chante
Vous que la vie retranche
De même vos frères les poèmes

Ce sont vos pianos mécaniques
Que vous avez remplacés par des boîtes à musique
Qui pour trente sous vous tirent deux disques coup sur coup
Pourvu que ça joue, nous on s'en fout

Ce sont vos pianos tout usés
Qui se sont tus paralysés et qui ne sont plus qu'objets d'antiquités
Qui autrefois faisaient la joie des salons
Et ils étaient les grands rois de la chanson

Mais, malgré tout, on se souvient
Et c'est avec regret que l'on vous sait parfois muets
Mais ce soir, moi je vous aime
Et je veux que l'on vous chante

Pourtant y'a pas tellement longtemps
Vous vous rappelez au temps du Guignol, de la dentelle ?
On se saoulait le dedans de pathétique
C'était la belle époque du piano nostalgique. »

Le Vieux Piano, chanson composée pour Édith Piaf en 1961,
paroles et musique de Claude Léveillée (1932-2011)

18

Hors des claviers battus

« Audace, c'est la trajectoire d'un artiste. »
Arielle Dombasle (Arielle Laure Maxime Sonnery, dite),
dans l'émission « Thé ou Café » sur France 2

Se pencher sur le « piano solo », c'est prendre le risque d'être attirés par des personnalités « hors normes », des « profils » plus ou moins atypiques, aux parcours sinon étranges du moins peu conventionnels. À l'exemple de David Helfgott, pianiste australien, mais de parents polonais. Doté d'une technique transcendante, ce personnage amusant et un peu étrange – il semble avoir eu des problèmes psychiques majeurs – se joue de Liszt avec finesse et délicatesse. À l'exemple aussi de Bruno Fontaine, cet artiste qui donne le sentiment d'être imprévisible et toujours là où personne, ou presque, ne l'attend. Quitte à s'aventurer à n'être ni franchement connu ni vraiment reconnu, il peut tout aussi bien « s'amuser » en plein air devant des foules, comme il le fit, en 2010, sur la plage de Royan, enregistrer du ragtime ou les *Toccatas et Partitas* de Jean-Sébastien Bach, assurer la conception musicale de spectacles à la Comédie-Française ou les arrangements d'un disque Jacques Brel par Juliette Gréco pour Deutsche Grammophon...

Cette volonté d'être un soliste hors des claviers battus, elle se retrouve également chez Pascal Gallet, qui n'hésite pas à « donner du temps au temps » pour mener à bien ses projets (1), chez Damien Luce (2) ou chez Laurent Martin. Avec, de manière délibérée, des choix de répertoire qui ont longtemps restreint ses engagements et qui l'ont amené à consacrer plusieurs disques à l'œuvre de Charles-

Valentin Alkan, ce dernier a longtemps évolué un peu en marge, alors que sa formation et ses distinctions recueillies lors de plusieurs concours internationaux auraient pu le destiner à un cheminement conventionnel.

Autres cas, très singuliers et haut en couleurs, ceux de Madeleine Malraux et de Livia Rév. Née en 1914, la première, ex-épouse et belle-sœur d'André Malraux, a joué en public fin 2011 ! Née en 1916, la seconde, grande soliste, s'est montrée capable, à l'âge de quatre-vingt-treize ans, de jouer Mozart de manière épatante.

Fujiko Hemming apparaît, elle aussi, comme une figure aux caractéristiques quelque peu étonnantes. Non parce qu'elle est née à Berlin, en 1932, d'un artiste-architecte russo-suédois et d'une pianiste japonaise. Non parce qu'elle a très tôt débuté l'apprentissage de l'instrument et pris des cours avec Leonid Kreutzer qui lui a prédit une belle carrière, grâce à un jeu qui, assurait-il, *« fascinera le monde entier »*. Le fait d'avoir étudié à Vienne sous la direction de Paul Badura-Skoda ou d'avoir connu des succès sur scène aux côtés de Bruno Maderna, Leonard Bernstein, Shura Cherkassky ou Nikita Magaloff n'a pas davantage rendu son « profil » atypique. Non, ce qui a rendu Fujiko Hemming foncièrement singulière, ce sont de graves ennuis de santé qui sont apparus manifestes lors d'un concert, en 1971, et lui ont fait perdre l'ouïe... Sans toutefois parvenir à l'empêcher de poursuivre son activité de concertiste, et son talent a été reconnu aussi bien par le public que par de nombreux critiques. Au début des années 2010, elle a brillé devant un parterre de personnalités lors du Festival Chopin de Varsovie et l'un de ses récitals en solo, à Londres, a été retransmis en direct sur la BBC...

La grande jeunesse peut également faire forte impression. L'ont démontré, entre autres cas, le regretté Christopher Falzone (1985-2014), le Chinois Yutong Sun, lauréat de concours à l'âge de quinze ans et doté d'une technique époustouflante dont il a fait la preuve salle Cortot, à Paris, la Chinoise Peng Lin, elle aussi lauréate de concours, Lise de La Salle, très tôt soliste de niveau international, Ingmar Lazar ou Benjamin Grosvenor, à la fois si brillant et si prometteur. Avec ses talents démultipliés d'excellente instrumentiste et d'actrice polyglotte, Lydie Solomon (Lydie Waï Solomon, dite) est aussi un exemple intéressant. Rémi Geniet ne l'est pas moins. Tant s'en faut. Reçu premier au concours d'entrée au Conservatoire national supérieur de musique de Paris, en 2009, ce musicien, également élève de l'école normale de musique de Paris, a été lauréat des concours Beethoven de Bonn et Horowitz de Kiev, avant de se voir attribuer, à vingt ans, le second prix du concours Reine-Elisabeth-de-Belgique 2013. Doté d'une maturité peu commune, il paraît promis à un parcours des plus brillants. Comment ne pas se souvenir enfin de Seong Jin Cho, ce Sud-Coréen de 17 ans qui, le 1er juin 2012, donna un remarquable concert, retransmis par France-Musique en direct du théâtre du Châtelet, à Paris ?

(1) Il a notamment consacré quatre années de réflexion approfondie pour enregistrer en solo un DVD *Liszt immortel* (filmé par Clara Antonelli).

(2) Frère du chanteur Renan Luce, ce pianiste, né en 1978, joue volontiers des compositeurs méconnus comme Kirchner, Liadov, Mompou ou Séverac. Il est également compositeur de musique pour piano, comédien, auteur de théâtre, romancier...

« L'idéal serait que je sois Steinway, je pourrais me passer de Glenn Gould, dit-il, en étant Steinway, je pourrais rendre Glenn Gould superflu. Mais il n'y a pas, à ce jour, un seul interprète au piano qui soit parvenu à se rendre superflu en étant Steinway, c'est Glenn qui parle. Me réveiller un jour et être Steinway et Glenn en un seul, dit-il, pensai-je, Glenn Steinway, Steinway Glenn, uniquement pour Bach. »

Thomas Bernhard (1931-1989), *Le Naufragé*

19

Noir sur blanc

« Les mondes nouveaux doivent être vécus avant d'être expliqués. »
Alejo Carpentier (Alejo Carpentier y Valmont dit, 1904-1980),
Le Partage des eaux

Au clavier... le réalisateur en informatique musicale (*)

« Qu'est-ce que tu veux faire quand tu seras grand ? – RIM... » À quoi ça rime ? À « faire l'interface » entre musique et technologie. Plus qu'une fonction un métier.

Il y a dix ans, leurs noms n'étaient connus que des ultra-spécialistes. Aujourd'hui, ils apparaissent sur les programmes de concerts, au même titre que les solistes. « Réalisateur en informatique musicale. » L'appellation ne les satisfait pas pleinement. Mais c'est toujours mieux que « tuteur », en vigueur jusqu'aux années 1980, ou « assistant musical », retenu jusqu'en 2006. *« C'est clairement une reconnaissance du métier »*, sourit Arshi Cont, « RIM » – abréviation usuelle – à l'Ircam et directeur du département interfaces recherche et création du temple parisien de la musique contemporaine.

« Faire l'interface » : ainsi se définissent les RIM. La musique contemporaine fait parfois son lit dans les seuls draps du passé. On écrit pour instrument solo, pour quatuor ou orchestre... Mais, dès lors que le compositeur aborde le terrain électro-acoustique, deux mondes se rencontrent. Celui du musicien, avec ses désirs, son questionnement, et celui des physiciens, acousticiens, informaticiens... *« Deux temporalités, deux mentalités »*, assure Arshi Cont. *« Deux mondes disjoints qu'il nous appartient de relier »*, précise son collègue Grégory Beller.

Au commencement est le projet musical. *« Un compositeur exprime un fantasme »*, résume Grégory Beller. Certains savent ce qu'ils cherchent, maîtrisent l'informatique. D'autres n'y connaissent rien. Le RIM expose alors ses outils. (...) Le RIM rédige les documents d'accompagnement des logiciels et combat l'obsolescence des outils informatiques. (...) Des cursus spécialisés viennent d'être ouverts au CNSMD, de Paris, et à l'université Jean-Monet, de Saint-Étienne, qui témoignent de la reconnaissance du métier. Mais qui (...) ne prend son sens qu'en complément d'une solide pratique instrumentale. Remarque à méditer par tous les adolescents plus attirés par le clavier de l'ordinateur que par celui du piano.

(*) Extrait d'un article paru dans le quotidien *Le Monde* du 1er juin 2012 et portant la signature de Nathaniel Herzberg.

« La musique mérite d'être la seconde langue obligatoire de toutes les écoles du monde. »

Paul Carvel, *Jets d'encre*

20

Virtuosité à tout va

« Il arrive que les gens, même ceux que nous aimons le mieux, se saturent de la tristesse ou de l'agacement qui émane de nous. Il y a pourtant quelque chose qui est capable d'un pouvoir d'exaspérer où n'atteindra jamais une personne : c'est un piano. »

Marcel Proust (1871-1922), *Sodome et Gomorrhe*

À un haut niveau de formation et de pratique instrumentales, les pianistes sont virtuoses. C'est une affaire plus qu'entendue. Certains le démontrent sans doute avec plus de brio et d'éclat que d'autres. Mais tous le sont. Au point de provoquer une impression, en partie justifiée, de banalisation. Les programmes de récital où il est écrit que le concertiste *« a montré dès son plus jeune âge des dispositions exceptionnelles pour la musique »* sont trop légion pour qu'il en aille autrement... Pourtant, la virtuosité paraît aujourd'hui si commune qu'elle devrait être quelque peu réhabilitée. Certes, elle peut avoir le tort de n'être que la recherche effrénée de l'effet et de relever d'une gratuité sans réel intérêt. Un piège auquel les instrumentistes en début de parcours professionnel ont souvent du mal à ne pas succomber et qui n'a rien de nouveau... *« La caractéristique du jeune pianiste d'aujourd'hui,* écrivait déjà Peter Cooper, dans *Style et Piano, est qu'il joue brillamment, bruyamment et superficiellement. »* Lorsque la virtuosité paraît synonyme de frivolité et de gage de réussite dans le *cursus honorum* du musicien, le travers risque de devenir rédhibitoire. Surtout si les concours de piano ont tendance, sinon à l'encourager, du moins à favoriser sa généralisation. À l'occasion, des masters de Monaco 2012, le vainqueur, Miroslav Kultyshev, s'est montré extrêmement virtuose. Mais la musicalité de son jeu a-t-elle été supérieure à celle de l'un de ses principaux concurrents, François Dumont ? Rien n'est moins sûr. Ou, plus exactement, la prudence paraît d'autant plus de rigueur que leurs programmes n'étaient pas identiques, avec une œuvre de Rachmaninov, d'un côté, et une pièce de Brahms, de l'autre...

Dans son *Journal*, André Gide ne manque pas de mettre le doigt sur le danger qui guette en permanence le musicien désireux de tirer le meilleur parti d'une œuvre... et de se distinguer de ses rivaux : *« Toute bonne exécution doit être une explication du morceau,* souligne-t-il. *Mais le pianiste cherche l'effet, comme l'acteur, et l'effet n'est obtenu d'ordinaire qu'aux dépens du texte »* (1)... Il appartient donc à l'instrumentiste d'être toujours attaché à la « loi de beauté » (2) chère à Debussy, de faire preuve de sensibilité, d'intelligence et de retenue... Comme le lui suggère Ludwig van Beethoven : « *Le poète écrit son monologue ou son dialogue suivant un rythme défini et continu,* explique l'illustre compositeur. *Mais, pour être sûr de se faire comprendre, l'orateur doit faire des pauses, et même s'arrêter à des endroits où le poète n'a indiqué aucune ponctuation. En musique, l'interprète peut user du même procédé... (3).* » Au vrai virtuose, dans ces conditions, de démontrer que sa technique sans faille laisse le champ libre à une inspiration qui n'appartient qu'à lui, de faire entendre la musique, pour reprendre le propos de Robert Bresson (4), *« non pas comme elle est écrite, mais comme il la sent »*. Peu importe que la touche soit un peu dure, l'attaque franche et l'élan dépourvu de toute fioriture, si l'auditeur fait une découverte et est entraîné aux confins d'une révélation d'ordre sonore. C'est à ce prix que la virtuosité mérite de conserver son caractère dérangeant. À la fois fascinant et exaspérant. Tant pis, ou plutôt tant mieux, elle est extrémiste, elle hypnotise, elle pousse à bout. Simplement, s'il peut lui arriver d'écœurer les pianistes, aussi bien débutants que chevronnés, elle mérite, à tout le moins, le respect. Pas seulement parce qu'elle représente des milliers d'heures de travail opiniâtre et que, à la différence des performances spectaculaires constatées dans la plupart des sports, elle ne s'obtient ni par dopage ni par trucage. Si elle ne doit pas laisser indifférent, c'est, peut-être, en raison de l'abnégation qu'elle implique... et de l'absence quasi totale de garantie, en termes de réussite artistique et sociale, qu'elle apporte. Au pianiste Simon Barère qui lui exposait ses difficultés d'ordre professionnel, notamment le nombre peu élevé de concerts qu'il avait donnés, malgré ses dons évidents et ses performances peu communes, Serge Rachmaninov aurait eu cette réponse sans appel et tellement juste : *« Vous êtes un brillant virtuose et musicien par surcroît. Mais le talent est un facteur de moindre importance dans l'échafaudage d'une carrière. »*

Les plus grands instrumentistes savent combien la virtuosité n'est jamais définitivement acquise, et les plus âgés d'entre eux confient parfois qu'il peut être particulièrement ardu, aléatoire et quelque peu désespérant de la préserver. Enfin, les résultats sonores qu'elle permet d'obtenir représentent, en concert, une prise de risques. Avec les incidences détestables qu'elle implique et que Claude Debussy a, avant la Première Guerre mondiale, avec humour, dénoncées : *« L'attrait qu'exerce le virtuose sur le public,* écrit-il dans *Monsieur Croche et autres écrits, paraît assez semblable à celui qui attire les foules vers les jeux du cirque. On espère toujours qu'il va se passer quelque chose de dangereux : M. Ysaye va jouer du violon en prenant M. Colonne sur ses épaules, ou bien M. Pugno terminera son morceau en saisissant le piano entre ses dents... »* Plus gênant encore, le spectateur n'est pas nécessairement en mesure d'apprécier la véritable ampleur de cette prise de risques du concertiste. Comme le rappelle fort justement le pianiste Martial Solal, *« pour juger, il faut être soi-même au courant des difficultés d'un instrument. Les choses qui font de l'effet peuvent être faciles à faire »*...

Il n'empêche que la prise de risques constitue l'essence même de la prestation d'ordre artistique. Quand un pianiste comme Gleb

Ivanov se produit à l'auditorium du Louvre, dans le cadre du cycle piano solo « Au fil de Liszt » (concert qui sera diffusé le mois suivant sur France-Musique), il n'hésite pas à se lancer un défi à lui-même. Il fait preuve d'une virtuosité périlleuse et remarquable, car toujours extrêmement rigoureuse et... musicale. Au point que l'auditeur peut avoir la sensation surprenante et jubilatoire d'écouter le fantôme d'Horowitz, voire de Cziffra. Simple exemple bien sûr. Sviatoslav Richter, que Maurice Fleuret décrivait comme un *« monstre de sensibilité sous un visage d'officier prussien »*, avait l'habitude de souligner : *« Le piano, c'est difficile, le concert est un combat... »* Tous les mélomanes sont en mesure d'évoquer les confrontations les plus épiques auxquelles ils ont assisté entre un être humain et la masse inerte d'un instrument singulièrement prompte aux métamorphoses les plus diaboliques. Le propre du récital de piano solo réussi ne consiste-t-il pas, en effet, à laisser des souvenirs qui restent gravés dans la mémoire ? L'obtention d'un tel résultat réside souvent dans une alchimie délicate où une virtuosité transcendante ne fait que s'allier à une personnalité d'envergure pour mieux sublimer la musique... Mais peut-être l'accord final pourrait-il revenir à une musicienne aussi inspirée que Elizabeth Sombart ? *« Dieu,* se plaît-elle à rappeler, *n'a pas besoin de pianistes, mais ce dont il a besoin, c'est de personnes qui font tout ce qu'elles peuvent pour répondre à un don qu'elles ont reçu et qui ne leur appartient pas. »*

(1) Journal (1889-1939), 3 juin 1921.

(2) Claude Debussy, *Monsieur Croche et autres écrits* (1901-1914).

(3) Ludwig van Beethoven (1770-1827), cité par Anton Schindler, dans *Beethoven tel que je l'ai connu.*

(4) Robert Bresson, *Notes sur le cinématographe.*

« Il est vrai que, pris dans le tourbillon de leur art, de très grands musiciens n'ont souvent ni la possibilité (ni le temps !) d'acquérir des connaissances profondes dans d'autres domaines de la vie spirituelle que dans celui de la musique, mais les virtualités d'une telle connaissance existent toujours chez eux. Le mot remarquable de Rachmaninov me vient à l'esprit : *"Je suis à 85 % musicien, de l'homme je n'ai que 15 %."* »

Heinrich Neuhaus (1888-1964), *L'Art du piano*

21

La saga des concours

> « Le plus grand inconvénient des pianos consiste, sans contredit, dans les pianistes. »
> Alphonse Karr (1808-1890), *Une poignée de vérités*

Faut-il être pour ou contre les concours de piano ? La question a beau être sempiternelle : elle n'a sans doute pas lieu d'être posée. Principe de réalité oblige. Que cela plaise ou non, les concours existent – ô combien ! (1) – et vont certainement avoir tendance à perdurer. Pourquoi ? Simplement parce qu'ils répondent à une forte demande. Les jeunes pianistes qui se destinent à une carrière professionnelle ont besoin de se faire connaître, et les compétitions constituent, par-delà leurs défauts et leurs inconvénients parfois patents, sinon un tremplin, du moins une occasion de vérifier le bien-fondé de leurs ambitions et de se produire auprès d'auditeurs plutôt avertis. Mais ces interprètes en devenir auraient grand tort de s'imaginer que les concours sont une fin en soi. Les récompenses, aussi prestigieuses soient-elles, ne garantissent ni la bonne évolution d'un parcours ni une quelconque postérité. Qui se souvient de Rosa Tamarkina, Tatiana Goldfarb et Nina Yemelyanova ? Deux d'entre elles furent pourtant, en 1937, à une époque où les compétitions internationales du piano ne se comptaient même pas sur les doigts d'une main, lauréates du concours Chopin... Rosa Tamarkina (1920-1950), première épouse de Emil Gilels, était une merveilleuse artiste, reconnue pour sa maîtrise technique hors du commun. Dès l'âge de vingt-six ans, elle fut diagnostiquée comme atteinte d'un cancer des glandes lymphatiques et ses dernières années furent sans doute extrêmement pénibles. Tatiana Goldfarb

(1914-1964) et Nina Yemelyanova (1912-2002) eurent beau être de remarquables solistes : l'une comme l'autre furent éphémères et devinrent pédagogues.

De la même manière que l'obtention d'un premier prix d'un concours renommé ne relève pas de l'assurance-vie et ne garantit nullement le plus brillant des parcours professionnels, l'échec, qu'il soit relatif ou non, n'a rien en principe de rédhibitoire. Parfois, il ne fait que souligner la jeunesse de tel ou tel concurrent. En 1995, Laure Favre-Kahn n'était pas parvenue à figurer parmi les finalistes du concours Marguerite Long-Jacques Thibaud. Pourtant, elle avait déjà des qualités musicales et scéniques rares, une virtuosité plus qu'enviable, un raffinement de jeu flagrant... Mais, du haut de ses dix-neuf ans, elle n'avait pas l'expérience suffisante pour résister à la pression psychologique qu'implique ce type d'épreuves. De sa déconvenue, elle semble avoir su tirer les enseignements. Son évolution justifie amplement qu'elle puisse aujourd'hui se présenter comme une musicienne de talent.

L'histoire des compétitions les plus prestigieuses le prouve : il n'est pas rare que des pianistes, modestement récompensés, voire éclipsés par d'éphémères lauréats lors de tel ou tel concours, s'imposent par la suite comme des interprètes de premier plan. Le palmarès du concours Reine-Elisabeth-de-Belgique, en 1995, en fournit un exemple. Le pianiste Per Tengstrand figure bien parmi les douze finalistes, mais n'obtient pas de prix. Les concurrents qui ont reçu les principales distinctions cette année-là sont- ils particulièrement connus et reconnus aujourd'hui ? Rien n'est moins sûr. Toujours en 1995, le même Per Tengstrand a été l'un des lauréats du concours Long-Thibaud, mais légèrement en retrait. Or, cet artiste suédois, dont la personnalité et les qualités étaient déjà très perceptibles pour tout auditeur attentif, a su évoluer d'excellente manière. Outre qu'il s'est vu décerner notamment le premier prix du concours de

Cleveland, en 1997, il s'est imposé comme l'un des grands interprètes actuels de niveau international. Son jeu pianistique et son approche artistique des œuvres trahissent une authentique personnalité, de plus en plus reconnue par les passionnés de l'instrument. En 2003, le duo pour deux pianos qu'il forme avec sa compagne d'origine asiatique (duo Tengstrand-Sun) a reçu le premier prix du concours de Miami et, en 2005, il a été distingué comme l'un des Suédois les plus remarquables de sa génération par le roi Charles Gustave de Suède. Sa discographie comporte aujourd'hui plusieurs enregistrements qui font référence.

Cependant, il importe toujours de se souvenir que les plus hautes distinctions des compétitions réputées ne sont jamais des « lots » obtenus dans des pochettes-surprise de fêtes foraines. Elles sont, à tout le moins, le gage d'un niveau technique fort élevé. Le jury du concours Long-Thibaud ne décerne pas systématiquement un premier grand prix, mais, quand il le fait, il sait qu'il prend date... Au point que tous les premiers grands prix de cette compétition – de Samson François à Siheng Song, en passant par Aldo Ciccolini, Ventsislas Yankoff, Peter Frankl, Victor Eresko, Mikaïl Rudy ou Cédric Tiberghien, sont des pianistes du plus haut niveau qui, par-delà les aléas et vicissitudes de leurs parcours, méritent d'être considérés comme d'authentiques valeurs sûres.

De même, quand un pianiste et compositeur aveugle, le Japonais Nobuyuki Tsujii, remporte, en 2009, le premier prix du concours Van Cliburn, *ex aequo* avec le jeune interprète chinois Haochen Zhang, il n'y a pas matière à confusion. Rien à voir, s'il est permis de l'écrire, avec un quelconque phénomène de mauvais cirque. Il s'agit là, dans les deux cas, de haute technique pianistique, d'extrême précision alliée à une musicalité puissante, très ressentie, qui mérite de faire forte impression et de susciter l'admiration.

(1) Il y a des centaines de concours internationaux de piano. Plus de sept cent cinquante ! Mais il existe, bien sûr, une hiérarchie et ils ne sont qu'une dizaine à compter vraiment : le concours Frédéric Chopin à Varsovie, le concours Reine-Elisabeth-de-Belgique à Bruxelles, le concours Tchaïkovski à Moscou, le concours Long-Thibaud-Crespin à Paris, le concours Ferruccio Busoni à Bolzano, le concours de Genève, le concours de Budapest, le concours de l'ARD (groupement public de neuf radiodiffuseurs régionaux allemands) à Munich, le concours Van-Cliburn à Fort Worth, au Texas, le concours de Cleveland à Cleveland, dans l'Ohio, le concours Franz Liszt à Utrecht...

22

Noir sur blanc

« L'entreprise privée a deux fonctions fondamentales et deux seulement : le marketing et l'innovation. »
Peter Drucker (1909-2005), *Management*

Chez Peugeot, on fabrique aussi des pianos…

Chez Peugeot, on fabrique de moins en moins d'autos, on ne possède plus de siège, mais on trouve les moyens de se reconvertir... dans le piano ! En version certes éphémère et « juste à temps », dans le cadre d'un partenariat avec Pleyel, un an avant la fermeture du célèbre facteur et la fin du contrôle de PSA-Peugeot-Citroën par la famille Peugeot, avec la déterminante entrée au capital du constructeur chinois Dongfeng, mais qu'importe. Le résultat de ce partenariat a été visible et audible. C'est bien un piano que Peugeot Design Lab, le récent studio de design global de la marque au Lion, a dévoilé lors du Mondial 2012 de l'automobile, à Paris, et pas n'importe quel piano. Réalisé en fibre de carbone (1) et en bois, superbement profilé avec un seul grand pied en porte à faux et un « capot » en carbone sur leviers (2), cet instrument de musique ne se contente pas d'avoir un aspect très aérodynamique, d'apparaître comme un « opni », un objet pianistique non identifié, ou de prendre l'allure d'un « yogi » musical en constante lévitation : il a surtout pour incontestable originalité de disposer d'un mécanisme abaissé. Le couvercle se situe au niveau du clavier, ce qui permet au public de voir les mains du pianiste, quel que soit l'angle de vue. Une innovation plus qu'intéressante : révolutionnaire. Dans la facture du piano, si les créations d'ordre esthétique sont relativement fréquentes, toute nouveauté d'ordre fonctionnel est en tout cas rarissime et fait figure d'événement.

Il aura fallu plus d'un an et demi à Peugeot Design Lab et Pleyel (3) pour parvenir à concevoir ce piano futuriste qui, alignant le clavier sur le couvercle, implique une mécanique entièrement reconçue, afin de préserver la qualité de la sonorité. Le prix de lancement – 165 000 euros – s'en est ressenti, mais il interfère peu dans le sort d'une initiative qui n'a plus désormais aucune chance de pouvoir connaître un développement commercial. Sans doute les Chinois, si fascinés par le piano, un instrument qu'ils apprennent à connaître, sauront-ils, eux, tirer le meilleur des partis de l'expérience Peugeot Design Lab et Pleyel. D'ores et déjà, ils disposent d'environ cent quatre-vingts manufactures pour, en temps utile, surprendre le monde...

(1) C'est au matériau du carbone composite que le pianiste et inventeur hongrois Gergely Bobanyi a eu recours pour mettre au point son nouveau concept de piano qu'il a dévoilé au public en janvier 2015 au terme de dix années de recherches.

(1) Emprunté au hayon automobile, le système qui s'affranchit de la traditionnelle tige de maintien, permet d'ouvrir le couvercle d'une seule main et de le faire tenir sans appui.

(2) Au sein de Peugeot, sont intervenus notamment le designer Cyrille Vayson de Pradenne, créateur du piano et pianiste (à ses heures), Cathal Loughnane, responsable de Peugeot Design Lab, Sophie Gazeau, styliste Couleur et Matière, Gilles Vidal, responsable du Style Peugeot, et Xavier Peugeot, responsable de l'opération. Pour Pleyel, le directeur artistique était Arnaud Marion.

« Si nous sommes assez hardis et habiles, nous ferons de Peugeot l'une des plus grandes affaires industrielles de France. »

Armand Peugeot (1849-1915), déclaration du 5 janvier 1892.

23

Et *bis repetita*...

« Ne craignez pas d'être lent, craignez seulement d'être à l'arrêt. »

« Une méthode fixe n'est pas une méthode. »

Proverbes chinois

À chacun sa propre approche du piano. Cela devrait toujours aller de soi. Cependant, l'expression « jouer du piano » justifie un minimum de distinguo. Entre le musicien qui est capable d'utiliser, dans leur plénitude, les ressources de l'instrument et celui qui ne dispose pas des moyens techniques appropriés, il y a beaucoup plus que quelques arpèges à la volée. Le vrai pianiste travaille non à la « petite semaine », mais au quotidien. Ce qui signifie que, jour après jour, et souvent à hautes doses, il pratique. Il répète et se répète. Du moins en donne-t-il furieusement l'impression, au point que son labeur très répétitif, qui ne saurait être confondu avec celui d'un robot, peut apparaître, à juste titre, comme une forme d'aliénation. Le simple fait qu'il demeure assis de nombreuses heures, rivé à un clavier, représente, à lui seul, une grande exigence physique. Mais cette contrainte est renforcée par la concentration et la lenteur qu'exigent ses tentatives d'amélioration de son jeu.

Simplement, il n'a guère le choix. Il n'y pas de pianiste sans répétition. C'est à ce prix – à lui seul et en l'absence de toute dérogation – que le jeu et l'interprétation pianistiques sont possibles. Tout grand soliste sait que, s'il ne joue pas une journée, ses oreilles vont le lui signifier dès le lendemain et que s'il ne joue pas plusieurs jours d'affilée, certains de ses auditeurs le percevront... et le déploreront. Loin de se contenter de démontrer des qualités virtuelles et non réelles, savoir jouer implique une capacité à obtenir une certaine profondeur de son, qui passe par la puissance appropriée sur chaque note, le détaché adéquat ou le délié suffisant. Ces compétences ne sont bien sûr pas innées : elles s'inculquent, souvent grâce au rabâchage inlassable et éprouvant d'un pédagogue dévoué, compétent et surtout patient dans ses lumineuses observations. C'est ce formateur qui va justifier auprès de l'élève la bonne application des principes de base ou démontrer l'excellence de telle ou telle méthode graduée et évolutive. Comme le rappelle Martial Solal, *« un professeur, ce n'est pas seulement quelqu'un qui montre comment on fait, c'est, plus encore, une personne qui explique comment il faut faire. Un bon professeur sait expliquer (1) »*. Lorsqu'elles atteignent un niveau appréciable, les compétences pianistiques peuvent conduire à la préparation d'un programme de concert qui va supposer, elle, plus de huit heures de travail par jour durant des mois où la résolution des problèmes purement techniques sera associée aux analyses approfondies des œuvres, à de nombreuses lectures... et aux activités – de la marche à la natation en passant par le jardinage et autre « hobby » – qui permettent de pallier la contrainte physique de la position assise prolongée. L'instrumentiste maîtrise alors suffisamment les différentes œuvres pour que sa prestation ne laisse prise ni à l'hésitation ni au doute, qu'elle ne donne surtout pas pour autant une impression d'automaticité, et qu'elle ait une force de conviction qui entraîne l'adhésion d'un public. L'art pianistique, parce qu'il a un besoin essentiel de préparation et de répétition, ne peut vraiment s'épanouir que dans le temps.

(1) *Martial Solal, compositeur de l'instant*, Éditions Michel de Maule, 2005.

« Le plaisir de lire une œuvre au piano n'est nullement sensible dans les premières leçons ; il faut savoir s'ennuyer d'abord. C'est pourquoi vous ne pouvez faire goûter à l'enfant les sciences et les arts comme on goûte les fruits confits. L'homme se forme par la peine ; ses vrais plaisirs, il doit les gagner, il doit les mériter. Il doit donner avant de recevoir. C'est la loi. »

Alain (Émile-Auguste Chartier dit, 1868,1951), *Propos sur l'éducation*

24

Noir sur blanc

« La vraie générosité envers l'avenir consiste à tout donner au présent. »
Albert Camus, *La Peste*

Déjà demain, bientôt hier, si contemporain…

Les compositeurs contemporains d'œuvres pour piano solo sont extrêmement nombreux. Ils ont le mérite de témoigner de l'attrait que l'instrument continue d'exercer... et probablement aussi des préoccupations existentielles des musiciens en cette première moitié de XXIe siècle (1). Mais ils doivent être considérés avec la circonspection qui, à l'évidence, s'impose. Combien parmi eux parviendront-ils à résister à l'épreuve du temps ? Qui seront les plus importants au regard de la postérité ? Ceux qui ont eu la possibilité de s'exprimer et de se promouvoir dans les médias ? Pas nécessairement... Tout pronostic serait, de surcroît, prématuré. Qu'il s'agisse de musique, de peinture ou de sculpture, les vrais créateurs contemporains sont plus que rarement visibles à la télévision. Ils n'en ont souvent ni le temps ni le profond désir.

Quand des interprètes professionnels jouent des œuvres contemporaines, ils le font par goût, par passion et sans doute aussi par métier et par abnégation. Parce qu'ils considèrent que leur rôle consiste à rendre, le temps d'un concert, des partitions réputées indéchiffrables vivantes et à se jouer des frontières de toute sorte pour aller, n'importe où ou presque, à la rencontre du public, quel qu'il soit... Dans de nombreux cas, il s'agit d'une mission quasi sacerdotale, qui implique une grande rigueur et peut laisser quelques traces, en forme de souvenirs et parfois de documents visibles ou non sur Internet... Ici, c'est Frédérique Lagarde qui fait découvrir et apprécier cinq œuvres pour piano de Dominique Probst dans le cadre d'un concert organisé par la fondation Hippocrène. Là, c'est Gaëlle Sadaune qui réussit à captiver son auditoire de la salle Cortot, à Paris, en lui faisant écouter des pièces très récentes et plutôt ardues, aux notes devenues sous ses doigts aussi intéressantes et étincelantes qu'inattendues... Preuve, à chaque fois, qu'un récital au présent plus que parfait n'est rien d'autre qu'un joli cadeau.

(1) Volontiers reflétées dans un long métrage réalisé par le pianiste Pascal Pistone qui, sous le titre *Je hais la musique !* entend donner la mesure des frustrations et des angoisses.

« Ceci est la pensée la plus étrange du monde :
il y aura des hommes après nous. »
Attribué à Paul Valéry (1871-1945)

« Toute création est, à l'origine, la lutte d'une forme en puissance
contre une forme imitée. »
André Malraux (1901-1976), *Les Voix du silence*

25

Tempo ma non troppo

« Suivre le rythme qui palpite avec le cœur de l'idée.
Règle fondamentale du vers. Et de la prose. Et de la musique. »
Pierre Louÿs (1870-1925), *Poétique*

« Un artiste n'est pas un ouvrier du divertissement qui compte ses heures,
il se consume au feu de sa passion. »
Bartabas (Clément Marty dit), *Manifeste pour la vie d'artiste*

Au clavier, tout est toujours une question de *tempo*. Le piano est loin, à cet égard, d'être singulier. Tous les instruments de musique ont une relation très étroite et constante avec le rythme et le temps. Mais les liens sont peut-être plus fusionnels et plus forcenés pour certains d'entre eux que pour d'autres. Au piano, peut-être parce qu'il est à sa manière un instrument à percussion et que ce sont des marteaux qui frappent les cordes, la notion de *tempo* ne peut jamais être prise à la légère.

Ce qui ne signifie pas pour autant que le pianiste ne puisse pas s'autoriser sa propre approche de la production des sons et qu'il ne soit pas, dans une certaine mesure, libre de prendre son temps et, au besoin et pour le plus grand plaisir des auditeurs, de parvenir à le retenir... Dans *Les Variations Goldberg*, Nancy Huston observe fort justement combien *« c'est très beau ce mot anglais* while, *parce que c'est indéfini comme durée : ça veut dire "un certain temps", c'est-à-dire justement un temps incertain, et ça me donne envie de pleurer parce que ce sont les seuls moments, pendant la musique et l'amour, où le temps est justement suspendu, où il n'est plus compté, où il s'écoule et je suis prise tout entière par ce qui m'arrive pendant son écoulement : la jouissance musicale ou la jouissance amoureuse »*.

En fait, c'est toujours le *tempo*, et, au bout du compte, le temps, qui, en tout et pour tout, finit par avoir le dernier mot. Comme le rappelle Franz Liszt (1), *« les jeunes générations d'artistes auront beau protester contre les retardataires, dont la coutume invariable est d'assommer les vivants avec les morts, pour les œuvres musicales comme pour celles d'autres arts, il est quelquefois réservé au temps seul d'en révéler toute la beauté et tout le mérite »*.

(1) *Frédéric Chopin*, Franz Liszt, Éditions Buchet-Chastel, 1977, p. 75.

« Le temps de la musique n'est pas celui d'une montre. »
Aldo Ciccolini, dans un entretien paru dans L'*Est républicain* (19 octobre 2013)

26

Noir sur blanc

« Ã chaque époque son art, à l'art sa liberté. »
Inscription de Ludwig Heresi (1843-1910) se trouvant sur la façade du palais de la Sécession, le célèbre mouvement viennois

Louise Janin ou le musicalisme à haut rythme

À chaque époque son art pianistique, à l'art pianistique sa liberté... La formule de cet auteur pionnier de la modernité que fut Ludwig Heresi peut certainement faire l'objet de pertinentes transpositions, tant il est vrai qu'à chaque génération de pianistes correspond une certaine approche du clavier et de la musique pour piano. Si les principes techniques fondamentaux demeurent inchangés ou évoluent peu, la perception des œuvres et la manière de les interpréter changent. Ce n'est pas parce qu'une musique est dite classique qu'elle est figée et encore moins gravée dans un quelconque marbre sonore. Les mélomanes savent combien certains enregistrements qui, au moment de leur parution, semblaient répondre aux canons de la beauté la plus intemporelle, peuvent aujourd'hui, par-delà les indéniables qualités des instrumentistes, paraître terriblement « datés ».

Louise Janin est une artiste qui n'aurait sans doute jamais hésité à faire sienne la formule de Heresi. Pour elle, à chaque époque aussi son art, qu'il soit pictural, musical ou autre, à l'art, pictural musical ou autre, sa liberté... Cette femme peintre américaine, née le 29 août 1893, à Durham, dans l'État du New Hampshire, a vécu en France de 1923 et jusqu'à sa mort, en 1997. À ce jour, outre un article de Elie-Charles Flamand (1), trois ouvrages lui ont fort heureusement été consacrés. Le premier, par Jean-Jacques Lévêque, sobrement intitulé *Louise Janin*, paru en 1959, le deuxième, par Robert Vrinat, édité en 1974, et le dernier, *Louise Janin, témoin du siècle*, de Nicole Lamothe et Monique Marmatcheva, paru en 1993. Mais sa biographie reste encore peu connue de ce qu'il est convenu d'appeler le grand public. Elle témoigne pourtant d'une démarche artistique aussi singulière qu'authentique. D'emblée, avec Louise Janin, la valeur n'attend pas le nombre des années. Dès l'enfance, elle démontre des dispositions manifestes pour le dessin, le théâtre et la musique. Il est vrai que ses parents, qui ont effectué leurs études supérieures en Allemagne, jouent du piano et donnent volontiers dans leur appartement des concerts pour leurs amis. La jeune Louise est elle-même bonne pianiste et compose de petites pièces. Malgré tout, c'est l'attrait de l'art pictural qui l'emporte. Aussitôt après sa formation dans le cours privé de Spencer Mackay et à l'académie des beaux-arts de San Francisco où elle reçoit les ultimes leçons de William Merritt Chase, l'un des principaux représentants de l'impressionnisme américain, elle expose. Son premier « fait d'art », qui a lieu en 1915 au palais des Beaux-Arts de San Francisco, est un coup de maître : les œuvres présentées, inspirées de la philosophie religieuse orientale, la classent comme peintre orientaliste de premier plan. Rapidement, elle s'impose comme l'une des artistes américaines les plus prometteuses de son temps. Après avoir effectué un voyage où elle sillonne la Chine, la Malaisie, les Philippines, le Japon et la Corée, elle séjourne à New York, à Greenwich Village, en 1920, et expose dans des galeries importantes, à New York, Chicago et Saint Louis. Puis, elle part à Londres, durant quelques mois seulement, en 1923, avant de s'installer définitivement à Paris. En 1924, elle illustre *Les Contes Pahlis*, pour les

Éditions d'art Piazza (2), effectue une exposition personnelle à la galerie Bernheim-Jeune et fait l'objet d'attaques de Jean Galtier-Boissière, dans *Le Crapouillot*, et de Louis Vauxcelles qui fait partie de l'intelligentsia nihiliste résolument fermée à toute spiritualité. Mais, dès 1925, elle voit son talent récompensé par le prix Paillard, à l'occasion du Salon au pavillon de Marsan. Cette même année, elle reçoit un diplôme d'honneur à l'Exposition internationale des arts décoratifs, à Paris, avec l'*Après-midi d'un faune*, le célèbre poème de Stéphane Mallarmé illustré par Edouard Manet, mis en musique par Claude Debussy et chorégraphié par Vaslav Nijinski. Participant activement à la vie artistique parisienne, elle se lie avec de nombreux artistes dont Kupka, Atlan, Léonor Fini, Vassiliev et Gontcharova. Parallèlement à son activité de peintre, elle écrit des articles sur l'art contemporain, dans la revue *ABC Magazine d'art* et dans d'autres publications, aussi bien en France qu'à l'étranger (3), sans oublier de se consacrer à son cher piano... En 1927, elle compose des panneaux pour les Grands Magasins du Louvre et pour l'Exposition des arts décoratifs, à Madrid. L'année suivante, ce sont plus de soixante de ses œuvres qui sont exposées à la galerie Georges Petit, à Paris. Mais c'est à la charnière des deux décennies qu'elle prend l'initiative majeure d'adhérer au musicalisme, ce mouvement artistique dont les membres sont convaincus de la prépondérance de la musique sur les autres formes d'art de leur époque et cherchent à recréer l'émotion musicale et l'état d'esprit du compositeur de musique en œuvre picturale. La peinture vise ainsi à adopter la vision rythmique de la musique : elle est traitée comme une partition dans l'espace.

Ce n'est pas un hasard si, en 1932, elle participe au premier salon des artistes musicalistes, puis aux autres manifestations emblématiques du Salon des réalités nouvelles, à partir de 1946, à la rétrospective des salons musicalistes, en 1973, en passant par le Salon Comparaisons, en 1956. Durant des décennies, elle ne cesse d'exposer dans de grandes galeries parisiennes, new-yorkaises et suisses, en explorant, au travers, en particulier de ses « Cosmogrammes », de nouvelles voies de recherche technique et de création artistique, et publiant également, à partir des années 1950, des poèmes dans des revues anglophones. Jusqu'à ses derniers jours, elle va poursuivre son œuvre, riche en courbes rythmées et en admirables fulgurances, souvent inspirée par son attrait pour l'Inde et présentée dans de nombreux musées. En 1980, une rétrospective intitulée « Hommage à Louise Janin » est organisée à la Maison pour tous de Courbevoie. En 1986, le musée de Boulogne-Billancourt acquiert un assemblage de « Cosmogrammes ».

« D'une référence aux civilisations antiques à un symbolisme aux projections ésotériques, en passant par des recherches inspirées de Gustave Klimt, observe, en 1988, Jacques Dubois, critique à *L'Amateur d'art, telle est la somme d'enseignement acquise au long d'une vie d'artiste perpétuellement impulsée par la volonté de se dépasser soi-même. Celle de Louise Janin dont atteste l'œuvre exemplaire. »* Pour Élie Faure, les créations de cette artiste d'exception *« ouvrent des horizons nouveaux à toute l'esthétique contemporaine ».*

Louise Janin est morte à l'âge de cent quatre ans, en 1997, à Châtenay-Malabry, et enterrée à Meudon, dans les Hauts-de-Seine. Mais, aujourd'hui, son art fait mieux que subsister (4) et son piano reste toujours bien présent dans son atelier rue Antoine- Chantin à Paris...

(1) « Le Peintre Louise Janin », Elie-Charles Flamand, Éditions Haxagramme, 1974, 23 p.

(2) Cinquante ans plus tard, en 1974, paraîtra aux Éditions Le Point d'être, à Paris, un autre ouvrage qu'elle a illustré, *La Voie des mots*, recueil de poèmes de Elie-Charles Flamand.

(3) Parmi les articles que Louise Janin a écrits, figurent « Expression décorative » (*ABC Magazine d'art*, 1928), « Imagination plastique » (*ABC Magazine d'art*, 1931), « La Musicalité picturale » (*ABC Magazine d'art*, 1934), « Elemental Beauty In Art »

(*Rhythm*, 1966), « With Nature Hand In Hand » (*Rhythm*, 1967), « Old Stones And A New Vision » (*Rhythm*, 1969), « Painting With Variations Of The Marbling Technique – Cosmogrammes : A Memoir », *Leonardo*, volume 8, Pergamon Press, New York, 1975.

(4) Une sélection de dessins de Louise Janin a été présentée par la Galerie Cour 16, à l'occasion de la semaine du dessin 2013 au quartier Drouot, à Paris. D'importantes expositions ont également été organisées par les galeries Marcel Fleiss et Patrice Trigano.

« Puisse l'artiste mettre au jour son monde,
La beauté à laquelle il donne naissance,
Qui n'a encore jamais été et qui ne sera jamais plus. »

Inscription de Hermann Bahr (1863-1934) figurant sur un vitrail conçu pour le hall d'entrée du palais de la Sécession

« L'idée de cette œuvre (le Monument à Beethoven) m'est venue un beau soir à Paris, alors que je jouais du piano ; j'ai vu exactement la forme et les couleurs avec une précision rare : l'attitude, le poing fermé, la robe rouge, l'aigle, le fauteuil, les plis (...). »

Max Klinger (1857-1920), peintre symboliste, sculpteur, graveur et remarquable pianiste, extrait de lettre (in *Max Klinger*, catalogue d'exposition, Museum der Bildenden Künste zu Leipzig, Leipzig, 1970, p. 55)

27

Enregistrements *ad vitam aeternam*

« Et lorsque je mets
Les doigts sur ses touches
Sur lui dès que j'ai
Mes mains qui se couchent
Le passé renaît
Du fond de sa bouche
Évoquant nos anciens jours. »
Charles Aznavour, *Ce Sacré Piano* (1965)

Il est des pianistes qui doivent à leurs enregistrements sinon d'avoir laissé une trace dans l'histoire de leur instrument, du moins d'être passés à la postérité. C'est le cas, bien sûr, de Francis Planté (1839-1914) qui fait partie des pianistes solistes par excellence. Pourquoi ? Simplement parce qu'il est le seul interprète enregistré au monde à avoir connu Frédéric Chopin. Mais c'est également le cas d'Alfred Grünfeld (1) qui a laissé outre des transcriptions et des « paraphrases », en particulier de Johann Strauss (« Soirée de Vienne »), l'un des tout premiers enregistrements de piano solo au monde.

Autre exemple, celui d'André Benoist (2), qui ne se contenta pas, après sa formation au conservatoire de Paris, de faire des tournées en Europe et aux États-Unis et d'accompagner, entre autres artistes célèbres, Pablo Casals et Albert Spalding. On lui doit plusieurs précieux cylindres réalisés par la société Edison Records (3). Des traces sonores fort soigneusement préservées et « digitalisées » à l'université de Californie à Santa Barbara.

Aujourd'hui, les enregistrements restent sinon une ambition du moins un objectif pour de nombreux interprètes. À juste titre puisque, à défaut de représenter une quelconque manne financière, ils leur permettent souvent d'acquérir davantage de visibilité et surtout une plus grande considération auprès du public. Sous réserve, bien sûr, qu'ils soient réalisés de manière professionnelle et qu'ils puissent être perçus comme de vrais « produits », respectueux des normes imposées par les circuits de distribution avant même de prétendre au statut d'« interprétation de référence ».

De la même manière qu'un nom connu de société d'édition ne constitue pas nécessairement pour un livre un gage de qualité artistique et d'apport intellectuel, un label apposé sur un disque ou un autre support n'offre pas toujours pour l'acheteur une assurance d'excellence, mais il a, éventuellement, le mérite pour le musicien en mal de reconnaissance de renforcer sa « carte de visite ».

Cependant, les enregistrements ne valent que s'ils témoignent de l'existence chez un interprète d'une vraie démarche, cohérente, déterminée, construite dans le temps et avec du temps.

Le soin manifeste apporté au piano utilisé, au choix du lieu de la prise de son et à la compétence de l'équipe technique, revêt également de l'importance. Du son de piano solo peut fort bien être « capté » dans une ferme du Limousin... dès lors que celle-ci est située à Villefavard et que son acoustique est considérée par plus d'un connaisseur comme remarquable.

C'est au prix de cette exigence qualitative que les enregistrements méritent, outre d'apporter un « bonus » en termes de complément de recettes lors des récitals et de s'inscrire dans une économie culturelle durable, de faire l'objet d'une longue conservation et d'avoir une chance de rester en mémoire... Le mot anglais « *records* » se traduit-il autrement que par « souvenirs » ?

(1) Pianiste et compositeur autrichien né en 1852 et mort en 1924, qui fut nommé pianiste de la cour par l'empereur Guillaume Ier.

(2) Pianiste français né en 1879 à Paris et mort en 1953 dans l'État du New Jersey.

(3) Thomas Edison est l'inventeur, en 1877, du phonographe.

« Clavier vibrant de remembrance,
J'évoque un peu des jours anciens,
Et l'Eden d'or de mon enfance

Se dresse avec les printemps siens,
Souriant de vierge espérance
Et de rêves musiciens…

Vous êtes morte tristement,
Ma muse des choses dorées,
Et c'est de vous qu'est mon tourment ;

Et c'est pour vous que sont pleurées
Au luth âpre de votre amant
Tant de musiques éplorées. »

Émile Nelligan (1879-1941), *Clavier d'antan*

28

Femme, femme, femme...

« Vis ta vie
En piano noir. »
Barbara (1930-1997), *Femme piano*

« Trois procédés quand une femme sort du piano : si l'on est loin, levez vos mains visiblement pour applaudir : c'est un moyen de montrer vos boutons de manche et la jolie façon dont vous êtes ganté. Si l'on est près, faire défiler à mi-voix la liste des adjectifs : "Admirable, goût parfait, jeu brillant, sentiment vrai" – Si la musicienne est bête, lâcher les grandes épithètes : "Ravissant, foudroyant" – Si l'on veut s'insinuer, apprendre quelques termes techniques : "Reprise savante, changement de ton, passage en mineur, ces trilles sont perlés, etc." – Le degré supérieur consiste à savoir les noms des principales œuvres des maîtres et à les citer à voix basse avec une sorte d'intimité, comme un initié qui entre dans le temps des mystères. Là-dessus, on vous parle ; les confidences admiratives roulent, la charmante pianiste se trouve aussi contente de son esprit que de ses doigts, et prend de l'estime pour M. Anatole Durand, ou d'Urand. »

Hippolyte Taine (1828-1893), *Notes sur Paris : vie et opinions de Frédéric-Thomas Graindorge*, Hachette, 1867, p. 61-62

S'il est des pianistes femmes qui peuvent avoir un charme exquis à l'heure du thé et des petits gâteaux, il en est d'autres qui semblent avoir le privilège de tutoyer Dieu, Baal, Yahvé ou Krishna... Sans doute était-ce le cas autrefois de Louise Farrenc, Annie Fischer, Clara Haskil, Lili Kraus, Marcelle Meyer, Maria Yudina, Lélia Gousseau, Monique Haas ou encore de Micheline Ostermeyer, cette mère de trois enfants et premier prix du conservatoire de Paris qui, en 1948, remporta les titres olympiques du lancer du poids et du disque et le bronze en saut en hauteur et qui, le soir de sa victoire au poids, donna un concert au Royal Albert Hall. Peut-être faudrait-il également ne pas omettre de rappeler le souvenir d'Yvonne Lefébure, que le tempérament fougueux paraissait si bien destiné au récital, ou de Jeanne-Marie Darré, dont l'élégance du jeu pouvait – l'auteur de ces lignes en a été un témoin – relever de l'enchantement.

Aujourd'hui, ce sont Yuja Wang, surnommée « Doigts volants », Martha Argerich ou Hélène Grimaud, dont les prestations visionnaires donnent le vertige et font involontairement saisir les accoudoirs dans les salles de concerts...
Il y a également de nombreuses artistes féminines beaucoup moins en vue, mais animées d'une ferveur, d'une passion roborative et qui évoluent le plus souvent à des années-lumière de l'époque des observations de Hippolite Taine et même d'Arthur Honegger. *« Auparavant,* raconte ce dernier dans ses *Écrits, Mme Madeleine Lioux nous avait fait entendre quelques pièces graves et charmantes de François Couperin et quelques autres d'Erik Satie, désuètes et infantiles à l'égard desquelles je confesse une fâcheuse, mais totale et définitive incompréhension. Sur l'estrade, autour du piano, nombre de belles dames exhibaient leurs fourrures, leurs jambes et de ravissants chapeaux multicolores qu'il convient aussi de signaler comme partie intégrante des agréments de la soirée (1). »* Voici quelques cas... exemplaires (2) :

Elizabeth Sombart, l'étonnante fondatrice et présidente de Résonnance, qui joue du piano très solo, mais pour les autres... Convaincue que la musique permet de *« recoudre le tissu d'une humanité fraternelle retrouvée »* et que *« la musique classique, si elle ne trahit pas sa mission, est une grâce qui précède la grâce ».*

Florence Delaage, dont l'interprétation est à juste titre réputée pour sa grande musicalité et son extrême délicatesse. Très jeune, elle a joué devant Alfred Cortot qui lui a proposé de devenir son élève particulière. Après avoir démissionné du Conservatoire national supérieur de musique et de danse de Paris, où elle venait d'être reçue première à l'unanimité, elle a suivi les enseignements du maître, célèbre cofondateur de l'école normale de musique de Paris qui lui léguera ses pianos et la précieuse bague de Franz Liszt après avoir dit d'elle : *« Si j'avais une fille, elle eut été Florence Delaage. »* Cette amie de Dino Ciani, pianiste italien disparu très prématurément, a reçu en outre les conseils techniques de Georges Cziffra, avant de mener un parcours de concertiste internationale. Chaque année, elle interprète au Festival de Bayreuth les transcriptions de Wagner.

Véronique Bonnecaze, professeure à l'école normale de musique Alfred Cortot et directrice artistique des « Harmonies du soir » pour le Plaza Athénée, à Paris. Vice-présidente, en 2013, du concours international Francis Poulenc, elle est également la créatrice du concours international de piano d'Arcachon et d'un concours annuel à Tokyo qui permet l'attribution de bourses d'études à l'école normale de musique.

Elizabeth Cooper, volontiers reconnue comme la muse musicienne du grand chorégraphe Maurice Béjart. Après avoir obtenu pas moins de sept premiers prix au Conservatoire national supérieur de musique de Paris, elle est une véritable « pianiste-orchestre », capable d'être instrumentiste soliste – elle a notamment été piano solo à l'opéra de Bonn –, chef d'orchestre, compositrice, pianiste accompagnatrice des plus éminents danseurs... Une démarche très « transversale » qui lui a valu plusieurs « coups de projecteur » médiatiques d'envergure.

La pianiste Lydia Jardon, fondatrice du Festival Musiciennes à Ouessant. Cette « grande prêtresse » qui pourrait, selon le musicologue Pierre Gervasoni (3), *« passer pour une Sophia Loren relookée en Irlande »* a fait naître, depuis 2001, à Ouessant, surnommée « l'île aux femmes » pour avoir été, autrefois, habitée par les épouses de marins, une manifestation *« portée par la féminité, de l'alpha (création) à l'oméga (interprétation) de l'œuvre musicale »* et dont le piano *« constitue l'armature »*.

Jasmina Kulaglich, pianiste soliste à la technique impeccable et à la détermination impressionnante, démontrées en octobre 2012, salle Cortot, à Paris, à l'occasion d'un récital « Mosaïque byzantine et l'Europe de l'Est » où elle interprétait des œuvres de Enriko Josif, Leos Janacek, Alexandre Scriabine et Svetislav Bozic.

Après avoir été l'élève de Anna et Bruno Leonardo Gelber, Marcela Roggeri mène depuis le début des années 1990 un parcours hors des sentiers battus, salué en 2006, à juste titre, par une Victoire de la musique classique (révélation internationale de l'année). Cette brillante interprète franco-argentine s'appuie sur un répertoire éclectique et volontiers original.

Émilie Capulet s'est, elle, bâti une réputation méritée de pianiste conférencière internationale. Souvent invitée à se produire comme soliste sur des paquebots, au cours de festivals en mer, ou à l'occasion de croisières musicales, elle a donné, en 2013, plusieurs récitals remarqués à bord du *Queen Mary 2* pour son « Voyage autour du monde ». Cette jeune artiste franco-britannique est également connue pour ses illustrations au piano des rapports entre la musique, la littérature et la peinture.

Ainsi que... Elizabeth Herbin (fille du compositeur et pianiste René Herbin), Alice Ader, Françoise Thinat, Anne Queffélec, Marie-Catherine Girod, Vanessa Wagner, Misora Lee, Edna Stern, Marie-Louise Nézeys, cette artiste volontiers polyvalente, Michèle Scharapan, Gersende de Sabran-Pontevès (4), Elisso Bolkvadze, Svetlana Eganian, Anne Berteletti, Yanka Hékimova (5), Ewa Osinska, Yumeki Ohashi, les pianofortistes Laure Colladant et Hazuko Hiyama, Frédérique Lagarde, pianiste qui excelle dans le duo, avec Sylvie Hue à la flûte ou Philippe Portejoie au saxo. Ou Véronique Roux, lauréate du concours international Busoni, qui aime également à former un duo avec le violoncelliste Philippe Bary et même un trio (6) quand la violoniste Patricia Reibaud est de la partie... Ou encore le cas d'Amandine Savary, cette globe-trotter passionnée et inspirée de la musique, originaire de Breuil-en-Bessin, qui, depuis l'âge de dix-huit ans, sillonne la planète pour jouer du piano. Toujours et encore. Histoire de vivre sa vie, toute sa vie, en piano noir.

(1) *Écrits*, Arthur Honegger, Éditions Champion, 1992, p. 190-191.

(2) Cette série d'exemples pourrait, bien sûr, être complétée par d'autres cas de pianistes solistes comme Lise de La Salle, Alice Sara Ott, Laure Favre-Kahn, Eliane Reyes, Hélène Couvert, Claire Hamon, Delphine Lizé, Claire-Marie Le Guay, Dana Ciocarlie, Dominique Cornil, Natalia Kartashova, Elena Filonova, Olga Scheps, Natalia Bezuglova, Justine Verdier, Delphine Bardin, Sarah Lavaud, Cathy Krier, Emmanuelle Swiercz, Alexandra Suslov, Evelyne Berezovsky, Véra Tsybakov, Sarah Tysman, Alissa Youbritski, Diane Andersen, Ludmilla Guilmault, Lise Lienhard...

(3) *« Prodiges en rafales sur l'île aux femmes »*, P. Gervasoni, *Le Monde*, 9 août 2013.

(4) Issue d'une très vieille famille et titulaire de deux prix du Conservatoire national de musique de Paris, cette élégante pianiste qui est la petite-fille du grand organiste Amédée de Vallombrosa (1880-1968) et l'épouse du prince Jacques d'Orléans, a consacré une grande partie de son existence à la musique et, par-delà des problèmes d'argent humiliants et notoires, mené un parcours de concertiste.

(5) Cette pianiste est également réputée comme organiste.

(6) Le trio Florent Schmitt.

« Si j'avais de la chance je rencontrerais l'amour
En rencontrant l'amour je prendrais plus d'assurance
Avec cette assurance qui changerait mes jours
Paraissant bien plus fort j'inspirerais confiance
Avec désinvolture et beaucoup d'élégance
À bien des jolies femmes je pourrais faire ma cour
Dès que j'aurais tout ça c'est que j'aurais de la chance

Et avec de la chance je rencontrerais l'amour
Si j'avais de l'argent je rencontrerais l'amour
En rencontrant l'amour j'achèterais un piano
Quand j'aurais un piano je pourrais faire ma cour

Et pour faire ma cour j'irai salle Gaveau
Avec désinvolture le public en confiance
Devant tant de jolies femmes enverrait ses bravos

Comme j'aurais des bravos, j'aurais aussi de la chance
Et avec cette chance, j'achèterais un piano. »

Charles Aznavour, *Si j'avais un piano*

29

Noir sur blanc

« Le talent, c'est le tireur qui atteint un but que les autres ne peuvent toucher ; le génie, c'est celui qui atteint un but que les autres ne peuvent même pas voir. »

Arthur Schopenhauer (1788-1860), *Le Monde comme Volonté et comme Représentation* (chapitre des suppléments intitulé « Du génie »)

« Ne cherche point, jeune artiste, ce que c'est que le génie... » (*)

« Ne cherche point, jeune artiste, ce que c'est que le génie. En as-tu, tu le sens en toi-même. N'en as-tu pas, tu ne le connaîtras jamais. Le génie du musicien soumet l'univers entier à son art. Il peint tous les tableaux par des sons ; il fait parler le silence même ; il rend les idées par des sentiments, les sentiments par des accents ; et les passions qu'il exprime, il les excite au fond des cœurs. La volupté, par lui, prend de nouveaux charmes ; la douleur qu'il fait gémir arrache des cris ; il brûle sans cesse et ne se consume jamais. Il exprime avec chaleur les frimats et les glaces ; même en peignant les horreurs de la mort, il porte dans l'âme ce sentiment de vie qui ne l'abandonne point et qu'il communique aux cœurs faits pour le sentir. Mais hélas ! il ne sait rien dire à ceux où son germe n'est pas, et ses prodiges sont peu sensibles à qui ne les peut imiter. Veux-tu donc savoir si quelque étincelle de ce feu dévorant t'anime ? Cours, vole à Naples écouter les chefs-d'œuvre de Leo, de Durante, de Jommelli, de Pergolèse. Si tes yeux s'emplissent de larmes, si tu sens ton cœur palpiter, si des tressaillements t'agitent, si l'oppression te suffoque dans tes transports, prends le Métastase et travaille ; son génie échauffera le tien, tu créeras à son exemple : c'est là ce que fait le génie, et d'autres yeux te rendront bientôt les pleurs que les maîtres t'ont fait verser. Mais si les charmes de ce grand art te laissent tranquille, si tu n'as ni délire ni ravissement, si tu ne trouves que beau ce qui transporte, oses-tu demander ce qu'est le génie ? Homme vulgaire, ne profane point ce nom sublime. Que t'importerait de le connaître ? Tu ne saurais le sentir : fais de la musique française. »

(*) extrait du *Dictionnaire de musique*, Jean-Jacques Rousseau (1712-1778) ("Génie", *Œuvres complètes*, tome V, p. 837)

« C'est un élément constitutif du génie que cette obstination sans limites qui le pousse à poursuivre ses propres objectifs avec un souci hypertrophié de perfection. »

Alessandro Barico, *City*

30

Solo de duo

« Ensuite nous avions un concert. Eh bien ! Vous ne me croirez pas, ils faisaient jouer les deux pianistes sur le même piano ! »

Jacques Chazot (1928-1993), *Les Carnets de Marie-Chantal*

Deux pianistes qui se rencontrent ne forment pas nécessairement un duo. Tant s'en faut. Mais un duo de piano peut, le cas échéant et sous réserve que certaines conditions d'affinités et d'entente parfaite soient réunies et que les circonstances s'y prêtent, se métamorphoser en un remarquable solo. Les sœurs Marielle et Katia Labèque en ont fourni plus d'une fois la preuve, et leur médiatisation a, à coup sûr, beaucoup contribué à promouvoir le duo de pianos auprès d'un très large public. Mais leur éclatant succès a eu longtemps l'inconvénient de provoquer une focalisation aussi exclusive qu'excessive, au point de faire croire que la « formule » du duo de pianos était née avec les sœurs Labèque et condamnée à disparaître avec elles... Il n'en est évidemment rien. Ne serait-ce qu'au XXe siècle, la liste des « duos solistes » plus que notables – des sœurs Rose (1870-1957) et Ottilie (1872-1970) Sutro au couple Vitya Vronsky (1909-1992) et Victor Babin (1908-1972) en passant par les frères hongrois Willi (1847-1911) et Louis (1848-1920) Thern, Josef (1874-1944) et Rosina (née Bessie, 1880-1976) Lhévinne, les frère et sœur espagnols José (1895-1980) et Amparo (1898-1969) Iturbi, le couple Robert (1890-1972) et Gaby (1901-1999) Casadesus, Jean Wiener (1896-1982) et Clément Doucet (1895-1950), le couple John Ogdon (1937-1989) et Brenda Lucas, Geneviève Joy (1919-2009) et Jacqueline Robin (1907-2007), Jacques Février (1900-1979) et Francis Poulenc (1899-1963), Arthur Gold (1917-

1990) et Robert Fizdale (1920-1995), les frères Aloys et Alfons (1932-2010) Kontarsky, Marjan Rawicz (1898-1970) et Walter Landauer (1910-1983), le couple anglais Cyril Smith (1909-1974) et Phyllis Sellick (1911-2007), les frères américains Alfred (1919-2009) et Herbert (1918-2013) Telschik, le couple Patrick (1945-1994) et Taeko (1947-1994) Crommelynck, Boris Berezovsky (1969-) et Brigitte Engerer (1952-2012), Christian Ivaldi (1938-) et Noël Lee (1924-2013), Jean-François Heisser et Georges Pludermacher, Pascal Devoyon et Rikako Murata... – paraît bien fournie et n'a même aucun caractère limitatif.

Aujourd'hui encore, qu'ils évoluent au niveau international ou qu'ils se situent davantage dans un environnement national ou régional, bien d'autres cas de duos de piano, parfois très jeunes, peuvent susciter l'étonnement au meilleur sens du terme, justifier la curiosité et mériter l'intérêt. En particulier, Radu Lupu et Murray Perahia, les sœurs Khatia et Gvantsa Buniatishvili, le couple catalan Carles Lama et Sofia Cabruja, Andrey Kasparov et Oksana Lusyshuyn, les sœurs Lidija et Sanja Bizjak, les couples Per Tungstrand et Shan Shan Sun, Emanuel Ax et Yoko Nozaki, Igor et Olga Machlak (2), les sœurs Chantal et Gisèle Andranian, les jumelles Audrey et Diane Pleynet, les frère et sœur québécois Martin et Josée Caron, les sœurs Véra et Khaterine Nikitine, les jumelles turques Güher et Süker Pekinel, l'oncle et son neveu Désiré et Hervé N'Kaoua, les duos de Nicolaï Maslenko et Anne-Céline Barrière, de Ekaterina Baronov et Olga Panova, de Anna Hetmanova et Anastasia Pozdniakova (3) ou de Philippe Argenty et Mélanie Carbonel, le duo Granat (Tamara Granat et Waldemar Malicki ou Bartlomiej Kominek ou Daniel Propper [4]), ou encore le tandem formé par Ephraïm Laor et Frédérique Beaudonnet qui cultivent le piano solo tout en ne répugnant pas le moins du monde au double solo en mode duo...

(1) L'expression « duo de piano » fait ici référence à deux pianistes. Mais elle peut également désigner un genre de musique écrite pour deux pianistes et à jouer sur un ou deux instruments.

(2) Très peu connu dans les territoires de l'Union européenne, ce remarquable duo est constitué de deux artistes d'origine russe – Igaor Machlak et Olga Kharitonova – qui vivent en Australie.

(3) Cet excellent duo est constitué de deux pianistes originaires de Minsk, en Biélorussie, qui ont été boursières de l'Unesco et lauréates de plusieurs concours internationaux.

(4) Daniel Propper est un pianiste suédois réputé, qui se produit également comme soliste et chambriste.

« Thalberg nous revient de sa tournée dans le Midi de la France.
À Bordeaux, l'illustre pianiste a patronné un lauréat de notre conservatoire,
Émile Forgues, élève des plus remarquables de Zimmerman,
avec lequel il a exécuté un duo à deux pianos. »

Le Ménestrel, 12 avril 1846, p. 3

31

Noir sur blanc

« Jouer au foot et au piano en même temps, pourquoi pas,
si on trouve une assez grande salle ! »
Lang Lang, metronews.fr, 2 septembre 2010

Tout foot !

Que le sport, en général, et le football, en particulier, aient leurs amoureux, nul ne saurait le contester. Mais de là à ce qu'ils anéantissent tout ou presque sur leur passage, il y a une marge qui, de nos jours, paraît plus que dépassée. Outre que des stades au coût de construction de 1 milliard d'euros ou plus – soit plus de 20 000 euros le siège ! – sont légion et que les droits de retransmission télévisée des matchs représentent un véritable magot, de nombreux clubs versent chaque année à leurs joueurs des masses salariales à hauteur de plusieurs dizaines de millions d'euros. Il suffirait que les populations n'aillent plus au stade et que les audiences télévisuelles chutent pour que, soudain, le monde, qui n'a pas quatre coins, contrairement à ce que martèlent les principaux réseaux médiatiques de prêt-à- entendre ou de prêt-à-lire, retrouve ses repères et ses valeurs. Les amoureux de la musique savante, en général, et du piano, en particulier, peuvent toujours attendre ! Ce n'est sans doute pas demain que les concertistes jouiront d'une vraie considération et que le « piano mercato » représentera un enjeu économique de premier ordre. Et ce n'est pas demain non plus que, fort de la complicité fréquente et systématique des politiques, le « foot business » va cesser de faire des ravages en termes de corruption à grande échelle comme de nivellement culturel du plus large public vers le bas... Les établissements d'enseignement sont-ils en mesure de contribuer à « redresser la barre » ? Rien n'est moins sûr. De manière très prémonitoire, Ambrose Bierce, l'auteur du célèbre *Dictionnaire du diable*, paraît en tout cas avoir dissipé toute illusion éventuelle à ce sujet. Il suffit de s'en référer à sa définition du lycée : « 1 - École antique où l'on s'entretenait de morale et de philosophie, 2 - École moderne où l'on discute de football »... Il reste heureusement une lucarne pour l'espoir. S'il peut arriver certains soirs que l'opéra, art réputé élitiste, n'ait rien à envier aux débordements verbaux liés au ballon rond, il est plus que rare que le récital de piano solo soit émaillé d'insultes et d'incivilités en tout genre... Peut-être y aura-t-il longtemps un public pour apprécier et s'en réjouir au point d'accepter bien volontiers d'en payer, à tous égards, le prix ?

« En Italie, je n'ai trouvé qu'incompréhension ou indifférence. C'est un pays fascinant, mais sa culture est tragiquement dévaluée : on y a oublié les musiciens pour ne se souvenir que des footballeurs. Cela me désole. (...) Partout en Europe, le sport a tué une grande partie de la culture. »

Aldo Ciccolini (1925-2015), dans un entretien publié par *Le Figaro*, le 8 février 2013

32

Moderato cantabile

« Manger le pianiste ? Entrer dans le Pleyel ?
Que va faire la dame énorme ? L'on murmure…
Elle racle sa gorge et bombe son armure :
La dame va chanter. »

Jean Pellerin (1885-1921), *Ode*, dans *Anthologie de la poésie française du xx*e *siècle*, Michel Décaudin (Ed.), Gallimard, collection Poésie, 1983

Le piano et le chant ont toujours fait bon ménage. Depuis l'apparition de l'instrument, leur histoire d'amour est si fusionnelle que chanter en enfonçant les touches du clavier est une tentation souvent vive et parfois irrépressible. Jane Bathori (1877-1970), de son vrai nom Jeanne-Marie Berthier, est connue pour avoir mis son talent de mezzo-soprano au service de la mélodie française en s'accompagnant elle-même au piano (1). Les mélomanes qui assistent à de nombreux concerts savent également que, au risque de gêner le public par des interférences auditives pas toujours bienvenues, certains pianistes – et non des moindres – ont beaucoup de peine à ne pas succomber au milieu ou à la fin de leur récital à cette tentation de chantonner en jouant, habités et emportés qu'ils sont par la musique. Bien sûr, la compréhension et l'indulgence sont de règle. D'autant qu'il n'est pas rare que celui ou celle qui laisse échapper de sa bouche des sons plus ou moins étouffés et mélodieux se montre particulièrement « performant » au clavier, et qu'il entraîne, par sa très perceptible félicité, l'adhésion voire l'enthousiasme de ses auditeurs.

Pour le chanteur ou la chanteuse qui s'accompagne au piano, les effets ne sont pas moins intéressants. Sarah Vaughan, cette grande dame du jazz, racontait volontiers qu'elle avait joué du piano au sein de l'orchestre de son établissement scolaire et qu'elle avait, à cette occasion, été initiée à travailler les partitions en ne les abordant pas d'un seul tenant, en analysant les notes de manière distincte et en séparant les parties chant et piano, avant de les réunifier par la suite. En agissant ainsi, assurait-elle, elle avait appris à chanter différemment de toutes les autres chanteuses de son époque. Par-delà les qualités intrinsèques de sa voix, c'est cette différence qui faisait toute la différence !

(1) Le compositeur et pianiste André Caplet l'a parfois accompagnée.

« Un piano doit être un ami, c'est-à-dire un confident qui essuie nos rages. »
Félix Leclerc (1914-1988), *Le Calepin d'un flâneur*

« Veux-tu lire ce qu'il y a d'écrit au-dessus de ta partition ? demanda la dame. »
Marguerite Duras (Marguerite Donnadieu dite, 1914-1996), *Moderato cantabile*

33

De l'art, du style et du distinguo

« Il faut avoir l'audace et l'opiniâtreté d'imposer au public ce qu'il ne sait pas qu'il désire. »
Jean Vilar (1912-1971), dans une lettre à son épouse Andrée, *Cahiers Jean Vilar*, n° 112, 2012

Si un artiste n'est pas toujours un pianiste, la réciproque est également vraie. À ceci près que les mots n'ont pas nécessairement un sens absolu, intangible ni une portée bien définie, universellement admise... La sémantique n'a rien d'une science exacte. Elle évolue. À force d'être mutante, elle se montre volontiers dérangeante. Le public le plus large en a rarement conscience, mais l'artiste d'aujourd'hui n'est plus celui d'hier et ne sera pas davantage celui de demain, même si, dans tous les cas de figure, cet être singulier se devra d'apparaître comme un « original. » Le mot-clé qui « estampille » et fait espérer de pouvoir, sinon entrer dans l'histoire, du moins bénéficier d'un minimum de reconnaissance immédiate et posthume. Or, dans un monde soumis au régime de la globalisation et réduit au « village unique », où la norme est reine et la concurrence souveraine (1), le défi devient extrême et la pression s'intensifie. Plus que jamais, il s'agit de s'extraire de la masse, de « faire la différence », d'accéder à l'originalité, de créer un style... Sans se contenter de « se donner un genre » – à tout prix pour simplement essayer de justifier un prix ! – ni sombrer dans un conformisme de la singularité qui doit souvent beaucoup plus aux techniques inspirées par le marketing qu'au rapprochement fortuit des démarches artistiques.

Pour le pianiste, tout se joue bien sûr dans l'interprétation, avec, cependant, les risques inhérents à une mauvaise lecture des partitions... Dans un livre d'entretiens, Idil Biret, grande dame du clavier d'origine turque, remarque ainsi que *« la conception pianistique a beaucoup évolué, souvent de façon aléatoire, depuis les années 1960 qui, par bien des côtés, faisaient encore partie du* XIX*e siècle ».* *« Dorénavant,* souligne-t-elle à juste titre, *les œuvres sont le plus souvent au service des interprètes et non l'opposé, comme cela devrait normalement être. L'ego démesuré des interprètes porte ombrage aux édifices fragiles que sont les œuvres connues de compositeurs qui n'auraient jamais imaginé un tel revirement. Être différent, voilà ce qui importe, quitte à commettre des fautes de goût, de style, de construction musicale. » « Un authentique manque de talent pourrait expliquer,* observe encore Idil Biret, *l'inclination que certains musiciens pourraient avoir pour ces excentricités. Mais, lorsque de vrais musiciens, doués par surcroît, choisissent de s'aventurer dans ces voies dangereuses, cela devient inexplicable. »*

Ainsi, la vraie différence se mérite. Elle suppose, non une déférence, mais une absence d'indifférence à l'égard du travail du compositeur et, bien sûr, dans la préparation et le mûrissement de l'interprétation, une très grande rigueur. Elle peut alors devenir la marque d'un style qui va, en quelque sorte, réinventer le piano et susciter la curiosité, puis l'admiration du mélomane. Ce n'est pas sans raison si la mémoire enregistre souvent fort bien le nom de l'interprète qui réussit à surprendre et à faire découvrir une œuvre d'un compositeur. Mais ce n'est pas sans raison non plus s'il ne suffit pas de se faire remarquer pour être crédité d'un style... *« Ah, ce pianiste est merveilleux, je le reconnais immédiatement. »* À cette phrase fréquemment entendue, le pianiste Martial Solal se plaît, de son propre aveu, à rétorquer qu'il reconnaît de la même manière des instrumentistes qui jouent mal. *« Être reconnaissable,* souligne-t-il (2), *cela devient un signe positif quand on a un style intéressant et qu'on joue bien. »*

(1) Sauf sur le territoire français, comme l'a, par exemple, démontré, en 2014, le comportement des membres du Conseil supérieur du notariat. Soucieux de la préservation d'intérêts claniques et défenseurs du refus de la concurrence au point d'empêcher les jeunes diplômés de s'installer à leur compte, ces consternants « Frenchies » n'ont pas hésité, au risque de légitimer une grave fracture générationnelle, à s'ériger en ardents partisans d'un « droit de présentation » relevant de la féodalité, réinstauré sous Louis XVIII ! Mais, à ce petit jeu, passablement réactionnaire, de l'ultraconservatisme français, qui porte au pinacle le malthusianisme le plus extrême, l'archaïsme, le népotisme et la médiocrité, nul ne pourra s'étonner de l'implacable et juste relégation de la France au rang de très « moyenne puissance » et au statut de réserve « muséale ».

(2) *Martial Solal, compositeur de l'instant*, p. 204.

« Mon esprit et mes doigts travaillent comme deux damnés : Homère, la Bible, Platon, Locke, Byron, Hugo, Lamartine, Chateaubriand, Beethoven, Bach, Mozart, Hummel, Weber sont tous à l'entour de moi. Je les étudie, les médite, les dévore avec fureur, de surcroît, je travaille quatre à cinq heures d'exercices (tierces, sixtes, octaves, trémolos, notes répétées, etc.). Ah pourvu que je ne devienne pas fou, tu retrouveras un artiste en moi. Oui un artiste tel que tu les demandes, tel qu'il en faut aujourd'hui (...) Ma seule ambition de musicien était et serait de lancer mon javelot dans les espaces indéfinis de l'avenir... Pourvu que ce javelot soit de bonne trempe et ne retombe pas à terre – le reste ne m'importe nullement ! »

Franz Liszt (in *Franz Liszt's Briefe*, Éditions La Mara (Marie Lipsius), 8 vol., Liepzig, Brietkopf & Härtel, 1893-1905)

34

Noir sur blanc

« L'âme est le piano aux cordes nombreuses. L'artiste est la main qui, par l'usage convenable de telle ou telle touche, met l'âme humaine en vibration. »
Vassily Kandinsky (1866-1944), *Du spirituel dans l'art*

Misora Lee (*) ou le coup d'éclat permanent

L'une des principales difficultés que de nombreux artistes – qu'ils soient peintres ou écrivains – ressentent et que, personnellement, j'éprouve comme pianiste soliste n'a rien de très original : c'est bien sûr la solitude, ou plus exactement le fait de parvenir à s'imposer une discipline et à la gérer dans un environnement de liberté. Mais elle constitue une différence notable avec les autres instrumentistes qui ont souvent l'occasion d'évoluer et de jouer ensemble. Malgré tout, il me semble que transmettre les émotions les plus profondes, faire valoir la beauté extrême de certaines œuvres et peaufiner tous les raffinements stylistiques exigent un travail solitaire considérable et d'immenses efforts de concentration. C'est d'ailleurs ce qui a conditionné ma principale motivation quand j'ai aspiré à devenir pianiste. Quitte à devoir consacrer toute mon énergie et l'essentiel de mon temps, j'avais un trop profond désir de pouvoir accéder moi-même à des chefs-d'œuvre de grands compositeurs et de les faire vivre pleinement. Très vite, il m'a paru impossible de garder pour moi seule tout ce que je ressentais... Dans ces conditions, le travail, quelle que soit son ampleur, trouve sans trop de peine sa justification et, le cas échéant, sa gratification.

Certes, je reconnais qu'il m'est arrivé de regretter de m'être lancée dans l'activité de pianiste et même de comprendre les raisons qui avaient incité mes parents à s'opposer à ce point à mon choix. Mais, aujourd'hui, je n'éprouve aucun regret car la vie, riche en expériences et en surprises, invite au défi, au coup d'éclat permanent. Au point de vous aider à toujours aller de l'avant, à vous montrer positive, à toujours vouloir que... vive la musique !

Il est vrai que nous sommes très nombreux, à notre époque, à avoir le sentiment que tout va très vite et que le temps de la réflexion, de la méditation ou de la rêverie fait défaut. Les pianistes solistes n'en ont pas moins, je le crois, un avenir. Sous réserve qu'ils parviennent à s'orienter, qu'ils sachent saisir leur chance au bon moment afin de promouvoir au mieux leur travail et, éventuellement, réussir à « percer »... À l'évidence, ce n'est ni simple ni facile. En ce qui me concerne, j'avoue que les projets pianistiques qui me tiennent le plus à cœur ont évolué. Au fil des années, je ressens une joie immense de pouvoir jouer avec des amis musiciens, alors qu'il n'y a pas si longtemps, je préférais jouer seule, même si j'étais consciente que j'allais frémir de trac avant de monter sur scène. Je croyais alors qu'il en allait de mon intérêt personnel. En fait, ma démarche était assez stupide, mais le simple fait de me produire toute seule sur scène avec des répertoires dont j'étais follement amoureuse me paraissait glorieux et me fascinait !

Le malheur, c'est que ce fait est ressenti par d'innombrables instrumentistes et le monde des pianistes se transforme volontiers en véritable jungle. Avec des conséquences, hélas parfois, plus que déplorables.

Rendue sans doute quelque « paroxystique » en raison du contexte de crise économique et financière qui sévit depuis fin 2008, cette situation ne manque pas d'avoir également plus d'une incidence dans l'univers de la facture instrumentale. Malgré tout, il existe toujours de grandes maisons allemandes, japonaises ou américaines dont les pianistes professionnels ont souvent l'occasion de côtoyer les productions et qui réalisent des instruments de plus en plus performants, magnifiques et... chers. Cependant, en toute franchise, j'ai toujours été sensible d'abord au son du piano, sans attacher d'importance à la marque ou à la facture instrumentale... Grâce à Frédéric Tassard, restaurateur de pianos et grand amoureux des pianos Pleyel, j'ai pu jouer sur un modèle de cette marque datant du début du XXe siècle et entièrement restauré par lui. Au début, il m'a fallu « apprivoiser » l'instrument, mais je ne suis pas prête d'oublier ce son si chantant, si magique et, pour tout dire, tout à fait authentique.

Au risque d'étonner ou de paraître un peu provocatrice, je n'hésite pas à confier que, aujourd'hui, j'estime avoir une chance immense : celle d'avoir intégré la classe de chant de Peggy Bouveret... comme chanteuse ! Si, depuis mon enfance, je n'ai jamais cessé de chanter, je suis ravie de pouvoir bénéficier d'un enseignement professionnel de haut niveau qui m'ouvre de nouveaux horizons tout en correspondant à la toute première passion de mon existence. »

(*) Sous ses allures de « petite femme » souriante, réservée et timide, Misora Lee sait grandement tromper le monde qui l'entoure... Née en Corée du Sud, elle n'en a pas moins été très tôt perçue comme une artiste prodige. Dès l'âge de huit ans, elle commence à jouer du piano en public et, à neuf ans, se produit dans diverses salles de concerts en Corée. Venue en France pour parfaire son éducation musicale, elle obtient à dix-sept ans le diplôme supérieur de l'école normale de musique de Paris Alfred Cortot après avoir été admise dans la classe de Victoria Melki. En 1998, elle entre au Conservatoire national supérieur de Paris, dans la classe de Georges Pludermacher, Claire Désert et François-Frédéric Guy. Elle y suit également des cours de musique de chambre avec Daria Hovora et Christian Ivaldi. En 2002, elle obtient le premier prix de piano et est également remarquée par Abdel Rahman El Bacha, cet éminent pianiste qui lui donne de précieux conseils.

Titulaire du diplôme de concertiste délivré par l'école normale supérieure de musique de Paris, premier prix du concours de l'académie pianistique d'Aix-en-Provence, en 2008, et premier prix à l'unanimité du concours international Bach d'Issy-les-Moulineaux, en 2010, elle a joué des œuvres de Chopin, Rachmaninov, Scriabine et la Valse de Ravel à l'occasion d'un récital magistral, le 8 février 2012, salle Cortot à Paris, qui a été un mémorable « coup d'éclat ».

Alors que son répertoire n'est pas spécialisé mais, au contraire, très diversifié, elle a été sélectionnée pour participer au concert-événement de l'Intégrale Chopin, à la salle Pleyel, à l'occasion du bicentenaire de l'illustre compositeur. Elle est aujourd'hui invitée dans de nombreux festivals, tant en France qu'à l'étranger.

« La musique peut tout entreprendre, tout oser et tout peindre pourvu qu'elle charme et reste enfin, et toujours, de la musique. »

Maurice Ravel (1875-1937), *Esquisse autobiographique*

35

Star System

> « S'il est douteux, souvent, que les pianistes célèbres fassent réellement plaisir,
> il ne l'est pas du tout que ceux qui sont en train de devenir
> des pianistes célèbres sont des ennemis publics. »
> Alphonse Karr (1808-1890), *Une poignée de vérités*

Un grand pianiste n'est pas nécessairement une star. Tant s'en faut. Alors qu'une star du piano est toujours un grand pianiste. C'est ce distinguo qui permet de ne pas s'étonner que les pianistes de haut niveau impressionnent par leur relative profusion et que les stars du piano brillent, elles, par leur rareté. Alfred Cortot, Georges Cziffra, Vladimir Horowitz, Arturo Benedetti Michelangeli et Arthur Rubinstein en furent sans doute une en leur temps. De nos jours, parmi les artistes vivants, quelques noms seulement peuvent venir s'imposer à l'esprit : Lang Lang, bien sûr, Martha Argerich, Daniel Barenboim, Hélène Grimaud, Evgeny Kissin, Yundi Li, Maria João Pires, Maurizio Pollini, Fazil Say, Alexandre Tharaud, Arcadi Volodos, Yuja Wang, Krystian Zimerman... Un décompte sur les doigts de deux ou trois mains. À l'évidence, n'est pas star qui veut, tant le statut implique de remplir des conditions qui dépassent – de loin – le simple fait d'être un instrumentiste talentueux, aux capacités techniques reconnues et au répertoire vaste, et sont parfois sans rapport avec le résultat sonore du travail du musicien... L'aisance à la communication, au niveau international, joue un rôle, aujourd'hui plus que jamais, extrêmement important. Combien de pianistes aux éminentes qualités musicales sont restés cantonnés dans leur environnement natal et n'ont jamais eu de réelle reconnaissance et encore moins de dimension mondiale, faute de pouvoir et de savoir s'exprimer autrement qu'au clavier ? Le cas de Jean- Claude Pennetier, bien connu des amoureux français du piano, est loin d'être isolé.

La star du piano, souvent emblème d'un pays et d'une culture, est un être hautement politique. Elle ne se contente pas d'avoir une sincérité artistique doublée d'un sérieux sens du marketing. Elle traverse les continents et les rapproche. Tout en rapetissant le globe terrestre, elle s'évertue à avoir le rayonnement planétaire de sa puissance. Comme ses fans se comptent par centaines de milliers, voire par millions, elle n'a guère de peine à remplir les salles de concerts. Elle peut même prendre l'initiative d'opter pour des lieux inhabituels, mieux adaptés à la taille de leurs auditoires potentiels.

Lang Lang, dont l'ambition affichée consiste à *« être l'un des plus grands musiciens du monde et à offrir sa musique au plus grand nombre (1) »*, est précisément l'un des très rares pianistes classiques capables de faire stade comble. Il est vrai que le caractère spectaculaire de son parcours, la singularité hors normes de sa personnalité et la réalité démonstrative, irritante et controversée de son talent ne sauraient échapper à personne. À dix-huit ans, c'est le premier concert au Carnegie Hall, à New York. À trente, c'est un récital d'anniversaire au stade 02 World, à Berlin. En 2006, le voici qui joue pour l'ouverture de la Coupe du monde de football. En 2008, le voilà qui se voit confier la cérémonie des jeux Olympiques de Pékin. En 2010, le voilà encore qui officie à l'occasion de l'Exposition universelle de Shanghai... Avec ses sponsors pour le moins diversifiés et déconcertants – des stylos Montblanc aux baskets Adidas en passant par les téléphones portables Sony Ericsson et les automobiles Audi –, avec, également, ses mimiques et ses exubérances, le personnage ne manque pas d'apparaître comme un « aérolithe » dans le monde de la musique classique. Pour certains mélomanes, il ne serait que l'un des « produits phares » d'« usines » chinoises en mesure de former des millions de pianistes à la chaîne. Pour d'autres, au contraire, dont Herbie Hancock, lui-même star du piano jazz, le doute n'est pas permis : il s'agit bien d'une grande star, du « Luke Skywalker » du classique, *« un noble chevalier s'évertuant à libérer la musique de ses oppresseurs qui veulent la mettre en cage (2) »*...

À une moindre échelle, Alexandre Tharaud est lui aussi une star. Il se présente volontiers là où il n'est pas *a priori* attendu et suscite ainsi l'attention, souvent plus qu'émoustillée, de nombreux médias où il a ses *aficionados* et ses groupies toujours prêts à frôler la pâmoison. *« On ne l'a pas vu, comme Bashung, dans le Vercors sauter à l'élastique »*, ni *« pêcheur d'amphores au fond des criques », mais ça viendra*, s'enthousiasme tout de go Marie-Aude Roux, journaliste au *Monde* (3). *Le pianiste Alexandre Tharaud mène de front une solide carrière de musicien classique avec de belles sorties de route – Bach au centre de la piste dans « Récital équestre », de Bartabas, un Erik Satie avec le comédien François Morel et la chanteuse Juliette, ou encore « one-pianiste-show » dans le décoiffant « L'Oreille droite », de Jacques Rebotier. Il vient même de remporter par capillarité une Palme d'or au Festival de Cannes en interprétant le rôle d'un pianiste dans « Amour » de Michael Haneke... »* Admirative car, de son propre aveu, surprise plus d'une fois, Marie-Aude Roux observe également qu'il n'hésite pas à passer commande, comme il l'avait fait pour un « Hommage à Rameau », de quinze créations pour piano sur les mélodies d'hier par six compositeurs d'aujourd'hui. *« Rien à voir,* précise-t-elle, *avec l'Hexaméron à douze mains que Liszt destina, en 1837, à un concert de bienfaisance pour les pauvres, et qui regroupait pêle-mêle autour de lui, Chopin, Czerny, Herz, Pixis et son rival, le virtuose Sigismund Thalberg. Ici, la "bande des six" se pare d'éclectisme... »*

Ce n'est donc pas sans raison si, coup sur coup, en 2012 et en 2013, Alexandre Tharaud a été honoré aux Victoires de la musique classique, d'abord comme soliste instrumental de l'année puis, au titre de l'enregistrement de l'année, pour son disque « Le Bœuf sur le toit ». Ce n'est pas sans raison non plus si son nom s'impose avec force comme une référence. Le personnage n'a pas seulement les caractéristiques et les qualités qui contribuent à faire de lui l'une des principales vedettes françaises du piano : il a manifestement l'intelligence de prendre son statut et son travail très au sérieux. *« Très tôt, je savais que je n'avais pas tout pour devenir pianiste – le moral d'acier, la santé, une technique irréprochable,* a-t-il un jour confié (3). *Mais, en général, les pianistes de ce genre ne durent pas. Pour être pianiste, il vaut mieux ne pas tout avoir et travailler comme un fou, l'instrument sur soi. À travers le piano, c'était un travail beaucoup plus profond que j'amorçais. Quand on n'a pas tout, on trouve des solutions. C'est un travail sans fin. »* Effort qui lui permet, à l'occasion, de chanter Barbara au côté de Benabar, l'incite en permanence à se lancer d'autres défis et lui évite de se laisser piéger par le cycle routinier des concerts – et des hommages louangeurs – à répétition.

L'un des problèmes non négligeables de la star du piano, c'est le sentiment d'accomplissement qui guette quand l'artiste a le sentiment d'avoir réalisé des performances optimales, engrangé les plus beaux lauriers, obtenu les plus prestigieuses des consécrations. Ambrose Bierce le résume en trois ou quatre mots dans son *Dictionnaire du diable* : *« Accomplissement. La fin de l'effort et le début de l'ennui. »*

De fait, au-delà de la carrière, de l'argent, de la célébrité, qu'y a-t-il à espérer pour une star qui refuse de s'écouter jouer et de se bercer d'illusions, sinon la certitude – jamais absolue – d'être universellement reconnue comme artiste authentique ?

(1) « Le phénomène Lang Lang », Lena Lutaud, *Le Figaro*, 4 juillet 2008.

(2) « Lang Lang, le Skywalker du piano », Thierry Hillériteau, *Le Figaro*, 15 juin 2012.

(3) « Tubes d'hier pour piano solo », Marie-Aude Roux, *Le Monde*, 30 mai 2012.

(4) « Alexandre Tharaud : un air de campagne », propos recueillis par Julian Sykes, *Le Temps*, 1er septembre 2011.

« Illustre. Idéalement placé pour les flèches de l'esprit, de l'envie et du dénigrement. »

Ambrose Bierce (1842-c.1913), *Le Dictionnaire du diable*

« De toute façon, le grand art est intemporel et le grand style toujours caché. Si vous affichez un style, c'est que ce n'est pas le bon. Les Anciens n'aimaient pas ce qui était trop évident. Ce qu'on prend pour le style, c'est la mode ! »

Fou Ts'ong , dans *Le Monde de la musique*, septembre 2008

36

Noir sur blanc

« La musique commence là où s'arrête le pouvoir des mots. »
Attribué à Richard Wagner (1813-1883

Bruno Lussato, ce singulier « mélimélomane »

Il y a le temps qui passe et le temps qui dure... Bruno Lussato, qui est mort en 2009, relève assurément davantage du second que du premier. Fort peu connu de ce qu'il est convenu d'appeler le « grand public », ce conseil en organisation d'entreprises et professeur en théorie et systèmes d'organisation au Conservatoire national des arts et métiers (CNAM) de Paris n'a cessé d'axer sa « ligne de vie » autour de ce qu'il est convenu d'appeler les « invariants culturels », dont la musique... et le piano. Se tenant résolument à l'écart des médias, cultivant un goût très prononcé de la discrétion, il s'est attaché, avec une constance sans faille, à associer son nom à une œuvre à la fois étonnante et diversifiée. Au point d'être considéré par les personnes les mieux formées et informées comme une sommité, aussi bien dans le domaine du management que dans celui de la culture.

Né en 1932, cet ancien directeur du département informatique et organisation à HEC ne s'est pas contenté d'être titulaire d'une chaire de théorie des systèmes organisés au CNAM ni d'enseigner, durant plus de quarante ans, à la prestigieuse Wharton School de l'université de Pennsylvanie. Il ne s'est pas satisfait non plus d'être devenu le conseiller permanent d'organisations multinationales importantes ou d'avoir mené des missions de conseil pour de nombreux organismes ou sociétés. Il n'a pas, enfin, commis l'erreur de s'imaginer qu'il lui suffisait d'être un grand collectionneur pour accéder à la postérité. Bruno Lussato a publié une vingtaine de livres sur l'informatique, le management, l'information, l'opéra et l'art, dont au moins sept d'entre eux – comme les sept piliers de la sagesse de cet « honnête homme » des XXe et XXIe siècles – ont contribué à justifier et à conforter sa célébrité auprès des initiés.

Aux côtés de sa magistrale *Introduction critique aux théories d'organisation* et de sa *Théorie de l'empreinte*, figurent ainsi *Virus* (huit leçons sur la désinformation), *L'Échelle humaine, Théories de l'information et processeur humain*, ou *Bouillon de culture* (en collaboration avec Gérald Messadié). Mais c'est peut-être *Voyage au cœur du Ring*, son monumental ouvrage consacré à la *Tétralogie* de Richard Wagner et paru chez Fayard, qui lui vaut la plus forte reconnaissance. Ses archives musicales – en partie dédiées à Wagner – sont de surcroît considérées comme l'une des sources documentaires les plus importantes au niveau mondial et font l'objet d'un dépôt à la Bibliothèque nationale de France, qui organisa une exposition en 1994. Membre du conseil scientifique de cette institution avec laquelle il entretenait des rapports étroits, Bruno Lussato lui a également donné son très singulier journal (*Apocalypsis cum figuris*) en plusieurs tomes.

Initié dès l'âge de 17 ans aux chefs-d'œuvre du répertoire lyrique et sensible à l'art pianistique, il a laissé, sous le titre de *Décodage*, une intéressante analyse de la *Sonate pour piano n° 2* de Beethoven. Ce drôle de « mélimélomane », ami de personnalités de premier plan, faisait également partie des hommes plutôt rares qui s'efforcent de penser. Adepte de la « haute culture », il n'hésitait pas à dénoncer le divertissement facile, la culture vulgaire, la manipulation de l'information. Au risque de paraître résolument élitiste.

Début 2008, le président de la République Nicolas Sarkozy, qui le connaissait et l'appréciait, avait tenu à prendre l'initiative de le faire commandeur de la Légion d'honneur, le même jour que Henri Dutilleux. Preuve éclatante, s'il en était encore besoin, que Bruno Lussato, en grand humaniste éclectique, avait eu raison de faire sienne la célèbre phrase de Nietzsche *« Sans la musique, la vie serait une erreur »* et de livrer sur son blog, sous le titre « Aimez-vous Brahms ? », ce petit texte en forme de conseil testamentaire.

Aimez-vous Brahms ?

Par Bruno Lussato

J'écoute très peu de musique enregistrée chez moi, et ailleurs. J'ai une assez bonne mémoire musicale, et je puis, à volonté, me souvenir des pièces entendues et jouées pendant une vie. Je travaille en me concentrant sur des œuvres énigmatiques, à la recherche de secrets pressentis et enfouis, bien au-delà des notes.

J'ai passé ces jours-ci par des moments éprouvants et de nature à vous emplir à la fois d'enthousiasme et de déception. Un des soutiens les plus précieux a été ce blog, par une certaine affection que je sens – peut-être à tort – dans ces passagers inconnus et, en particulier, ceux qui, de minuit à neuf heures du matin, se pressent nombreux pendant que je rédige ces lignes. Certains se sont matérialisés par leurs commentaires, d'autres ont été plus loin et se sont fait connaître par leurs e-mails, un est même apparu en chair et en os me rendre visite ! Mais j'ai ressenti la même présence familière et bienveillante que m'ont toujours prodiguée les étudiants de ma chaire du CNAM. Je les regrette. Ne croyez surtout pas que je sois dépourvu de discernement. En fait, je suis très sélectif. J'ai eu une antipathie largement partagée pour les auditeurs de l'APM, qui attire des conférenciers de renom et composés de gens qui se croient arrivés : cadres supérieurs de grandes boîtes, petits patrons de petites entreprises, roitelets dans leur patelin, tous empreints de condescendance. J'avoue ne pas avoir aimé non plus mon public de HEC, ni les *graduates* de Wharton. En faisant les comptes, je ne trouve que mes séminaires pour une grande entreprise du Nord, avec des gens venus de la base, désireux de s'instruire, mon public du CNAM, des fidèles, des amis, et, enfin, à présent, mes internautes auquel je m'attache comme si je les connaissais. C'est Beethoven qui, à propos de la *Missa Solemnis*, écrivait en exergue *« que venu du cœur, cela aille au cœur »*. Et pourtant cette fresque digne de la Sixtine contient des passages parmi les plus complexes jamais composés, conçus dans les affres du travail le plus laborieux et le plus douloureux, au terme d'une lutte entre les forces de la convention et celles de la novation. Ainsi le dernier billet de Marina Fédier trouve-t-elle l'illustration la plus frappante dans cette œuvre transcendante qui, selon l'expression du génie de Bonn, a infusé dans les formes anciennes l'esprit le plus libre.

J'ai réécouté ce soir des pièces tardives pour piano de Johannes Brahms (les *op. 118 et 119*). L'interprétation admirable de Julius Katchen est tout entière orientée vers l'expression alors que celle, respectueuse du texte de Klien (*cf.* Brahms quatre ballades) reste en deçà. Mais, paradoxe, c'est la version neutre qui l'emporte, car la nostalgie du compositeur n'interfère pas avec celle que veut lui infuser l'interprète.

Ces considérations ne sont pas destinées à des musiciens ni à ces mélomanes qui courent les concerts. Les *intermezzi* de Brahms *op. 118*, non plus.

J'ai écouté ces pièces toute ma vie, mais, depuis une vingtaine d'années, je les ai perdues de vue. Dans l'intervalle, j'ai travaillé les quatre ballades *op. 10*.

Par hasard, j'ai écouté sur ma médiocre chaîne d'appoint ces pensées musicales, courtes, évasives, humbles et j'ai ressenti l'âme désenchantée du compositeur s'emparer de mon esprit, de mon cœur, de mes sens. J'ai pleuré à la pensée des souffrances que cet homme a dû endurer pour composer ces miniatures de douceur et d'amertume. Beaucoup de regrets d'une vie sentimentale absente, d'un cancer affectif qui ronge l'âme et pis encore de résignation.

Mais, voilà. On sort de ces vingt minutes d'audition, bouleversé par la beauté inouïe des mélodies, par la subtilité indicible de leur traitement, de l'oxymoron musical : solitude sans fond et sans fin, rêve d'amour et de tendresse, composition d'une rigueur et d'un raffinement insurpassable, mais toujours au service de l'expression.

Le privilège d'écouter cette demi-heure de musique vaut une vie de renoncements. C'est une expérience inimaginable pour qui n'a pas goûté au sommet de l'art musical, et même pour des mélomanes épris d'œuvres plus imposantes. Aussi, je voudrais faire un pari avec ceux d'entre vous qui n'êtes pas allergiques à la musique classique.

Achetez les pièces *op. 118 et 119* de Brahms par Bakhaus (Decca) ou par Katchen (dans l'intégrale de Decca). N'écoutez qu'elles pendant une semaine, à l'exclusion de toute autre musique. Au début, vous n'entendrez que des notes informes, ternes, sans relief et peu séduisantes. Continuez. Les mélodies commenceront à apparaître, environnées d'une soupe de sonorités insaisissables. Persistez. Le Polaroïd musical continuera de se développer. Il arrivera un moment où tout semblera clair, chantant, logique et beau. Abandonnez l'écoute, et revenez-y au bout d'une semaine. Un travail de mûrissement aura décanté les notes. Les mélodies se transmueront instantanément en une plainte d'une douceur infinie : vous parlerez avec Brahms, comme Bach parlait avec Dieu.

Si je vous conseille cette immersion, c'est qu'elle est de courte durée et que, dévoilées, ces petites pièces vous feront comprendre pourquoi les musiciens les considèrent comme le chef-d'œuvre absolu du grand compositeur.

« Un esprit qui s'est élargi pour accueillir une nouvelle idée ou vivre une expérience nouvelle ne revient jamais à sa dimension originelle. »

Attribué à Oliver Wendell Holmes Jr (1841-1935)

37

Incognito

« Le piano que baise une main frêle
Luit dans le soir rose et gris vaguement,
Tandis qu'un très léger bruit d'aile
Un air bien vieux, bien faible et bien charmant
Rôde discret, épeuré quasiment,
Par le boudoir longtemps parfumé d'Elle. »

Paul Verlaine (1844-1896), *Le piano que baise une main frêle*

Piano rime souvent, trop souvent hélas, avec incognito. Les cas d'instrumentistes talentueux relégués dans la pénombre de l'anonymat sont très nombreux et c'est parfois fort injuste, quelles que soient les raisons invoquées pour expliquer leur situation, l'absence de rencontres heureuses, l'étanchéité de sphères médiatiques parfois dénoncées pour leurs tendances mafieuses, le refus ou l'impossibilité de se soumettre à telle ou telle contrainte, des orientations de vie professionnelle ou privée plus ou moins hasardeuses...

À l'occasion d'un concert donné par le pianiste Jorgé Luis Prats, à Paris, salle Pleyel, en 2011, voici ce que le public pouvait lire : *« Une des grandes découvertes de ces dernières années. Et une question : comment être passé à côté de ce virtuose véritablement transcendant ? C'est que Jorge Luis Prats, victorieux du concours Long-Thibaud, en 1977, est cubain et mena par la suite une carrière internationale erratique... Un jeu orchestral, une pâte sonore somptueuse, une sonorité d'orgue, opulente et chaude, une puissance de jeu phénoménale, le placent d'emblée à part dans la petite cohorte des pianistes qui, n'ayant pas de limites techniques, ont la possibilité de retranscrire tel quel leur monde intérieur, et, bien sûr, celui des compositeurs. Le jeu sanguin et gorgé de couleurs de cette personnalité très affirmée ne supporte pas la tiédeur et concilie justesse musicale et vitalité. Une exceptionnelle nature pianistique* »... Le pianiste brésilien José Carlos Cocarelli est un autre exemple de soliste à avoir remporté de prestigieuses distinctions – premiers prix des concours Ferruccio Busoni et Long-Thibaud, deuxième prix du concours Van Cliburn, sans avoir pu, jusqu'à présent du moins, recueillir de retombées vraiment éclatantes ni bénéficier d'une notoriété évidente. D'autres exemples encore ? En dépit d'un talent certain, d'un premier prix au concours Van Cliburn et d'un troisième prix au concours Busoni, un brillant soliste comme Stanislav Ioudenitch, originaire d'Ouzbékistan, évolue dans une relative obscurité. De même, Dmytro Sukhovienko est une magnifique instrumentiste à la rigueur très classique et à la technique impressionnante, François Weigel sait faire preuve, avec beaucoup de sensibilité, d'une délicatesse de jeu et d'un raffinement du toucher remarquables, et Denis Pascal se situe dans la catégorie des concertistes solistes de haut niveau, mais qui les connaît ? De nombreux pianistes de jazz ne sont, hélas, pas plus en vue, d'autant que leur talent paraît souvent mal apprécié d'un large public. Qui « comprend » Jacques Loussier (1) en France ? Au risque de beaucoup décevoir l'artiste, très peu de personnes ! La remarque s'applique également au batteur André Arpino ou au contrebassiste Benoît Dunoyer de Segonzac, qui jouent souvent avec lui.

Les femmes pianistes seraient-elles mieux loties ? Nenni, nenni ! Hélène Bouchez, l'épouse du concertiste et pédagogue Géry Moutier, a eu beau s'imposer comme pianiste de haut vol et chef d'orchestre de premier plan : ses talents, volontiers reconnus hors du territoire français, sont restés, du moins jusqu'au début des années 2010, ignorés en France.

Autre cas, celui de Marina Milinkovitch, qui a été lauréate des concours Steinway, Saint-Nom-la-Bretèche et Nikolaï Rubinstein, et qui est devenue, depuis 2009, professeure de piano au conservatoire de Sèvres dans les Hauts-de-Seine. Invitée à se produire lors de divers festivals à Saint-Pétersbourg et à Odessa, cette titulaire des diplômes supérieurs de l'école normale de musique de Paris Alfred Cortot et du diplôme de concert du conservatoire de Genève a, certes, participé aux « Promenades musicales européennes » à La Madeleine, à Paris, et à d'autres manifestations d'envergure, mais sa notoriété paraît à ce jour très relative.

Par comparaison, certains autres exemples peuvent être perçus comme attristants. Il suffit de songer à la pianiste Fanny Blayo qui, depuis plus de dix ans, collectionne les diplômes avec mention et donne l'impression de « ramer » en solo, abonnée, de-ci, de-là, aux séances du Rotary ou du Lyon's Club... Ou encore à Noriko, prénom japonais de cette diplômée concertiste et musicologue plus qu'avertie qui, à défaut d'espérer sortir de l'incognito, sollicite simplement de dispenser des cours de piano à 30 euros de l'heure.

(1) Pour l'anecdote, ce musicien éclectique fut dans les années 1950 et au tout début des années 1960 le pianiste accompagnateur de chanteurs comme Catherine Sauvage, Léo Ferré, Charles Aznavour ou Frank Alamo...

« Le hasard n'existe pas. En rien ! Jamais ! Nulle part et pour personne ! Même les plus sceptiques seront obligés de s'y résoudre : ce qu'on appelle « le hasard », ce n'est rien d'autre que Dieu qui se promène incognito. »

Albert Einstein, *Einstein : A Life For Tomorrow*, 1959

38

Noir sur blanc

« Ce type a débouché de l'allée / de l'Institut d'éducation sexuelle / et a failli m'écraser les orteils / avec sa moto ; il avait une barbe noire et sale / les yeux d'un pianiste russe / et l'haleine d'une pute de East Kansas City. »
(*He had a black dirty beard / eyes like a Russian pianist / and the breath of an East Kansas City whore.*)

Charles Bukowski (1920-1996), *Jouer du piano ivre comme d'un instrument à percussion jusqu'à ce que les doigts saignent un peu*, traduction de Michel Lederer, poèmes, 1970-1979, Grasset

Slave qui peut

Les pianistes russes de grand talent sont trop présents depuis des lustres dans les conservatoires renommés, les compétitions internationales et les salles de concerts les plus prestigieuses pour ne pas engendrer, sinon la certitude absolue, du moins le pressentiment que le piano a su – et sait – brillamment faire école en Russie... Certes, la notion même d'école de piano russe reste sujette à caution, et d'autant plus que le mot « russe » lui-même recouvre des réalités qui s'inscrivent dans une riche diversité. Sans doute n'y a-t-il pas mieux que deux concerts consécutifs de pianistes russes *« pour mettre à mal le concept d'école de piano russe »*, comme le souligne la journaliste Marie-Aude Roux après avoir assisté aux programmes donnés par Andrei Korobeinikov et Arcadi Volodos et constaté combien, après le concert de l'un, il est *« difficile d'être plus aux antipodes »* que le récital de l'autre (1)... On cite fréquemment ce mot de Elisso Virssaladze, qui a été, en 1989, distinguée comme l'une des dernières artistes du peuple de l'URSS : *« Les écoles de piano peuvent être bonnes ou mauvaises. La nôtre est très bonne »*... Mais la boutade ne doit pas faire illusion. On ne plaisante pas avec le piano en Russie ! Car le sujet est sérieux et mérite d'être pris très au sérieux. Ni les éminentes pianistes Maria Yudina (1899-1970) et Tatiana Nikolaïeva (1924-1993), ni les regrettés Lev Naoumov (1925-2005), surnommé le « grand-père de l'école de piano russe » (2), et Victor Merzhanov (1919-2012), autre grand maître du clavier, n'auraient certainement avancé le contraire. Il n'y a pas d'accommodement envisageable, encore moins de négociation possible, et c'est sans doute tant mieux dès lors que chacun sait bien depuis le bon mot du diplomate américain Averell Harriman (1891-1986), que *« négocier avec les Russes, c'est acheter deux fois le même cheval »*...

De Russie et des territoires limitrophes, ex-républiques socialistes soviétiques, est ainsi toujours issue, que cela plaise ou non, une bonne partie de l'élite pianistique mondiale. Les instrumentistes de premier plan, de nationalité ou d'origine russe, restent nombreux... En particulier Grigory Sokolov, Mikhail Pletnev, Denis Matsuev, Daniil Trifonov, Boris Berezovky, Nicolay Khozyainov, Dmitri Alexeev, Andrej Hoteev, Igor Lazko, Andreï Gavrilov, Alexander Melnikov, Nikolaï Louganski, Stanislav Bunin, Victor Eresko, Nikolai Demidenko, Vassily Primakov, Denis Kozhukhin, Andrey Gugnin, Valery Kuleshov, Yuri Martynov, Roustem Saïtkoulov (3) et Stanislas Pocherin. Mais aussi des femmes concertistes du plus haut niveau, souvent inconnues ou méconnues en France, qui pourraient former une liste plus qu'imposante. Avec, notamment, Oxana Yablonskaya, Valentina Igoshina, Valentina Lisitsa (4), Lilya Zilberstein, Sofia Gulyak, Nathalie Béra-Tagrine, la fille de Nadia Tagrine (1917-2003), Elena Rozanova et Evelina Borbei, lauréates du concours Marguerite Long en 1995, Marusia Petrova, Anna Vinnitskaïa, premier prix du concours Reine-Elisabeth-de-Belgique, en 2007, Maria Masycheva, deuxième grand prix du concours Long-Thibaud en 2009, Varvara (Varvara Nepomnyaschaya dite), premier prix du concours

Géza Anda en 2012, Evelyne Berezovsky, Victoria Eliseeva, Veronika Shoot, cette artiste très tôt remarquée par Lord Yehudi Menuhin, Elizaveta Klutchareva, Anna Kourganova, qui s'est produite pour la première fois sur le territoire français en 2014 (5), Olga Panova, Irina Dichkovskaya, Elena Gantchikova, Alexandra Sherbakova, Ksenia Knorre, Anastasia Vorobyeva, les Géorgiennes Khatia Buniatichvili, Nino Gvetadze, Mariam Batsashvili, Inga Fiolia, et, bien sûr, Elisabeth Leonskaïa et Elisso Virssaladze, les Biélorusses Anna Hetmanova et Anastasia Pozdniakova, les Ukrainiennes Anzhelika Fuks et Olena Valiahmetova, la Kazakh Kadisha Onalbayeva, ou encore Julie Safarova, cette native de Saint-Pétersbourg qui réside en région parisienne depuis l'âge de treize ans... À coup sûr, l'avenir sera, au moins en partie, pianistico-cyrillique ou ne sera pas !

(1) *Arcadi Volodos touche, effleure et caresse son piano*, Marie-Aude Roux, *Le Monde*, 26 juillet 2013.

(2) Cette mention de Lev Naoumov ne saurait naturellement faire oublier l'existence d'Alexandre Goldenweiser (1875-1961), l'un des fondateurs de l'école moderne russe de piano, et celle des pianistes et pédagogues Samouïl Feinberg (1890-1962), Grigory Ginzburg (1904-1961), Lev Oborine (1907-1974) et Tatiana Nikolaïeva (1924-1993).

(3) Avec son épouse, la violoncelliste Claire Oppert, il forme un duo réputé.

(4) Cette pianiste spécialisée dans la musique romantique est l'une des premières interprètes de renommée internationale découverte grâce à Internet.

(5) À l'occasion d'une soirée où cette concertiste attachée au conservatoire Rimski-Korsakov de Saint-Pétersbourg fit forte impression. Organisée par Claude Bourg, présidente de Entreprendre et Innover pour le Territoire de Belfort, cette manifestation qui eut lieu le 11 février 2014 au conservatoire russe de Paris Serge Rachmaninov, avenue de New York à Paris, en présence du comte Pierre Cheremetieff, permit, en outre, à la jeune violoniste Eléna Rubino de brillamment s'illustrer.

« Le Narrateur : apôtre de la coexistence, Boris Vassilief, sujet très doué, surnommé dès son plus jeune âge "Trinitrotoluène", pianiste virtuose, pyrotechnicien confirmé, Boris est classé par ses supérieurs dans la catégorie des "esthètes turbulents". »

Description par Pierre-Jean Vaillard (1918-1988) de l'agent russe interprété par Francis Blanche dans le film *Les Barbouzes*, écrit par Michel Audiard

39

Passage aux niveaux

« L'élite n'est pas seulement supérieure, elle est différente. »
Attribué à Michel de Saint-Pierre (1916-1987)

Il y a, c'est une affaire entendue, pianiste et pianiste... Le pianiste en cuisine et en aciérie. Mais aussi le concertiste et le musicien intermittent, le pianiste gigolo, le pianiste de plage, de croisière, de bar... Et plus si affinités ! En matière de piano, comme en bien d'autres domaines, tout est question de distinguo. Ce qui ne saurait justifier des jugements de valeur hâtifs ni encore moins une quelconque propension au dénigrement... Il s'agit simplement, dans un monde où les repères ont une fâcheuse tendance à se perdre, de réduire au minimum les risques de confusion. Que cela plaise ou non, piano rime avec niveau. Avec les incidences qui en découlent pour les instrumentistes professionnels qui vont être « rangés » dans telle ou telle catégorie... En fait, à chaque niveau, qu'il soit local, départemental, régional, national ou international, correspondent des caractéristiques précises, en termes notamment d'envergure et de difficulté du répertoire, de fiabilité technique, de capacité de communication et d'aptitude relationnelle. Un très bon musicien pourra ainsi avoir une certaine aura dans son propre pays, mais, en dépit de ses efforts, de ses participations à des manifestations artistiques lointaines et des apparences, ne relever que du niveau national. Des exemples ? Tant pis pour la cruauté de l'exercice ! Il est à juste titre reconnu que Claire Désert est une excellente pianiste solo et que cette native d'Angoulême peut s'enorgueillir d'une reconnaissance justifiée. Mais sa notoriété n'en demeure pas moins très circonscrite au territoire... et aux médias français. De la même manière, Jean-Claude Pennetier est, à coup sûr, un merveilleux musicien et un pédagogue réputé. A-t-il accédé pour autant au rang de pianiste international ? Le doute semble permis.

Que cela plaise ou non, niveaux et statuts existent bel et bien. Mais, en tant que tels, ils ne sauraient nullement avoir un quelconque caractère dépréciateur ou péjoratif. D'abord parce que, même si c'est en apparence un truisme ou une « porte ouverte » qu'il est ridicule d'enfoncer, il importe de toujours se souvenir qu'il faut de tout pour faire un monde aussi harmonieux que possible. Originaire de Moravie et éminent spécialiste du répertoire pianistique tchèque, Radoslav Kvapil n'a peut-être pas une grande notoriété planétaire, mais, sans prétendre à avoir le rayonnement d'une star, il a amplement démontré ses capacités à évoluer avec aisance et à se faire apprécier dans tous les continents et durant plusieurs décennies. Fort, de surcroît, d'une discographie comportant plus d'un enregistrement de référence, il fait partie du « club » des pianistes internationaux. De son côté, Marquis Bieshaar est un pianiste sérieux, doté d'une belle virtuosité, mais résolument national. Avec un site Internet exclusivement en hollandais, il affiche un parti pris manifeste et sans doute délibéré. Pascal-Jean Marignan, lui, est un cas de pianiste régional, formé au conservatoire de région de Bordeaux, puis à l'école normale de Paris dont il est sorti diplômé des mains du regretté compositeur Pierre Petit. Son parcours, aussi régional soit-il, n'en paraît pas moins très honorable. Il en va de même pour un pianiste bourguignon comme Maximilien Borron et pour une multitude d'autres instrumentistes dont la Russe Inga Kazantseva qui se « régionalise » à Strasbourg.

Qu'ils soient issus ou non des plus prestigieux conservatoires, les jeunes solistes sont, eux, très nombreux à avoir le statut éphémère et un peu particulier d'« espoirs » ou de « grands noms en devenir ». Qu'il s'agisse de Mariam Batsashvili (1), Esther Assuied, Aline Bartissol, Honoré Béjin, Jean-Frédéric Neuburger, François Dumont, Kotaro Fukuma (2), Rémi Geniet, Antoine de Grolée, Clara Saussac, Katherin Isabelle Klein, Tristan Pfaff, Cathy Krier, Aline Piboule, Paloma Kouider, David Kadouch, Marie Vermeulin, Marina Di Giorno, Fanny Azzuro (3), Ji-Yeong Mun, Emmanuel Despax, Alice Sara Ott, Stanislaw Drzewiecki (4), Arnaud Dupont (5), Inga Fiolia, Andrey Gugnin, Leonardo Hilsdorf, Olga Scheps, Jean-Philippe Fonsalas, Lukas Geniusas, Vadim Kholodenko, Sunwook Kim, Adam Laloum, Mathieu Lamboley, Louis Lancien, George Li (6), Charlie Albright, Jan Lisiecki, Paloma Mangova (7), Florian Noack, Lorenzo Soulès, Ismaël Margain, Imri Talgam, Mu Ye Wu, Igor Andreev, Kit Armstrong, Pascalucci Fiorenzo, un élève d'Aldo Ciccolini, Nicolas Chevereau, dont le perfectionnement artistique a bénéficié également des conseils de Ciccolini et qui a consacré, en 2014, son premier disque (8) aux œuvres de Naji Hakim, Jean-Paul Gasparian (9), Yun-Yang Lee, Miklos Veszpremi, Yedam Kim, Sakiyia Akihiro, Vassilis Varvaresos (10), Guillaume Vincent, Aimi Kobayashi (11), Marina Pizzi, Clara Saussac, Marie Sevagen, Louis Schwizgebel-Wang, Naïri Badal, Olivier Moulin, Laura Sibella ou encore Guillaume Coppola qui a su mettre, en 2012, Schubert et Mozart à l'honneur lors d'un concert où le piano était installé au bord d'un bassin, dans le cadre quelque peu féerique du musée de La Piscine, à Roubaix...

(1) Cette pianiste georgienne a remporté le grand prix Liszt (Utrecht) en 2014.

(2) Produit par Hortus, son enregistrement d'œuvres de Moussorgski, Glinka, Balakirev, Tchaïkovski et Stravinski a été salué dans *Le Monde* du 30 septembre 2014 par Pierre Gervasoni, admiratif devant sa *« prodigieuse technique, perceptible dans chaque morceau du programme »*, au point de souligner : *« Les excellents pianistes ne sont pas rares, en particulier chez les jeunes, mais il en est peu qui comblent l'auditeur de la première à la dernière note d'un récital comme y parvient Kotaro Fukuma. »*

(3) Dont le premier album solo, consacré à la musique russe, est sorti en septembre 2014 et justifie l'éloge.

(4) Né en 1987, cet ancien élève de Tatiana Shebanova, très polyglotte, mène d'ores et déjà un parcours de soliste international, jalonné de concerts, en particulier en Asie, et de beaux enregistrements.

(5) Né en 1997, il a intégré, en 2009, la classe de Rena Shereskevskaya au conservatoire Tchaïkovski de Moscou.

(6) Né en 1995 à Boston de parents chinois, il accumule les distinctions depuis l'âge de six ans et s'est notamment produit au Carnegie Hall. En juin 2011, il a été invité à jouer à la roseraie de la Maison-Blanche pour le président Barack Obama et la chancelière Angela Merkel.

(7) Née en 1980, cette pianiste bulgare, qui obtint le second prix du concours Reine-Elisabeth-de-Belgique derrière Anna Vinnitskaya, devrait rapidement accéder à la reconnaissance internationale qu'elle mérite.

(8) Sous le label Rejoyce Classique.

(9) Né en 1995, ce fils très brillant du pianiste et compositeur Gérard Gasparian paraît promis à un parcours artistique de premier plan.

(10) Né en Grèce en 1983, cet élève fort talentueux de la Juilliard School à New York et de Michel Dalberto à Paris a fait, en 2012, ses débuts à Carnegie Hall, puis a joué à la Maison-Blanche à l'invitation du président Obama.

(11) Née au Japon en 1995, elle a donné en 2005 son premier concert à l'étranger à Paris, salle Cortot. En 2011, elle s'est produite au Weill Recital Hall (Carnegie Hall) à New York.

« La maladie de notre temps est la supériorité.
Il y a plus de saints que de niches. »

Honoré de Balzac, *Le Médecin de campagne*

40

Bons facteurs, belles factures

« Steinway faisait des pianos merveilleux, aujourd'hui,
on a des pianos neutres. »
Aldo Ciccolini (1925-2015), dans un entretien paru dans L'*Est républicain*
(19 octobre 2013)

« Au moins, chez Ikea, lorsque j'achète une étagère "Billy", j'ai une idée précise de ce à quoi elle doit ou devrait ressembler une fois montée. Après avoir réussi à ouvrir la caisse, je me retrouve face à une dizaine de boîtes en carton identiques qui ne me donnent aucune indication sur ce que je suis censée assembler : une statue de Mao, un piano à queue ou un tracteur. »
Zoé Shepard, *Absolument dé-bor-dée !*

Le meilleur piano du monde n'existe pas. Le meilleur facteur de pianos non plus. Pour autant, il se fabrique toujours de merveilleux instruments acoustiques et il subsiste encore d'excellents facteurs, même si leur nombre est relativement restreint. Seule une douzaine de manufactures sur la planète Terre a cette exigence qui consiste à prendre le temps de sélectionner les meilleurs matériaux naturels, de les assembler en respectant scrupuleusement les règles de construction et de réussir à produire des objets vivants dont la richesse sonore est un enchantement... Au regard des bouleversements considérables que connaît le marché du piano depuis le début du XXIe siècle, sous les effets conjugués de l'expansion massive du numérique, des évolutions sociétales et de la crise financière de 2008, il s'agit là d'un constat plutôt rassurant. À ce jour, c'est généralement d'Europe et du Japon que proviennent les meilleurs instruments. Après avoir compté autrefois plusieurs centaines de facteurs, dont plusieurs de premier plan, les États-Unis peuvent certes s'enorgueillir de produire de fort beaux Steinway ou Mason & Hamlin (1). Mais ils ne sont plus une référence prépondérante en ce domaine, dès lors que leurs productions paraissent souvent soumises aux exigences du goût américain et que les Steinway de New York (2) n'ont pas, pour les initiés, la même cote que ceux fabriqués à Hambourg...

Sur le continent européen, ce sont l'Allemagne et l'Autriche qui s'imposent avec force comme les meilleures provenances. Avec des marques et des entreprises de grand prestige ou de très bonne renommée (3) : Steinway, à juste titre mondialement réputée pour ses productions hambourgeoises, Bösendorfer, dont la renommée, brillante et justifiée, lui a valu de s'insérer dans le giron de Yamaha, Steingraëber & Söhne (4), qui, depuis Bayreuth, engendre discrètement des merveilles, Sauter, dont le nom mérite d'être associé à d'intéressantes réalisations (et ne saurait être confondu avec celui d'une enseigne d'électroménager !), Bechstein, Grotrian-Steinweg, Schimmel, Blüthner implantée à Leipzig, Seiler (repris par le coréen Samick depuis 2008), Wilh. Steinberg, à Eisenberg, en Thuringe, ou encore August Förster, cette précieuse entreprise artisanale installée à Löbau, près de Dresde, en Saxe...

Grâce à Fazioli et ses pianos à queue qui témoignent d'une vraie passion et d'un souci prononcé du raffinement, au point de fort bien endurer la comparaison avec les meilleurs Steinway, l'Italie parvient également à se situer au premier rang des provenances. Enfin, la République tchèque justifie une mention particulière, puisqu'elle abrite les ateliers de Petrof, un facteur dont certains pianos peuvent être remarquables, en particulier pour les timbres et les excellentes modulations des sonorités qu'ils offrent. En France, des entreprises comme Erard, Pleyel et Gaveau eurent leurs décennies de gloire internationale, mais elles relèvent, sans la moindre équivoque, du passé. Il n'y existe plus que quelques facteurs indépendants pour sauver d'une complète humiliation, voire pour « relever le flambeau » : Stephen Paulello, installé dans l'Yonne, Vincent Chavanne, à Toulouse, et Jean-Pierre Klein à Montreuil-sous-Bois (5).

Sur le continent asiatique, la Corée peut s'enorgueillir d'abriter Samick, l'un des plus importants fabricants de pianos au monde en nombre d'unités produites et actionnaire de plus en plus notable de Steinway & Sons. Cependant, c'est le Japon qui, jusqu'à présent, règne en maître, grâce, bien sûr, à Yamaha dont l'aura planétaire s'explique par l'extrême fiabilité et la haute qualité, à tous égards, de ses meilleures productions, mais aussi grâce à Kawaï, qui justifie souvent la plus grande considération (en particulier pour sa gamme de modèles à queue Shigeru Kawaï qui allie matériaux naturels rares et technologies de pointe).

Où que ce soit dans le monde, et même jusqu'en Nouvelle-Galles du Sud, cet État australien où se trouve le siège de la maison Stuart & Sons spécialisée dans les instruments à queue pour *happy few* (6), tous les facteurs dignes de ce nom sont en mesure de réaliser des pianos d'exception, qui se distinguent des modèles ordinaires par des modifications plus ou moins radicales de leur conception ou de leur présentation. Mais, où que ce soit dans le monde, la bonne facture de tout piano acoustique s'appuie toujours sur un impressionnant « cahier des charges ». Impliquant une approche plutôt lente et parfois anachronique du temps, elle dépend, bien évidement, de la qualité des matières premières qui sont utilisées – en particulier pour la table d'harmonie – et dont il est parfois très difficile de maintenir la constance. En d'autres termes, la marque d'un instrument constitue un repère, mais certainement pas, à elle seule, un gage absolu d'immuable perfection. En ce domaine comme en bien d'autres, il y a les bons approvisionnements, les bons dirigeants, les bonnes équipes, les bonnes époques... En outre, l'appréciation portée sur une entreprise ou sur un piano comporte toujours une part de subjectivité. *A fortiori* quand l'instrument se situe dans la catégorie « haut de gamme » et que le facteur a des références à revendre... De toute façon, un même piano joué par des pianistes différents ne produit pas les mêmes sons. Cela peut paraître curieux, dès lors que très nombreuses sont les personnes à croire le contraire, mais ce n'est pas parce qu'une erreur est extrêmement répandue qu'elle saurait se transformer en vérité...

(1) Depuis 2008, Baldwin a cessé tout production de pianos aux États-Unis.

(2) Sous la marque Boston, Steinway produit également, depuis 1992, des instruments dont la fabrication est digne d'éloges et qui, par leurs indéniables qualités musicales, rendent injustes les éventuels préjugés. Ce sont ses spécialistes qui assurent la conception, indiquent leurs prescriptions et contrôlent le travail réalisé au Japon par Kawaï ou par un autre intervenant.

(3) Parmi ces entreprises, figurent les facteurs d'instruments, bien sûr, mais aussi les « équipementiers », c'est-à-dire les fournisseurs de tel ou tel « composant » essentiel de l'instrument. Cas notamment de Renner, dont la mécanique est sans aucun doute la plus réputée au monde.

(4) Appréciés en leur temps par Franz Liszt et Richard Wagner, les instruments de cette marque sont aujourd'hui encore considérés parmi les meilleurs du monde et ont de nombreux adeptes parmi les excellents pianistes (à l'exemple de Philippe Guilhon-Herbert qui les choisit et les privilégie pour ses enregistrements).

(5) Il existe également la société Gary Pons fondée à Montpellier à la fin des années 2000. Mais la structure harmonique de ses modèles au design contemporain très typé provient du facteur allemand Wilh. Steinberg.

(6) En Australie, il existe un autre facteur reconnu, Overs Piano, dirigé par Ron Overs et également spécialisé dans les instruments à queue.

« Le piano, c'est l'accordéon du riche. »

Michel Audiard (1920-1985), dialoguiste du film *Les Tontons flingueurs*

41

Noir sur blanc

« À quoi bon fréquenter Platon, quand un saxophone peut aussi bien nous faire entrevoir un autre monde ? »
Emil Michel Cioran (1911-1995), *Syllogismes de l'amertume*

Jean-Marie Londeix (*) : « Un dédain suicidaire »

Je constate que le piano solo est de plus en plus nettement un instrument de musée. Rares en effet sont les pianistes qui déploient dans la musique savante d'aujourd'hui les talents dont ils font couramment preuve dans les musiques savantes du passé. Le dédain que la plupart d'entre eux manifestent pour l'art du piano contemporain est incompréhensible face au rôle artistique et créatif qui incombe à leur fonction de concertiste. Cette attitude, par trop exclusivement passéiste, est pour moi suicidaire.

Je ne souhaite évidemment pas (et ne pense pas possible) que le sort du piano puisse être semblable à celui du clavecin au début du XIXe siècle... Mais je trouve alarmant que, faute de pianistes compétents, les compositeurs actuels soient de moins en moins nombreux (surtout parmi la jeune génération) à faire usage du piano dans les œuvres de concert, notamment de musique de chambre. Combien de « pianistes compétents » sont désireux de parfaire leur jeu dans l'art actuel, comme ils ont su magistralement le faire dans les musiques des générations passées ?

Ce dédain suicidaire des pianistes occidentaux pour l'art de leurs contemporains donne, paradoxalement, leur chance aux pianistes asiatiques qui rêvent de vivre sous nos cieux... (Voir par exemple, au sein des conservatoires d'Europe et d'Amérique du Nord, la quantité de pianistes japonaises qui « accompagnent » les instrumentistes à vent engagés dans les musiques de leur temps...).

Où sont, dans les programmes du piano solo, les compositeurs vivants de vingt ou trente ans ? Les pianistes sont pourtant nombreux à se délecter des œuvres de jeunesse de Chopin, de Liszt, de Rachmaninov et autres ! Sont-ils si pessimistes sur leur temps ou si artistiquement bigots qu'ils ne puissent trouver à s'exprimer dignement qu'emperruqués ?

Loin de moi l'idée que le monde occidental puisse être sans musique représentative et digne de lui pendant plus d'un siècle...

Je vois plutôt une étroitesse, sinon une fermeture d'esprit incompréhensible de la part d'artistes aussi savants, aussi talentueux, aussi aguerris, aussi ouverts... aux choses du passé ! À croire que les grands Anciens ne leur ont pas appris à reconnaître ceux du présent (qui les obligeraient, c'est vrai, à maîtriser d'autres techniques, d'autres modes de pensée) !

(*) Considéré par le célèbre compositeur russe Edison Denisov comme *« l'un des grands musiciens de notre temps »*, mais généralement ignoré des Français et de leurs médias de masse, Jean-Marie Londeix est volontiers salué par les saxophonistes et, en particulier par l'Américain Gerald Danovitch, *« sans contredit comme l'un des plus grands saxophonistes et professeurs du monde, à l'influence énorme dans la communauté internationale de l'instrument ». "Dean of French saxophonists who has made the Bordeaux, the world's leading center of saxophone studies"*, comme aime à le rappeler le *Washington Post*, il est, sans aucun doute, pour reprendre la formule du saxophoniste italien Francesco Salime, *« après Adolphe Sax et son maître Marcel Mule, le plus conséquent "inventeur" du saxophone moderne »*. Tout au long de son parcours de concertiste, professeur, animateur et auteur d'ouvrages pédagogiques, Jean-Marie Londeix s'est produit plus de six cents fois en soliste, dans le monde entier, inaugurant souvent les concerts ou les récitals de saxophone. Au début des années 1950, il fut même l'un des tout premiers instrumentistes à vent à donner des mono-récitals complets.

« Cela fait trente-deux ans que je me produis au Japon. J'ai l'intuition que l'Asie est appelée à devenir le gardien de la culture occidentale. Il suffit de voir le silence religieux qui règne là-bas dans les salles de concerts. Et le public y est si jeune ! Quant aux interprètes, on a beaucoup dit qu'ils n'avaient qu'une technique bien huilée, mais je peux vous dire qu'on commence à voir de sacrés musiciens. J'en ai eu un de vingt-cinq ans, lors d'une récente master class à Montpellier. Je lui ai demandé ce qu'il allait jouer : "La *sonate en si mineur de Liszt.*" Il a joué LA sonate. Je me suis levé et j'ai dit au public. "Toute observation de ma part serait pure pédanterie. Nous venons d'entendre un grand artiste." »

Aldo Ciccolini (1925-2015), extrait d'un entretien paru dans *Le Figaro* du 8 février 2013

42

L'oreille en coin

« L'oreille est le sens préféré de l'attention. Elle garde, en quelque sorte, la frontière, du côté où la vue ne voit pas. »

Paul Valéry (1871-1945), *Analecta*

Au concert comme au théâtre, il y a, c'est bien connu, deux sortes de spectateurs : ceux qui entendent et ceux qui écoutent. Ce n'est évidemment pas du tout la même chose. Mais la confusion semble, hélas, plus que fréquente. Trop peut-être pour être innocente, politiquement innocente. Si la simple audition relève d'une fonction naturelle, l'écoute, elle, implique un apprentissage, un savoir et un savoir-faire. En d'autres termes, de la curiosité combinée avec l'expérience, la réflexion, le goût. Dans ces conditions, écouter devient un art particulièrement délicat quand l'enjeu consiste en la musique jouée au piano, ou pas. Comme l'écrivait Louis Barthou dans *Paroles vécues, « la musique ne se prend pas comme un verre d'eau. Même très pure et très claire, elle a sa progression, ses développements, ses nuances et ses mystères. Elle ne révèle toutes ses beautés qu'au prix d'un effort d'attention. Elle ne se donne qu'à ceux qui méritent de l'aimer. Et ceux qui l'aiment se donnent tout entiers à elle. »*

La situation entre les années 1930 et aujourd'hui a-t-elle vraiment évolué ? Gros point d'interrogation ! Au début des Trente Glorieuses, les populations se sont volontiers bercées d'illusions à ce sujet. Sur fond de plan Marshall, d'expansion aussi durable que forte et de grande démocratisation. Mais, depuis l'époque Malraux & Co, fini l'oratorio de la grand-messe des belles intentions, le prêchi-prêcha du « tous égaux » sans distinguo, le souffle lyrico-patriotique de la « commémo » consensuelle ; chacun devrait savoir à quoi s'en tenir : l'écoute et l'exécution de la musique savante restent, plus que jamais, l'apanage d'une élite, pas nécessairement – tant s'en faut ! – économico-financière.

Or, au piano comme en danse, l'écoute ou l'observation ne sont pas la simple audition ou l'ordinaire vision, et l'interprétation n'est pas l'exécution ! Une personnalité aussi renommée que Claude Bessy en témoigne. *« Lorsque vous êtes tout à fait au point physiquement et techniquement,* souligne-t-elle (1), *il faut passer à la phase artistique. C'est-à-dire oublier la technique, oublier l'effort, oublier l'essoufflement, oublier qu'on a mal aux pieds et... raconter une histoire ! »* Et une autre grande dame de la musique, Elizabeth Sombart, confirme combien *« tout naît de l'écoute du son »*.

Les accordeurs de piano, ces chasseurs de fausses notes, en savent quelque chose. Ce sont eux qui donnent le « la ». Leur secret, c'est leur oreille en coin. Attentivement, ils écoutent. Ils auscultent les « cordes vocales » des pianos. Avec deux outils : un diapason et une clef d'accord. Petit à petit, ils font l'accord, ils harmonisent. Ce qui leur demande beaucoup de concentration pour l'obtention de résultats édifiants. C'est ce qui ressort bien de « Pianomania, à la recherche du son parfait », un documentaire germano-autrichien réalisé par Lilian Franck et Robert Cibis et produit en 2009. Le film présente le maître accordeur Stefan Knüpfer, dans le travail qu'il effectue pour des pianistes comme Pierre-Laurent Aimard, Lang Lang, Alfred Brendel ou encore Rudolf Buchbinder, cet autre grand seigneur du clavier (2). Des images et des dialogues, il en résulte, à coup sûr, le rappel jamais inutile d'une flagrante certitude : en matière de musique, la qualité de l'écoute est, ô combien, primordiale. Elle détermine tout. Absolument tout. Y compris la « détection » des grands interprètes de demain.

« On me demande souvent, confie le violoniste Pierre Amoyal (3), *comment je débusque un futur talent. Il n'y a pas de science exacte, mais le regard d'un enfant qui écoute de la musique ne trompe jamais. On y lit sa sensibilité, son émotion, son désir de faire. Et aussi son attention au silence : le silence d'avant le concert, et le silence après la dernière note. »*

(1) in *Claude Bessy présente les ballets classiques de sa vie,* 2009.

(2) Autrichien, quoique né en Bohème, Rudolf Buchbinder est un pianiste peu connu en France, mais hautement réputé, et à juste titre, parmi les mélomanes. Dans des œuvres de Mozart ou de Beethoven, sa parfaite maîtrise technique et son art du son – onirique – font merveille.

(3) in *Pour l'amour d'un Stradivarius,* Pierre Amoyal, Éditions Robert Laffont, 2004, p. 221, *La Dernière Leçon.*

«Tout dépend de l'oreille. Il suffit de tendre l'oreille.
L'ennuyeux, c'est que, de nos jours, on entend mal. »

Pierre Henry, *Journal de mes sons*

43

Noir sur blanc

« Peu importent les notes, en musique,
ce sont les sensations produites qui comptent. »

Leonid Solomonovitch Pervomaiski (1908-1973),
auteur ukrainien, *Des notes disparates*

Fausse note avec ou sans cinéma

À l'heure du tout-numérique et de la robotique triomphante, une fausse note ne sonne plus comme un vulgaire canard, mais presque comme un début de fin du monde ! Le pianiste de renom n'a désormais plus le droit à l'erreur. Ce qui est, bien sûr, folie pure puisque non seulement la fausse note peut exister, mais encore les plus grands concertistes – qui heureusement ne sont pas programmés comme des robots – savent fort bien à quoi s'en tenir à son sujet puisqu'ils la rencontrent de temps à autre... Un scénariste, Damien Chazelle, a eu l'idée de tirer parti de la dimension obsessionnelle et paroxystique prise par le couac pour inspirer *Grand Piano*, un film de Eugenio Mira, sorti aux États-Unis en 2014, qui a pour principal personnage, interprété par Elijah Wood, un pianiste menacé de mort... en cas de fausse note !

Selon le synopsis, un trac handicapant a tenu cet instrumentiste virtuose loin de la scène et de son art pendant cinq ans. Lorsqu'il décide de reprendre enfin sa carrière en main, il retrouve le chemin des lieux de concerts les plus prestigieux... Devant une salle comble où sa femme est présente, le voici qui commence à jouer, à tourner les pages de sa partition et à découvrir alors un message aussi menaçant qu'explicite : s'il ne joue pas le meilleur concert jamais donné, sa femme mourra, et lui aussi !

À en croire l'accueil qui lui a été réservé lors des festivals où il a été présenté, le film produit par Rodrigo Cortés, le réalisateur de *Buried*, témoignerait d'un suspense si confondant et d'une mise en scène si virtuose qu'il mériterait des références à Brian De Palma, dans ses œuvres les plus notables, et même à Alfred Hitchcock et justifierait la séduction d'un large public.

Lors des récitals aussi, il se trouve toujours des amateurs de suspense, qui guettent la fausse note. Pas toujours, hélas, avec le désir de faire preuve de compréhension et encore moins de bienveillance. Un peu comme au cirque où certains spectateurs ont l'inavouable mauvais goût d'attendre, voire de souhaiter, la chute de l'acrobate...

« Jamais avant Stravinsky le système et le culte de la fausse note n'avaient été pratiqués avec tant d'industrie, de zèle et d'acharnement. »

Pierre Lalo (1866-1943)

« N'ayez pas peur des fausses notes… Ça n'existe pas ! »

Attribué à Miles Davis (1926-1991)

44

Orchestre à cordes

« Pour moi, le piano est un orchestre. Je n'aime pas le piano avec le son du piano. Je préfère imiter l'orchestre, le hautbois, la clarinette, le violon et, bien sûr, la voix humaine. »

Vladimir Horowitz (1903-1989), cité par Idil Biret dans *Idil Biret, une pianiste turque en France*

Que le piano soit un orchestre à lui tout seul ? Voilà qui ne saurait surprendre. Pour cette simple raison que l'instrument, polyphonique à souhait et soliste par excellence, met une profusion de sons à disposition. Il a, bien sûr, ses quatre-vingt-huit touches (1), une palette sonore d'une amplitude plus qu'enviable. Avec cette caractéristique que ces quatre-vingt-huit notes sont formées par environ deux cent vingt cordes, puisqu'il y une à deux cordes par note dans les basses et trois dans les médiums et aigus. L'argument ne peut qu'avoir du poids dès lors que chaque corde est tendue à quatre-vingt-cinq kilos et que l'ensemble des cordes représente une tension globale de quinze à vingt tonnes. Des données qui, l'air de rien, se traduisent également par une pression de deux cent cinquante kilos sur la table d'harmonie... De toute évidence, l'instrument a du coffre. Dans sa version actuelle de piano de concert, ce titan ne saurait donc se laisser impressionner par les grands espaces. Une salle de deux mille places ne lui fait pas peur. Sans le moindre recours à un équipement amplificateur, il peut puissamment projeter les sons, qu'ils soient *forte* ou *pianissimi*. Sans doute est-il plus que souhaitable qu'il soit pris en main par un excellent pianiste qui démontre sa capacité à bien dissocier les plans sonores et à faire percevoir aussi bien les accords les plus vibrants que les notes les plus

« confidentielles ». Mais, à l'évidence, du point de vue économique, il est volontiers anti-crise, puisque, à force de pouvoir assurer aussi bien le rythme que la mélodie et l'harmonie, le pianiste se prend volontiers pour le chef de cet orchestre à cordes et que, étant seul au clavier, il représente, renommée ou non, un coût de production toujours moindre que quelque quatre-vingts ou soixante musiciens...

(1) Ce chiffre peut aller jusqu'à quatre-vingt-dix-sept pour certains modèles de la marque Bösendorfer depuis 1909, voire jusqu'à cent deux pour certains instruments du facteur Stuart & Sons, en Australie, depuis la fin du siècle dernier, ou du facteur Stephen Paulello en France depuis le milieu des années 2000. Conçu par la société Colmann-France et Michel Labord, le piano « Avion » comporte cent vingt-sept touches, mais trente-neuf d'entre elles sont numériques et l'instrument n'est, avec ses 1 600 kilos et ses cinq mètres de long, qu'un impressionnant prototype assemblé dans l'usine chinoise de Colmann.

« Maestro : mot italien qui veut dire pianiste. »

Gustave Flaubert (1821-1880), *Dictionnaire des idées reçues*

45

Hommage à Salis le Grand

« Ne dites pas à ma mère que je suis dans la publicité,
elle me croit pianiste dans un bordel. »

Titre d'un livre du publicitaire Jacques Séguéla

Si bordel et cabaret ne sauraient se confondre, ils ont quelques aspects en commun, puisque, en principe, doivent s'y cultiver le goût du divertissement et s'y épanouir, à fleur de peau, une certaine légèreté de l'être... Dans l'un comme dans l'autre, le pianiste semble, de nos jours, avoir de moins en moins sa place. Pourtant, elle lui revient historiquement de droit, grâce à Rodolphe Salis. Un personnage historique de la seconde moitié du XIXe siècle, dont au moins deux caractéristiques essentielles le déterminèrent à devenir le créateur, animateur et propriétaire du célèbre cabaret parisien *Le Chat noir* (1) : son origine familiale, d'une part, et sa provenance territoriale, d'autre part. Issu d'une famille de limonadiers, Rodolphe Salis est né et a vécu sa jeunesse rue Gaudeau-Lerpinière, anciennement rue Neuve-du-Château, à Châtellerault (2), à une époque où cette ville un peu particulière, à la fois très ouvrière, en raison, notamment, de l'existence d'une importante manufacture d'armes, et plus ou moins grande bourgeoise au travers de quelques familles anciennes, discrètes et prospères, comportait une densité singulièrement élevée d'estaminets et autres bistrots animés. Il existait au sein de la population fort amatrice de spectacles, ripailles et goguettes, une « culture » favorable à l'apparition d'un Rodolphe Salis qui eut le mérite de ne pas se contenter de prendre la succession de son père, de quitter Châtellerault à l'âge de vingt ans, puis de trouver sa propre voie dans la capitale française en fondant un commerce qui associait art et débit de boisson et de devenir illustre en ayant, grâce à son talent et à sa faconde, réussi à faire venir et revenir le Tout-Paris et de vrais artistes comme Erik Satie, Claude Debussy ou Henri de Toulouse-Lautrec dans son établissement, de 1881 à 1897. Cependant, cette célébrité, qui a aujourd'hui une dimension internationale et est associée à la création du premier cabaret moderne au monde, se justifie également par l'idée plus que lumineuse qu'a eue Salis d'installer un piano au Chat noir. Outre qu'elle lui a donné la possibilité de se distinguer de tous les autres lieux potentiellement concurrents, cette initiative essentielle a permis la naissance de la chanson de cabaret, et son succès a été durable.

Ce n'est pas un hasard si, par la suite, le piano sera bien présent en de nombreux cabarets, dont le Caveau de la République (3), et s'il tiendra la vedette au célèbre Bœuf sur le toit (4) qui enchantera les belles heures des Années folles et où, là encore, *« le Tout-Paris, entraîné par le magicien Cocteau fera la fête à la vie, à l'amour, à la musique »* (5). Avec un éclat dont a témoigné le pianiste Jean Wiener, dans son journal *Allegro Appassionato* : *« À une table André Gide, Marc Allégret et une dame. À côté d'eux, Diaghilev, Kochno, Picasso et Misia Sert. Un peu plus loin, Mistinguett, Volterra et Maurice Chevalier. Contre le mur, Satie (6), René Clair, sa femme et Bathori. Puis, j'aperçois Picabia qui discute avec Paul Poiret et Tzara... Cocteau et Radiguet vont dire bonjour à chaque table (...). Arthur Rubinstein viendra ce soir, après le concert... »* pour rejouer Chopin. Comme Darius Milhaud, Maurice Ravel, Igor Stravinsky et les musiciens noirs des jazzbands américains sont également présents, impossible de ne pas faire, comme il se doit, le « bœuf » (7), avec, pourquoi pas ?, ce touche-à-tout de Cocteau à la batterie...

Quand, de nos jours encore, les pianistes (8) interviennent dans de nombreux cabarets, un peu partout dans le monde, c'est à Rodolphe Salis qu'ils le doivent.

(1) L'histoire de cet établissement qui doit son nom à un chat noir trouvé sur le trottoir par Rodolphe Salis est retracée de manière exhaustive et documentée dans un ouvrage de Mariel Oberthür intitulé *Le Cabaret du chat noir à Montmartre* et paru à Genève chez Slatkine, en 2007.

(2) Très attaché au territoire châtelleraudais, Rodolphe Salis a acheté, en 1892, la tour de Naintré, à Naintré, à quelques kilomètres de Châtellerault. Selon l'historien spécialisé Mariel Oberthür, il déclarait volontiers dans ses discours au cours des soirées au Chat noir : « Je vais à Naintré, dans mon donjon, devant lequel Charles Martel battit les Sarrazins, et là, au milieu des grands souvenirs historiques, à l'ombre des châtaigniers du Poitou, je verrai, amoureusement, les vaches paître et les lapins courir dans la garenne. » Malheureusement, c'est bien à Naintré que l'existence de Rodolphe Salis a pris fin, mais dès le 20 mars 1897, à l'âge de 46 ans.

(3) En cet établissement parisien, créé en 1901, où même le piano à queue est souvent mort de rire, la pianiste et compositrice Gaby Verlor (1921-2005), à qui l'on doit notamment la musique de Déshabillez-moi, la chanson-fétiche de Juliette Gréco, a longtemps joué. Désormais, c'est Sylvian Coudène qui y tient le rôle de pianiste animateur.

(4) Nommé ainsi par son propriétaire, d'après le ballet de Darius Milhaud, Le Bœuf sur le toit.

(5) Article intitulé « Alexandre Tharaud et les fantômes du cabaret » et paru dans *Le Monde* du 5 octobre 2012.

(6) Erik Satie, l'ex-pianiste sans le sou au rez-de-chaussée du *Chat noir*, était, là encore, de la partie !

(7) C'est en ce lieu mythique qu'est née l'expression « faire le bœuf ».

(8) Plus d'un siècle après la disparition du créateur du *Chat Noir*, l'esprit "pianistico-salisien" semble toujours présent à Châtellerault, ville de 30.000 habitants. Ne serait-ce que parce qu'au moins deux établissements — Le Paris New York, depuis 2014, et La Coupole, depuis mars 2015 —, y ont, en leur sein, installé un piano à demeure...

« Je cherche fortune
Autour du Chat noir
Au clair de la lune
À Montmartre, le soir... »

Refrain de la *Ballade du chat noir*, chanson d'Aristide Bruant (1851-1925)

46

Noir sur blanc

« On jouait parce que l'océan est grand, et qu'il fait peur, on jouait pour que les gens ne sentent pas le temps passer, et qu'ils oublient où ils étaient, et qui ils étaient. On jouait pour les faire danser, parce que, si tu danses, tu ne meurs pas et tu te sens Dieu. »

Alessandro Baricco, *Novecento : pianiste*

Piano *Novecento*

« Imagine, maintenant : un piano. Les touches ont un début. Et les touches ont une fin. Toi, tu sais qu'il y en a quatre-vingt-huit, là-dessus, personne ne peut te rouler. Elles sont pas infinies, elles. Mais toi, tu es infini, et, sur ces touches, la musique que tu peux jouer elle est infinie. Elles, elles sont quatre-vingt-huit. Toi, tu es infini. Voilà ce qui me plaît. Ça, c'est quelque chose qu'on peut vivre. Mais, si je monte sur cette passerelle et que, devant moi, se déroule un clavier de millions de touches, des millions, des millions et des milliards de touches, qui ne finissent jamais, et ce clavier-là, il est infini/

« Et si ce clavier est infini, alors/

« Sur ce clavier-là, il n'y a aucune musique que tu puisses jouer. Tu n'es pas assis sur le bon tabouret : ce piano-là, c'est Dieu qui y joue/

« Nom d'un chien, mais tu les as seulement vues, ces rues ?

« Rien qu'en rues, il y en avait des milliers, comment vous faites là-bas pour en choisir une/

« Pour choisir une femme/

« Une maison, une terre qui soit la vôtre, un paysage à regarder, une manière de mourir/

« Tout ce monde, là/

« Ce monde collé à toi, et tu ne sais même pas où il finit/

« Jusqu'où il y en a/

« Vous n'avez jamais peur, vous, d'exploser, rien que d'y penser, à toute cette énormité, rien que d'y penser ? D'y vivre... /

« Moi, j'y suis né, sur ce bateau. Et le monde y passait, mais par deux mille personnes à la fois. Et des désirs, il y en avait aussi, mais pas plus que ce qui pouvait tenir entre la proue et la poupe. Tu jouais ton bonheur, sur un clavier qui n'était pas infini.

« C'est ça que j'ai appris, moi. La Terre, c'est un bateau trop grand pour moi. C'est un trop long voyage. Une femme trop belle. Un parfum trop fort. Une musique que je ne sais pas jouer. Pardonnez-moi. Mais je ne descendrai pas. »

Extrait de *Novecento : pianiste,* de Alessandro Baricco

« On n'a pas idée du nombre de choses qui meurent, quand quelqu'un meurt. »

Alessandro Baricco, *Novecento : pianiste*

47

De la musique pour la vie

> « On a pris la fâcheuse habitude de croire que, là où il y a des sons musicaux, il y a nécessairement de la musique. Autant voudrait dire qu'il y a littérature partout où l'on bavarde, peinture partout où l'on barbouille. »
>
> Camille Saint-Saëns (1835-1921), *Regards sur mes contemporains* (Éditions Bernard Coutaz, 1990, p. 221)

Sur la musique, tout semble avoir été dit et écrit. Mais rien n'est joué... Ou plutôt tout reste à jouer ou à rejouer. Toujours et partout. Car la musique, sans doute le plus subtil et le plus complexe de tous les arts, a beau être à la fois universelle et éternelle, elle n'est jamais finie. Elle enchante la vie. Elle apparaît même comme le premier son de la vie. Le premier cri. Elle est la vie. Donc en perpétuel mouvement, en permanente renaissance... Sans pouvoir éviter, parfois, de laisser indifférent ou d'ennuyer. Dans *Notes et Anecdotes d'un international au XXe siècle*, le diplomate Jehan de Noüe rapporte l'avis plutôt piquant du marquis de Gouy d'Arcy : *« Je déteste la musique,* claironnait ce personnage ; *la seule que je supporte, c'est la musique militaire des régiments qui défilent parce qu'ils jouent en s'en allant. »* Il arrive aussi qu'elle soit interdite et que certains compositeurs soient proscrits. Pour des raisons politiques. Mais c'est alors très inquiétant. Chopin le fut en Pologne durant la Seconde Guerre mondiale parce que les autorités hitlériennes d'occupation craignaient que ses partitions jouées en public exacerbent le sentiment national... Bien qu'il ait été statufié de son vivant en Union soviétique, Prokofiev, cet autre géant, eut également quelques soucis sous la sinistre férule du régime stalinien.

La musique pour piano ne fait pas forcément le bonheur pour tout le monde et en toute époque. Elle nécessite une écriture tout en apparaissant comme une forme de langage. À ce titre, elle a une allure magique, donc suspecte, car elle possède la capacité d'abolir les frontières ordinaires entre les êtres humains, et nous pouvons lui faire exprimer tout ce que nous voulons, au fur et à mesure, et à l'instant même... Il y a tout ce qu'elle nous apporte, et tout ce que nous lui ajoutons. *« À quoi la musique fait appel en nous, il est difficile de le savoir,* observe Émil Michel Cioran. *Ce qui est certain, c'est qu'elle touche une zone si profonde que la folie elle-même n'y saurait pénétrer.* » Voilà peut-être la raison pour laquelle elle a des moyens d'action qu'aucun autre art, même le théâtre, ne possède au même degré. Si elle vient à nous, elle a impérativement besoin d'une interprétation : elle ne vit et n'agit que par elle. Mais cette interprétation est singulière sans avoir rien d'unique, de figé et d'absolu : elle est partout et à tout un chacun. À cette réserve près, soulignée par Liszt, qu'étant à la fois une science « comme l'algèbre » et un art, *« un langage psychologique auquel les habitudes poétiques peuvent seules faire trouver un sens »* (1), la musique *« reste presque entièrement inaccessible à la foule »* et que *« les passions et les sentiments qu'elle doit rendre sont bien dans le cœur de l'homme, mais non dans le cœur de tous les hommes »*. Plus que jamais aujourd'hui, faire croire que la musique pour piano est véritablement comprise et sentie par le plus grand nombre de personnes relève d'une déplorable démagogie.

(1) *Franz Liszt, Lettres d'un bachelier ès musique,* Éditions Le Castor Astral, 1991, p. 134, Lettre IX : Le Persée de Benvenuto Cellini, Florence, le 30 novembre 1838.

« En France, tout le monde adore la musique, mais personne ne l'aime. »

Attribué à Hector Berlioz (1803-1869)

48

Noir sur blanc

« Je me fous du monde entier quand Frédéric
Me rappelle les amours de nos vingt ans,
Nos chagrins, notre chez-soi, sans oublier
Les copains des perrons aujourd'hui dispersés aux quatre vents. »

Claude Léveillée (1932-2011), *Frédéric*

La scène de l'accident

Contrairement aux apparences, le piano n'est pas un instrument de tout repos. Parfois, il lui arrive même de se révéler dangereux. Pour le dos, le cœur, le cerveau, les os... Problème de dos majeur par-ci, incidences de la sédentarité par-là, les cas d'instrumentistes qui en ont été plus ou moins victimes ne sont pas rares.

Le pianiste se doit donc d'être sur ses gardes, non seulement veiller à sa bonne tenue corporelle au clavier et à l'entretien de sa forme physique, nerveuse (1) et intellectuelle, mais encore mettre la pédale douce quand la raison l'impose... Bien évidemment, le piano ne saurait être le coupable systématique et exclusif. En aucune façon. Simplement, il est très exigeant, dictatorial même. *A fortiori* pour les solistes appelés à réaliser des prouesses techniques quelquefois époustouflantes, voire surréalistes, qui donnent l'impression de repousser les limites des performances pianistiques... Comment oublier qu'un interprète aussi intéressant que Simon Barere (2) mourut brutalement d'une hémorragie cérébrale sur scène, ou presque, et que le grand pianiste météore Alexei Sultanov (3) a disparu prématurément, à trente-cinq ans, à la suite d'un accident vasculaire cérébral (AVC) ? Comment ne pas songer également à Claude Léveillée, connu depuis le début des années 1960 pour s'être inspiré de son idole au piano, Frédéric Chopin, et avoir écrit une mémorable chanson, qui fut terrassé, en 2004, par un premier AVC, puis, quelques mois plus tard, par un second. Paralysé, il dut – un deuil épouvantable pour lui – renoncer à jouer du piano, son « cheval », comme il l'appelait affectueusement (4) ?

Impossible enfin d'oublier que, au cinéma, dans *Amour,* le film Palme d'or au Festival de Cannes de Michael Haneke, réalisateur également de *La Pianiste,* Anna (Emmanuelle Riva), pianiste et mélomane comme son mari Georges (Jean-Louis Trintignant), montre les premiers signes d'une attaque cérébrale qui ira jusqu'à la paralyser et que la littérature n'est pas en reste. Un exemple. Dans *La Sœur,* de l'écrivain hongrois Sandor Marai, publié en français en 2011, le narrateur, S., pianiste de renom, est atteint à Florence, en plein concert, d'un mal étrange qui atteint ses mains, tout son corps et aussi, surtout, son âme, sa volonté, ses attaches à l'existence...

À l'évidence, à ce stade, et avec une pensée particulière pour le grand poète suédois Tomas Tranströmer, Prix Nobel de littérature 2011, aphasique depuis vingt ans, qui en est réduit désormais à jouer d'une main au piano et qui accompagne quelquefois les lectures de ses poèmes de quelques morceaux (5), une note d'optimisme s'impose.

Le 1er octobre 2012, Cyprien Katsaris a eu un accident vasculaire cérébral lors d'un récital dans la petite salle de la Konzerthaus de Berlin. Quelques minutes avant la fin de son concert, il n'avait plus de sensations dans sa main gauche. Ayant eu la présence d'esprit de demander le secours de médecins présents dans la salle, il fut immédiatement emmené à l'hôpital et s'est rétabli très rapidement. À la surprise générale de l'équipe soignante, il a récupéré toutes ses fonctions sans séquelles apparentes et donné son premier concert post-AVC, à Bruxelles, dès le 17 octobre 2012 !

(1) Une activité de soliste concertiste de haut niveau implique une grande tension nerveuse. Auteur d'un livre de souvenirs de Varsovie des années 1939-1945, paru en 1998 sous le titre *Le Pianiste* (qui inspira le célèbre film portant le même nom, aux trois oscars et nombreuses autres récompenses internationales, de Roman Polanski), Wladyslaw Szpilman est un exemple bien connu de pianiste qui, nerveusement éprouvé par les drames vécus durant la guerre, a dû se contenter d'effectuer des enregistrements pour la radio et de donner des concerts de musique de chambre. Mais il n'a pas été en mesure de reprendre sa carrière de soliste.

(2) Évoqué par Idil Biret in *Idil Biret, une pianiste turque en France*, Buchet-Chastel, 2006, p. 104. *« Sa virtuosité fulgurante, la subtilité de son toucher, son style, rappellent le jeu de Shura Cherkassky, autre magicien du clavier. Son interprétation de la Sonate en si, de Liszt, où un jeu très libre, improvisatoire dans les passages expressifs (un jeu "à la Chopin") côtoie la conception orchestrale (lisztienne) dans les parties héroïques. Cette synthèse ne cesse de nous étonner et de nous éblouir. Barere, même à son époque, ne fut jamais un artiste connu du grand public. »*

(3) Remportant, en 1989, le concours Van Cliburn alors qu'il était le plus jeune candidat en compétition, Alexei Sultanov, né d'un père violoncelliste et d'une mère violoniste, est devenu plus célèbre encore en remportant en 1995 le deuxième prix au concours Chopin – le grand prix n'ayant pas été décerné – et surtout en le refusant. Peu après, il a subi une grave attaque cérébrale. Bien que paralysé du côté gauche à la suite d'un deuxième AVC en 2001, il a continué jusqu'à sa mort, en 2005, à jouer du piano avec sa main droite, son épouse, Dace Abeleen, l'accompagnant de la main gauche.

(4) Victime d'un ultime problème cardio-vasculaire, Claude Léveillée, auteur québécois de plus de 400 chansons, est mort le 9 juin 2011. Son piano à queue Baldwin et plusieurs objets lui ayant appartenu – dont le magnétophone sur lequel Édith Piaf a enregistré les chansons de son ballet « La Voix » – font désormais partie de la collection du Musée de la civilisation à Québec.

(5) La musique fait partie des thématiques chères à ce poète, qui, dans « Entrée le matin », confie : *« La musique. Et j'étais prisonnier/ de sa haute lice,/les bras levés – comme une figure/de l'art populaire. »*

« La santé , c'est la vie dans le silence des organes. »

René Leriche (1879-1955), *L'Être humain (Encyclopédie française)*

49

Impro non-stop

« Le bon dieu m'a donné quatre dons : le toucher, l'oreille absolue, ensuite, il m'a donné pour le jazz le swing, et il m'a donné, surtout, ce don extraordinaire qu'est l'improvisation. »

Jack Diéval (1920-2012), dans « Le plus Douai des jazzmen », émission de France 3 Régions, réalisée par Philippe Delesalle et diffusée le 5 juin 1981

Le sens de l'improvisation, de la vraie improvisation, n'est pas donné à tout le monde – tant s'en faut – et a de quoi faire rêver de nombreux pianistes. Il relève, à coup sûr, d'un « don extraordinaire » comme le déclare Jack Diéval (1) et, sans doute aussi, d'un mystère qu'il n'est pas aisé de percer... Parmi les témoignages qui peuvent peut-être apporter un éclairage intéressant, il y a celui de Maurice Clément, un improvisateur expert en « free piano solo », mais, jusqu'à présent, très méconnu sur le territoire français. *« Quand, tout jeune, j'ai commencé à produire des sons,* confie- t-il, à *chercher mélodies et rythmes sur le piano familial, je sentais profondément en moi que ce que les adultes nommaient musique et ce qui représentait pour moi un jeu – le piano étant un jouet comme un autre – était en vérité une source vivante sortant d'un monde mystérieux, magique et merveilleux. Depuis lors, l'immersion dans cette source a engendré un besoin d'expression et un désir de créer et d'agir qui me sont devenus indispensables. »* Ainsi, l'improvisation est, pour le musicien, une source fondamentale de créativité, un champ d'expérimentation merveilleux qui permet de vivre la musique dans son instantanéité, un moyen fabuleux de voyager dans son esprit en se jouant des frontières entre les genres musicaux. Ce vaut, à coup sûr aussi bien, dans le cas de Gonzales (Jason Beck dit Chilly Gonzales ou) que dans celui de Christian Vander, l'un et l'autre si singuliers, si personnels, dans leur approche musicale.

Pour l'artiste, la véritable improvisation, la seule qui foncièrement compte, se vit : elle ne s'apprend pas... S'il existe, bien sûr, des classes, des stages et des formations continues qui peuvent être utiles pour réveiller ou stimuler un imaginaire musical, ouvrir des horizons, développer la recherche de l'inconnu, les approches pédagogiques, aussi sérieuses et généreuses soient-elles, ont leurs limites vite atteintes.

(1) Exposé en permanence aux regards, un portrait photographique lui rend hommage à La Cavetière (*Chez Brigitte*), établissement très parisien, véritable institution du boulevard Bourdon, au métro Bastille, que cet artiste aimait beaucoup à fréquenter et que dirige Brigitte Menini.

« La musique, la beauté sont en nous et nulle part ailleurs dans le monde insensible qui nous entoure. Les grandes œuvres sont celles qui réveillent notre génie, les grands hommes sont ceux qui lui donnent une forme. »

Louis-Ferdinand Céline, *Semmelweis*

50

Noir sur blanc

« L'avenir est quelque chose qui se surmonte.
On ne subit pas l'avenir, on le fait. »
Georges Bernanos (1888-1948), *La Liberté, pour quoi faire ?*

Le piano a-t-il un avenir ? (*)

Le milieu du XXe siècle lui a fait perdre la fonction, jusque-là répandue, de prolonger le concert en interprétant soi-même des transcriptions ou des réductions d'œuvres pour orchestre symphonique. Le piano s'est d'abord adapté au désir de reproduction automatique du son, dans ses modèles de « piano mécanique », « autopiano » ou, plus tard, « piano pneumatique », modèles de plus en plus destinés à une musique de divertissement. Mais l'enregistrement discographique ou magnétique, moins exigeant et plus fidèle, lui retire cette activité.

Il n'est pas sûr, non plus, que le piano maintienne sa position privilégiée dans l'arsenal pédagogique : les moyens télématiques et les nouvelles méthodes apporteront bientôt des résultats au moins semblables.

Quant à la fortune des récitals pianistiques, il est à remarquer que les derniers grands virtuoses, au sens romantique du mot, sont morts ou âgés, et que leurs jeunes successeurs ne conçoivent plus leur carrière de la même façon, ne serait-ce que par la disparition d'un répertoire pianistique contemporain, analogue à celui qui a été créé jusque-là. Les œuvres récentes d'Henri Dutilleux, Olivier

Messiaen, Pierre Boulez ou John Cage font rarement partie des récitals traditionnels, composés le plus souvent des noms de Bach, Mozart, Beethoven, des romantiques et des compositeurs du début du XXe siècle, comme Debussy, Ravel, et parfois Bartok ou Prokoviev. Nos créateurs contemporains sont défendus par de courageux interprètes, qui leur vouent des récitals « spécialisés », attirant, en conséquence, un public plus restreint.

Le piano survit parce que le grand public s'intéresse surtout à la musique du passé, mais, lorsqu'un jeune public s'éveillera à la musique de son temps avec des moyens nouveaux, le piano aura vécu, ou il devrait subir, à l'image d'autres instruments de musique, une profonde métamorphose actuellement imprévisible.

(*) Extrait du *Dictionnaire de la musique*, Éditions Larousse

« L'avenir, c'est du passé en préparation. »

Pierre Dac (1893-1975), *L'Os à moelle*

51

En toute légèreté

« Une musique légère ne tarde pas à communiquer aux têtes qu'elle électrise une légèreté qu'on aurait peine à concevoir si l'on ne savait que les hommes, en général, se payent plus de sons que de paroles. Eh ! n'a-t-on pas vu (à des époques fort rapprochées), sur les divers théâtres d'une capitale célèbre, des paroles très différentes par le sens qu'elles renfermaient et par l'effet qu'elles devaient produire, mises sur le même air, chantées par le même personnage et devant les mêmes spectateurs, exciter également un enthousiasme universel ? »

Goswin de Stassart (Goswin Joseph Augustin, baron de Stassart, 1780-1854), *Pensées, maximes, réflexions, observations* (in *Œuvres complètes*, 1855)

On dit souvent qu'il n'y a pas trois genres de musique : la grande musique, la musique légère et celle dite de variétés. Mais deux seulement : la bonne et la mauvaise musique. En réalité, ce discours très démagogique n'est qu'à demi juste. Il existe bien une musique facile, accessible, plaisante en toutes circonstances, et une autre, qui exige une initiation et peut s'apprécier à plusieurs niveaux, suivant les degrés de connaissance, d'apprentissage et de maîtrise...

Entre Johnny Hallyday, Jean-Jacques Goldman, Mylène Farmer ou Francis Cabrel, d'une part, et Maurice Ravel, Francis Poulenc, Florent Schmitt, Michaël Levinas, Thierry Escaich ou Éric Tanguy, d'autre part, il y a plus qu'un fossé : une abyssale immensité. Et, à la clef (de *sol* comme de *fa*), une éternité. Il s'agit, en fait, de deux planètes qui, chacune à leur manière, présentent des caractéristiques plus ou moins riches ou agréables et offrent un peu de bonheur. D'un côté, le parc des Princes et plusieurs dizaines de milliers personnes pour jouer, enchantées, à crève-tympan. De l'autre, la salle Cortot et ses poignées, ravies, d'amateurs d'acoustique pure... Sans doute parce qu'il avait un talent fou et une forme de génie, Serge

Gainsbourg avait parfaitement compris cela. Au cours d'une émission de télévision, il eut le mérite de le dire gentiment à un collègue chanteur qui, fort de son renom, s'imaginait que ses rimes sur trois temps six notes lui vaudraient une place ailleurs que dans le phaéton des Augustes... Le piano, à coup sûr, n'échappe pas au distinguo. Il y a bel et bien piano et piano, qu'il s'agisse des partitions qui lui sont dédiées ou des manières pour l'instrumentiste d'aborder le clavier et d'en extraire tel ou tel son. Mais qu'importe : n'est-il pas vrai qu'il faut de tout pour constituer un système solaire musical et rendre heureux sur toute la gamme ?

« Il n'y a pas de musique plus agréable que les variations des airs connus. »

Joseph Joubert (1754-1824), *Carnets* (25 mars 1807)

« Il y a deux musiques : une petite, mesquine, de second ordre, partout semblable à elle-même, qui repose sur une centaine de phrases que chaque musicien s'approprie et qui constitue un bavardage plus ou moins agréable avec lequel vivent la plupart des compositeurs. »

Honoré de Balzac (1799-1850), *Massimilla Doni* (1839)

52

En toute légèreté *(bis)*

« Rien n'est véritablement agréable sans la variété. »
Publilius Syrus (85 av. JC - 43 av. JC), *Sentences*
(trad. Francis Levasseur, Éditions Panckoucke, Paris, 1825)

« C'est toujours des variétés dans les ascenseurs, et du classique quand t'es en attente au téléphone... si tu prends l'ascenseur et que t'es souvent au téléphone, tu connais tout... »
Jean-Marie Gourio, *L'Intégrale des brèves de comptoir 1992-1993*

Le piano « léger » mérite-t-il droit de cité ? Oui, mille fois oui, répondrait sans doute *illico presto* le pianiste amuseur tchèque Jan Janovsky. D'autres instrumentistes qui font leur « show » au clavier comme Raul Di Blasio, Fabrice Eurly, Silvan Zingg ou Pierre-Yves Plat ne pourraient qu'être de son avis. Sans trémolos ni baisse de *tempo*. Il en va probablement de même pour Roberto d'Olbia, le « dresseur de piano » en mode cabaret, Gad Elmaleh, particulièrement bien placé pour jouer le rôle d'un pianiste dans un film ou sur scène, André Gagnon, pianiste, compositeur, chef d'orchestre et arrangeur québécois habile à marier, avec beaucoup de succès, musiques classique et populaire, ou encore Roman Zavada, cet autre pianiste, compositeur québécois et ukrainien qui ne rechigne pas à déployer ses talents de créateur autodidacte...

Dans le domaine musical dit léger ou facile à écouter (1), volontiers lucratif et apprécié d'un large public, mais jouissant d'une considération aussi éphémère qu'incertaine, les instrumentistes sont souvent décriés pour leur absence d'ambition artistique et leurs aspirations mercantiles. Il n'en demeure pas moins que fort nombreux sont les pianistes à s'être illustrés – et parfois très brillamment – au XXe siècle et à avoir eu le mérite – il faudrait leur rendre cette justice – d'être de précieux « passeurs » ou « arrangeurs » pour des personnes dépourvues d'éducation musicale qui, sans eux, leur vie durant, ne se seraient même pas intéressés un tant soit peu à la musique... De Liberace (Wladziu Valentino Liberace dit, 1919-1987) (2) à Caravelli (Claude Vasori dit) en passant par Beegie Adair, Ronnie Aldrich (1916-1993), John Arpin (1936-2007), Stanley Black (Solomon Schwartz dit, 1913-2002), Claude Bolling, Hoagy Carmichael (1899-1981), Richard Clayderman (Philippe Pagès dit), Russ Conway (Trevor Herbert Stanford dit, 1925-2000), Floyd Cramer (1933-1997), Del Wood (Polly Adelaide Hendricks Hazelwood dite, 1920-1989), Martin Denny (1911-2005), Carl Doy, Jon England, le duo Ferrante & Teicher (Arthur Ferrante, 1921-2009 ; Louis Teicher, 1924-2008), Horst Jankowski (1936-1998), Dino Kartsonakis, Michel Legrand, Bill Pursell, François Rilhac (1960-1992), comète très fugitive, mais regrettée, du piano *stride*, George Shearing (1919-2011), Consuelo Velazquez (Consuelo Velazquez Torres dite, 1916-2005) (3), Roger Williams (1924-2011)... ils ont été ou sont, chacun à sa manière et à son niveau, plus que des « marchepieds » : de vrais pianistes solistes, des figures de proue d'un clavier souvent étincelant et ensorcelé, capables de faire chavirer plus d'une foule, des artistes qui ont procuré du plaisir aux amoureux de la musique jouée au piano.

Aussi tenaces que soient certains préjugés, il ne devrait vraiment rien y avoir d'infamant à œuvrer dans la musique facile à écouter. D'autant que des morceaux relevant du *easy listening* se retrouvent dans tous les genres de musique, y compris les plus savants, et que les Marx Brothers Harpo et Chico doivent, en partie, leur célébrité planétaire pour avoir su, tout en joyeuse espièglerie, faire leur inoubliable numéro pianistique.

(1) Dans l'univers anglo-saxon, il existe l'expression *« easy listening »* qui désigne un style de musique populaire à la fois proche de la variété et éloigné de la « musique d'ambiance » destinée à servir de « fond sonore ». L'une des versions les plus répandues de la *easy listening* est la *lounge music*, la musique dite *lounge* ou musique de salon, qui a désigné à l'origine, c'est-à-dire dans les années 1950-1960, les mélodies jouées dans les salons des casinos et des bars de grands hôtels ou dans certains cabarets et pianos-bars. En principe, cette *lounge*, qui connaît un fort regain de popularité un peu partout dans le monde depuis les années 1990, a tendance, tout en conservant certaines caractéristiques de la *easy listening*, à tenter l'expérimentation et n'hésite pas à mêler instruments exotiques ou futuristes et nouvelles technologies.

(2) Le producteur de cinéma Jerry Waintraub lui a rendu hommage en ces termes : *« Le mec avec ses paillettes et ses bagouses brillait tellement qu'il aurait pu prendre feu si le soleil avait trop tapé. Il était* gay, *nous le savions tous, le public l'ignorait, et il avait un sacré talent au piano, un désir profond de ne jamais rien faire comme les autres. Et il se trouve pourtant des pisse-froid pour vous expliquer que ce mec n'avait pas de talent. »* (in *Le Monde*, 23 mai 2013). Toutefois, dans les archives du *Monde*, Liberace a très longtemps brillé par son absence. Même la mort, en 1987, de ce pianiste au nom gravé dans la mémoire populaire américaine ne fit l'objet d'aucune mention dans les colonnes du quotidien français.

(3) Cette pianiste mexicaine fort peu ordinaire est la compositrice du célèbre *Besame mucho*.

« Les pianos
Des casinos
Aux bains de mer
Font rêver les poissons qui nagent dans la mer,
Car – tous les érudits le savent de nos jours –
Ils sont muets, c'est vrai, mais ils ne sont pas sourds ! »

Georges Fourest (1867-1945), *La Négresse blonde*

53

Noir sur blanc

« Quand je dis que je tape au piano, ce n'est pas pour me faire passer pour musicien, mais je retrouve les airs que je connais. »
Albert Paraz (1899-1957), *Valsez saucisses*

Quand la crêpe et le piano font bon ménage

Avant-hier, ce fut une chapellerie, hier une épicerie et aujourd'hui une crêperie... Mais, depuis le milieu du XIXe siècle, l'affaire est toujours entre les mains d'une même famille, les Martin, qui ont su à la fois faire évoluer le lieu au gré des modes, des attentes et des engouements et conserver un piano en bonne place. Toute l'année ou presque, au Palais, dans la Grand-Rue de Noirmoutier-en-l'Ile, il est ainsi possible de déguster l'une des galettes, crêpes ou salades, avec fromage, pommes de terre, jambon de pays, crème ou encore caramel au beurre salé fait maison, qui figurent sur la carte de l'établissement, tout en profitant d'une décoration et d'une atmosphère résolument musicales. De génération en génération, les Martin se transmettent le goût de la musique et invitent leurs clients et amis à le partager.

Si guitares bien réelles et portraits de jazzmen semblent s'acoquiner à force de devoir faire le mur, le quart de queue Samick prend ses aises au milieu de la salle et laisse volontiers un saxophone s'accorder une pause perpétuelle, alangui à côté d'un livre ou deux... Ici, ce n'est plus le palais du chapeau, de la bière ou de la glace, c'est celui des petits et parfois grands airs, servis à la bolée ou presque, à la demande des amateurs d'ondes. De la bossa-nova à la samba, en passant par les chansons françaises et les standards américains, c'est donc piano-cocktail, mais sans smoking ni manières, concocté au *feeling*, pour la plus stimulante des résonances... Au clavier, un arrangement « maison », bien sûr, entre M.M. Martin père et fils. En fin de service, même quand ils sont débordés, ils jouent trois morceaux ou plus si les affinités du moment s'y prêtent. Histoire de perpétuer une tradition et de démontrer que leur lieu a vraiment une âme. Dans l'épicerie de leurs aïeux, il y avait déjà un piano (1).

(1) L'instrument trouve parfois sa place en des commerces non alimentaires. A l'Espace Piano Coiffure qu'anime Bernhard Cavalié Gray près de la Comédie-Française, au 48 rue de Richelieu à Paris, il parvient même à passer de la crêpe... au crêpage de chignons. Il paraît que les client(e)s, sensibles aux subtiles alliances de la musique, de la littérature et de l'art capillaire, adorent.

« Au dessert on sert d'la musique avec une cerise sur le... piano. »
Thomas Pitiot, *L'Ami piano* (l'une des chansons de l'album *La Terre à Toto*)

54

L'objet de tous les transports et autres transferts

« Mme Bois chuchota un renseignement :
– C'est un piano, Mme Coursier me l'avait dit.
C'est pour sa fille, qui arrive de pension lundi (...).
Riffaut gesticula, sembla donner des ordres, puis, lorsqu'il fut monté sur la charrette avec le père Julien, l'agitation générale se figea ; des corps s'arc-boutèrent : "Pas comme ça... Tire de ton côté... Ça vient tout seul."
Contre les roues, les maréchaux faisaient des cariatides noires.
Précédée du corsage écossais et du tablier blanc de Mme Coursier, entourée des porteurs crispés sous l'effort, la lourde machine s'engouffra dans la boutique... Les hommes sortirent, les moustaches humides de vin blanc. Ils s'en allaient le long des portes, semant la nouvelle :
– Et un rude beau piano, qu'c'est ; ça doit valoir gros d'argent. »

Georges David (1878-1963), *Madeluche*

« Quand le piano tombe, le déménageur s'épouvante. »

Chaval (Yvan Le Louarn dit, 1915-1968), *Les Gros Chiens*

Le piano et son déménagement ont longtemps été une hantise, un stress... Et souvent un mauvais souvenir. Tant pour l'instrument lui-même, victime de mauvais coups et autres vilains traitements, que pour son propriétaire ou pour ses porteurs. C'est beaucoup moins vrai de nos jours. L'époque des déménageurs à la Serge Gainsbourg est révolue. Le transport et le portage de pianos ne relèvent pas simplement d'une affaire de gros bras, mais d'entreprises spécialisées qui ont, en principe, acquis un réel savoir-faire, et, surtout, sont de plus en plus souvent dotées d'équipements appropriés et d'outils technologiques « dernier cri » qui réduisent les efforts physiques à accomplir au minimum. Il existe ainsi des engins « robotisés » qui permettent à un piano à queue de gravir les marches d'un escalier et facilitent considérablement le travail du professionnel.

Déplacer un piano acoustique, quelle que soit sa taille, représente une prestation de service, et donc un coût, mais l'initiative ne relève plus – sauf en de très rares occasions – d'une démonstration culturiste ou d'un numéro de cirque, très acrobatique et à forte dose de suspense.

Bien sûr, il se trouvera toujours des personnes pour avoir l'inconscience de jouer les déménageurs de pianos amateurs et de prendre des risques inconsidérés, avec des conséquences parfois très traumatologiques ou lombalgiques... Ces cas de figure sont toutefois appelés à se raréfier.

Dans une société de l'éphémère et de l'instantané, où sévit la précarité et où triomphe le nomadisme, le piano numérique a un atout de poids pour sa diffusion de masse. Il réduit à néant, ou presque, la question du transport... L'homme de théâtre et humoriste Pierre Palmade qui, de son propre aveu, déménage tous les deux ans et affirme, de surcroît, ne pas être attaché aux biens matériels ne garde ainsi qu'un seul objet : un piano numérique qu'il avait offert à Véronique Sanson, son épouse, à la fin des années 1990, et qu'il a récupéré. *« Il me rappelle,* a-t-il reconnu, *notre jolie histoire. »* Preuve que le piano, acoustique ou numérique, reste l'objet emblématique de tous les transports et autres transferts...

« C'est nous les déménageurs de pianos,
Des Steinway, des Pleyel et des Gaveau
Du tintement des pourboires économiques,
Nous on connaît la musique,

Pour ce qui est du reste, ça c'est pas nos oignons,
Artistes nous on ne l'est pas pour deux ronds
Quand la musique vous a brisé les reins,
Y'a pas de charleston qui tient.

Pour nous prendre aux tripes,
Faut se lever de bonnes heures,
Dire qu'il y a des types,
Qui sur cet engin de malheur
Arrivent à faire croire à tous les ballots,
Que la vie c'est comme au piano.

De l'amour ils en font tout un cinéma,
À les écouter de vrai y'aurait que ça,
Qu'est-ce qui resterait pour les déménageurs,
Qu'en ont des tonnes sur le cœur,

Il nous resterait qu'à nous noircir sur le zing
Mais, là encore, faut se farcir le bastringue
Il se trouve toujours parmi nous un tocard
Pour y glisser ses pourboires.

Pour tous les faire taire,
Y'a vraiment qu'une façon,
Les envoyer faire, un petit tour au charbon
Sur le piano de massacre de la réalité
Ils toucheraient du doigt la purée.

C'est nous les déménageurs de pianos,
Des Steinway, des Pleyel et des Gaveau
Du tintement des pourboires économiques,
Nous on connaît la musique,

Au fond à quoi que ça sert de discuter,
Comme l'a dit l'autre, à chacun son métier,
Tirer sur le pianiste, c'est pas notre boulot,
Nous on tire sur le piano
Nous on tire sur le piano. »

Charleston des déménageurs de piano,
chanson de Serge Gainsbourg (1928-1991), 1958

55

Noir sur blanc

« Il est des animaux qui ne se lassent jamais d'entendre de la musique.
Par exemple, les chevaux de bois. »
Attribué à Pierre Doris (Pierre Tugot dit, 1919-2009)

Qui va piano va *bambino* !

Des musiciens-comédiens qui se rencontrent ne se racontent pas toujours des histoires de grandes personnes. Quelquefois, il arrive qu'à deux ils s'amusent à se mettre en quatre pour fonder une compagnie et mieux rebondir devant un parterre d'enfants... Tombés l'un et l'autre dans le « chaudron musical » dès le plus jeune âge, Karl Bonduelle et Romaric Delgeon – qui pratique le piano, le piano-jouet, l'harmonium et le mélodica – ont eu très tôt le désir irrépressible de transmettre, de faire découvrir le monde des sons aux tout-petits, qu'ils soient dans les crèches, les écoles primaires ou les hôpitaux. Mais il aura fallu une résidence d'artiste à la grange-théâtre Vaugarni et à l'espace Jacques Villeret, de Tours, pour qu'ils se délestent de leurs « peaux d'âne » de « musicien intervenant » ou de musicologue et qu'ils se lancent dans la création, en 2012, d'un premier spectacle baptisé *Piano Plume*. Un beau projet artistique qu'ils sont parvenus à finaliser grâce à l'assistance à la mise en scène de Magali Lhérissé et de Floriane Brault.

Les voilà donc prêts à incarner durant une trentaine de minutes, deux personnages qui apprennent, par mimétisme et par sonorités interposées, à se connaître en jouant ensemble. Très vite, au clavier du piano en version modèle réduit, les touches s'animent, les cubes en bois aussi. Divers sons, étrangement, se combinent... Au point que même le corps humain en arrive à surprendre en se faisant instrument de musique et qu'un drôle de dialogue, à tâtons et l'air de rien, se noue. Aucun hasard, juste l'effort des deux solistes d'une compagnie qui se nomme Rebondire et la vraie magie du spectacle vivant, toujours là pour nous rappeler que nous avons tous été – et que nous pouvons encore être – des petits enfants.

« Un enfant devant un piano dont il ne sait pas jouer et qui s'émerveille lorsque, en frappant des touches, il réussit à produire un accord. »

Valery Larbaud (1881-1957), *Amants, heureux amants*

56

Composer n'est pas jouer

«... il ne dédaignait pas alors se mettre au piano
pour composer ses chefs-d'œuvre extravagants. »

Francis de Miomandre (pseudonyme de François Félicien Durand, 1880-1959), *Baroque*

« Je me souviens avoir joué au piano une de mes compositions dans la salle des fêtes de Neuilly-sur-Marne, romantique en diable et sans originalité : je n'étais pas Mozart ! »

Georges Pérec (1936-1982), *Je me souviens*

Dès qu'il est question de pianiste-compositeur, il est des noms qui s'imposent comme des évidences : Mozart, Chopin, Beethoven, Liszt, Saint-Saëns, Rachmaninov... En revanche, il en est d'autres qui peuvent ne pas venir spontanément à l'esprit tout en méritant une place dans les mémoires. Cas d'Alfred Grünfeld (1852-1924), ce compositeur autrichien qui fut nommé pianiste de la cour par l'empereur Guillaume Ier et a laissé, outre diverses « paraphrases » et transcriptions, l'un des premiers enregistrements de piano solo. Cas également de Ferruccio Busoni (1866-1924), ce virtuose d'exception issu d'un père clarinettiste italien et d'une mère pianiste d'origine allemande. Dès l'âge de vingt-trois ans, il décrocha le poste de professeur de piano au conservatoire d'Helsinki après avoir été salué comme un prodige de l'instrument. Il fut également un créateur, à la fois puissant par l'inspiration et original par les effets sonores, comme peuvent encore en témoigner aujourd'hui de nombreuses pièces dont son étonnant *Concerto pour piano et chœur d'hommes*.

De la même génération, ou presque, le compositeur et officier de marine Jean Cras (1879-1932) justifie sans doute, lui aussi, une mention particulière, d'autant qu'il est de nos jours très injustement oublié (1). Quand il naviguait, cet excellent instrumentiste parvenait toujours à placer son piano droit à bord du navire... Les responsables de l'armée ont eu l'intelligence de le comprendre : c'était la condition *sine qua non* de sa double vie de militaire et d'artiste. *« Composer, c'est pour moi,* écrivait-il dans une lettre à son épouse, *obéir à une volonté supérieure qui me dicte ses volontés et que je sers avec l'ivresse de l'humble disciple dont le seul but est d'exécuter le mieux possible les ordres de son maître... »* Lorsqu'il commandait un croiseur ou un cuirassé, il allait même jusqu'à faire entrer un piano à queue dans son appartement... Faut-il s'étonner dans ces conditions que les partitions pour piano qu'il a léguées à la postérité – de grande valeur – portent la marque d'une exigence artistique peu commune et que sa fille Colette ait été une éminente pianiste ? Aujourd'hui, fort nombreux sont les interprètes à se lancer dans l'aventure de la création. Certains vont le faire progressivement, par le biais de « paraphrases », parfois très brillantes, à l'exemple de celles développées avec talent par Genc Tukiçi, ce pianiste franco-albanais que les habitués de la salle Cortot, à Paris, saluent volontiers comme l'un des meilleurs de sa génération et dont le frère David est lui-même compositeur. D'autres encore optent pour des recherches destinées à aboutir à des œuvres plus ou moins sophistiquées et avant-gardistes ou à de plaisantes et intéressantes partitions, comme celles de Viviane Redeuilh, à l'approche artistique multiforme, ou de Gaëlle Sadaune, une musicienne qui, ne se satisfaisant pas d'être une exécutante, cherche sa voie et finira peut-être bien par la trouver. D'autres enfin miseront sur le jazz pour tenter des expérimentations sonores, souvent imprégnées d'influences variées, aussi bien musicales que culturelles. Ainsi, après s'être illustré au sein de divers groupes, Bojan Zulfikarpasic, pianiste d'origine serbe et bosniaque davantage connu sous le nom de « Bojan Z », a présenté, en 2012, à la Cité de la musique, à Paris, ses compositions qui, sous le titre de *Soul Shelter* (Abri de l'âme), tendent à témoigner d'une poétique introspection doublée d'une belle « solobsession »...

(1) Né en 1900, Pierre-Octave Ferroud, ce disciple de Florent Schmitt, créateur de merveilleuses œuvres pianistiques, l'est également, mais sa disparition prématurée, en 1936, dans un accident de voiture a expliqué en grande partie cette situation. Francis Poulenc ne lui en a pas moins fait l'honneur de composer ses *Litanies à la vierge noire* à sa mémoire et la pianiste Marie-Catherine Girod a eu l'excellente initiative de lui rendre un bel hommage en effectuant le premier enregistrement mondial de l'Intégrale de sa musique pour piano.

« On ne peut imaginer un exécutant qui reste un exécutant.
Il y a un moment où il faut qu'il y ait des "inventions",
de telle sorte qu'on doit parvenir à composer soi-même. »

Michel Butor, *Dialogue avec 33 variations de Ludwig van Beethoven sur une valse de Diabelli*

« Dieu sait pourquoi, ma musique de piano me fait toujours
une très mauvaise impression, surtout quand elle est mal exécutée. »

Ludwig van Beethoven, 1804, dans *Vie de Beethoven, suivie de ses carnets intimes et d'un choix de textes*, Romain Rolland (traduction M. V. Kubié), Éditions Le Club français du livre, 1949, p. 63

57

De la suite dans les idées

« Le pianiste rôde, bien mort, derrière chaque porte. »
Yves Bonnefoy, *Le Traité du pianiste*

Pour n'être plus que la zone F de l'Euroland, le territoire français n'en demeure pas moins étonnant. Non seulement il lui arrive d'avoir un président de la République qui, à Paris, n'hésite pas à se rendre en scooter de l'Élysée à la rue du Cirque, toute proche, pour s'adonner à des numéros de trapèze volant en grisante compagnie, mais encore il s'y trouve toujours des doctorants pour jouer les acrobates entre les enseignements, la rédaction de leur thèse, les publications dans des revues et leurs amours. De savants messieurs qui ont même le courage de venir chercher un peu de calme dans les salles d'études de la Bibliothèque nationale de France, en dépit des défauts rédhibitoires de cet établissement dinosaurien de naissance, parfois surnommé « l'aquarium », où le soleil prend plaisir à cogner sur les baies vitrées et où il faut gravir deux étages et passer deux contrôles de sécurité pour pouvoir – quand il fait beau – prendre l'air ! C'est donc sur le territoire français qu'il paraît, à notre époque, le plus naturel du monde de pouvoir rencontrer un doctorant spécialisé dans l'histoire de la cuisine éthiopienne, du Haut Moyen Âge jusqu'à la fin du règne de Ménélik II, au XIXe siècle... (1). Mais c'est aussi sur cette même « terre promise » que tant de pianistes – de toutes origines, géographiques, sociales et culturelles, et de tous niveaux – éprouvent le désir ardent de concrétiser leurs rêves, y compris les plus chimériques parfois, et pensent y parvenir... Y a-t-il lieu de s'en offusquer ? Certainement pas.

Histoire de reprendre le texte de la chanson bien connue de Michel Berger, *Il jouait du piano debout, « pour quelles raisons étranges les gens qui pensent autrement, ça nous dérangerait »* ? Et, franchement, pour quelques raisons non moins étranges les gens qui tiennent à leurs rêves, ça nous dérangerait ? Simplement, deux remarques paraissent s'imposer. D'abord, si la liberté de pensée devrait être un droit absolu et justifier le respect, le verbe « penser » n'est pas anodin. Il implique du sérieux et de la constance. *« Comme jouer du violon ou du piano, penser exige une pratique quotidienne »*, rappelle à fort juste titre, et sans rire ni sourire le moins du monde, Charlie Chaplin dans *Ma Vie*. Quand le pianiste pense, il se doit donc d'aller jusqu'au bout de sa pensée... De ne pas s'arrêter en chemin. S'il est stoppé dans son élan, à lui de faire preuve de patience, de contourner l'obstacle et de ne jamais perdre complètement de vue l'objectif qu'il s'est assigné. Nombreuses sont les personnes qui se prétendent artistes et se montrent incapables d'avoir de vraies suites dans leurs idées. Or, dans le domaine artistique, il faut parfois dix ou vingt ans pour démarrer, mûrir et réaliser un projet, quel qu'il soit... C'est là une donnée essentielle, qui a, au moins, pour vertu de faciliter le tri entre les forts en gueule, les spécialistes du « au jour le jour », les « accros » de l'éphémère, les musiciens très superficiels et les autres, les personnalités mues par un véritable dessein, les pianistes dotés d'une dimension intérieure et d'une volonté certaines.

Ensuite, et ce n'est pas là un aspect secondaire, la zone F de l'Euroland a aujourd'hui ses limites vite atteintes. Elle a du mal à faire face à la profusion des talents qui pensent et ont conscience qu'un alphabet comporte un nombre précis de signes, du premier jusqu'au dernier... Le marché du piano y existe bel et bien, mais il est de plus en plus menacé de saturation. Abondante et croissante, l'offre s'y déploie de manière notoirement supérieure à la demande solvable qui, elle, contrairement à une idée largement répandue, a des contours très mesurés et reste au mieux stable. La crise financière de 2008 n'a heureusement pas fait disparaître les pianistes, mais elle les a fait parfois apparaître comme un luxe dont il est tout à fait possible de se passer... ou de différer l'écoute.

(1) Ce « profil » de doctorant n'a rien d'imaginaire. Il a été évoqué par le quotidien *Le Monde* dans son édition du 30 mai 2012.

« Je me suis habitué à la mort : un pianiste est un homme déguisé en croque-mort, avec, en face de lui, constamment, son piano qui ressemble à un corbillard. »

Attribué à Arthur Rubinstein (1887-1982)

58

Noir sur blanc

« À quoi la musique fait appel en nous, il est difficile de le savoir ; ce qui est certain, c'est qu'elle touche une zone si profonde que la folie elle-même n'y saurait pénétrer. » Emil Michel Cioran (1911-1995), *De l'inconvénient d'être né*

Genc Tukiçi (*) : « Un interprète ne tombe jamais dans l'oubli »

Bien au-delà de la notion de soliste ou non, je pense que la qualité principale d'un pianiste est de tendre vers l'interprétation. Dans ces conditions, il ne saurait y avoir de différences fondamentales entre piano solo ou non solo : il existe seulement le désir d'aboutir à une interprétation au sens complet du terme, c'est-à-dire chargée d'émotion, que ce soit seul ou avec la complicité d'un chef d'orchestre et d'un ensemble de musiciens, d'un partenaire soliste... Cette entreprise est certes difficile, mais elle se révèle passionnante et nécessaire. Elle n'est certainement pas impossible. Tendre vers cet objectif et l'atteindre, être le meilleur de soi-même, procurent des sensations à proprement parler magiques, pour soi, mais également – et c'est essentiel – pour le public.

Fort de ces considérations, je pense qu'il est nécessaire pour les pianistes de puiser à l'intérieur d'eux-mêmes, de creuser leur âme... Toutefois, il ne faut surtout pas confondre cette introspection avec de l'égocentrisme, ce serait aller contre la notion fondamentale de partage et de générosité qui doit animer ce retour vers soi-même du musicien. Un vrai pianiste se lance corps et âme dans cette recherche artistique, et le public s'y trompe rarement.

À titre personnel, je cultive cette recherche musicale depuis le début de ma formation. Mon enfance et une partie de ma jeunesse se sont déroulées sous un régime de dictature politique. Très jeune, j'ai été amené à me créer une sorte de « cocon » musical pour y trouver refuge. Formé par l'école de piano albanaise qui était d'excellent niveau et calquée, à l'époque, sur le modèle de l'école russe, je n'ai aucun regret au sujet de cette formation et de ma propre évolution car j'ai été formé, et non formaté. La différence est très importante, un musicien ne se formate jamais. Par la suite, j'ai pu compléter ce parcours sous l'influence de l'école française de piano. Aujourd'hui, j'ai le bonheur de vivre dans la musique, jour après jour de respirer et de transpirer musique, de m'immerger à fond dans une atmosphère propice à la création artistique. Je réalise chaque jour le rêve de ma vie. Même si je souhaiterais tout de même, un jour, pouvoir diriger ma propre musique depuis le piano...

Ainsi, il n'y a rien d'étonnant à ce que je n'hésite pas à inciter les jeunes pianistes à se lancer dans la carrière de concertiste, à cultiver leur talent à l'infini – ce qui, j'en conviens volontiers, est infiniment plus facile à dire qu'à réaliser – et à viser le statut de l'interprète. Être un excellent pianiste ne suffit pas. C'est en tout cas l'assurance de disparaître de la mémoire du public. Un interprète, en revanche, marque : il ne tombe jamais dans l'oubli.

(*) Genc Tukiçi est un pianiste et compositeur français d'origine albanaise. Diplômé du conservatoire de Tirana dont il sort premier nommé, il obtient ensuite le diplôme de concertiste de l'école normale de musique de Paris, où il est actuellement professeur. Sa carrière internationale de pianiste-concertiste l'a amené à jouer dans les plus grandes salles. Certains concerts, notamment aux Sommets musicaux de Gstaad, en Suisse, salles Gaveau et Cortot à Paris, au théâtre antique d'Orange ou à New York (CAMI Hall), lui ont valu d'être reconnu comme l'un des instrumentistes les plus remarquables de sa génération. Il a reçu le prestigieux prix Nino Rota qui récompense « un grand musicien, de niveau international » et évoque ses *« superbes interprétations faites de cœur et d'esprit, en parfaite symbiose avec l'orchestre »*. Les interprétations de cet artiste de l'agence OIA (Organisation internationale artistique), dirigée par Bettina Funck-Brentano, ont fait l'objet d'enregistrements, notamment avec les orchestres symphoniques de l'opéra de Tirana et de Macédoine, avec l'orchestre russe Tchaïkovski ou avec les orchestres de la Radiotélévision albanaise et slovène.

Genc Tukiçi accompagne les plus grands interprètes, à l'instar d'Inva Mula avec qui il se produit régulièrement. Compositeur, il a créé et enregistré diverses pièces pour piano et orchestre, dont plusieurs Paraphrases musicales sur des thèmes de Puccini, Verdi ou Offenbach. Un CD de ses compositions – inspirées de thèmes patriotiques –, avec Inva Mula, est sorti en novembre 2012.

« Il faut penser si longtemps à une œuvre avant de la bien rendre : c'est seulement quand on commence à la savoir très bien, techniquement, qu'on s'aperçoit qu'on n'y a rien compris et que tout est à faire. Il y a là une longue période d'incubation qu'on ne saurait hâter par aucun moyen sans tomber dans l'arbitraire. On ne force pas plus la musique que la nature. Évidemment, ici comme ailleurs, l'ambition est une chose bien gênante : il est difficile d'être un véritable interprète, beaucoup plus aisé d'être un simple automate, mais ajoutons que le spectacle de ceux qui s'y résignent n'est guère fait pour tenter. Dieu nous garde de jamais compter dans les rangs de ces messieurs qui justifient si admirablement le calembour attaché à leur profession : des exécutants. Ils exécutent, en effet… »

Louis Vierne (1870-1937), dans *In memoriam Louis Vierne*

« L'art est avant tout une interprétation. »

Antoine Albalat (1856-1935), *L'Art d'écrire*

59

Gagne-pain

« Je joue très bien du piano… et j'en vis mal, car rien au monde ne pourrait me décider à me faire entendre en public. Je trouve ce métier d'exécutant odieux ! Encore une répugnance ridicule qui me coûte une quinzaine de mille francs par an. »

Georges Bizet (1838-1875), dans une lettre à un musicien belge écrite en 1867

« J'ai fait tous les métiers
Voleur, équilibriste,
Maréchal des logis,
Comédien, braconnier
Empereur et pianiste. »

L'Italien, chanson de Serge Reggiani (1922-2004)

Devenir pianiste n'a jamais été le meilleur moyen de faire fortune ni de s'octroyer une retraite mirifique (1), et le moins que l'on puisse écrire, c'est que parvenir simplement à gagner sa vie en jouant du piano n'a rien d'une évidence et encore moins d'une sinécure... Cette performance qui consiste à faire ce que l'on a envie de faire, c'est-à-dire produire des sons et à en tirer les moyens de sa propre existence, peut impliquer beaucoup de tracas et relever des coulisses de l'exploit.

Certaines circonstances ou plutôt certaines périodes, très circonscrites dans le temps, ont pu se révéler financièrement favorables. Cas de l'époque de l'immédiat Après-Seconde Guerre mondiale jusqu'à la fin des années 1960, où même les musiciens les plus improbables étaient sollicités, trouvaient sans peine leur emploi et pouvaient bénéficier, en juste récompense de leur labeur diurne ou nocturne et dans un environnement à fiscalité inexistante ou faible, d'appréciables ressources de leur motivante activité.

Cependant, en règle générale, il en va des pianistes comme des autres musiciens : si quelques-uns réussissent à bien vivre de leur travail, fort nombreux sont ceux qui ne font qu'en extraire les subsides de leur survie. Tous ont toutefois la satisfaction, non négligeable pour un groupe de personnes dont le poids économique et social reste quasi nul, d'être un peu mieux considérés aujourd'hui qu'ils ne l'étaient autrefois. Dans la société contemporaine, même en l'absence de notoriété médiatique, le fait d'être perçu comme un artiste ne semble plus être une tare, du moins pas une tare rédhibitoire. Ce n'est peut-être pas le moindre des « contrecoups » de la crise économico-financière de 2008 que d'avoir fait apparaître le détenteur d'une rente de situation ou d'un monopole légal, mais obsolète comme un parasite récurrent ou un odieux profiteur... et le pianiste, fortuné ou pauvre, comme un très estimable bienfaiteur de l'humanité !

(1) Même en multipliant les engagements, un pianiste-concertiste international renommé ne peut guère espérer percevoir le "bonus de bienvenue" ou la « retraite-chapeau », souvent extravagante jusqu'à l'indécence, du moindre manager d'une grande entreprise française cotée au principal indice boursier de la place de Paris, à la compétence plus ou moins discutable et à la probité parfois incertaine...

« La musique n'est pas un métier, c'est la vie, tout simplement. L'interprétation, ce n'est pas le travail de dix minutes, de dix jours ou de dix mois, c'est le travail d'une vie. »

Attribué à Grigory Sokolov

60

Noir sur blanc

« Je travaille beaucoup. Il n'y a pas de miracle au piano. Il y en a peut-être pour certains. Mais moi, je n'ai jamais connu de miracle. Au piano surtout. »
Aldo Ciccolini (1925-2015), lors d'un entretien à Auvers-sur-Oise, en 2007 (1)

Maestro Ciccolini

5 juillet 1969, Aldo Ciccolini est l'invité de l'émission de télévision « Discorama ». *« Et là,* raconte Esther Hoffenberg (2), *apparaît l'imprévu : une longue interview du pianiste classique Aldo Ciccolini, dialoguant avec Denise Glaser, penchée sur le piano, tandis qu'il entrecoupe ses propos sur la musique française de morceaux interprétés en direct. La réalisation signée Jacques Audoir, est magnifique ; gros plans, éclairages, cadrages et mouvements de caméra renforcent l'érotisme, la sensualité du dialogue, c'est du Cinéma ! Sensation d'un temps arrêté, merveilleux. Grâce de l'archive, Ciccolini sera dans le film. Mon chemin sera pavé de surprises. »*

Près de quarante-cinq ans plus tard... 24 janvier 2014, Aldo Ciccolini est en concert dans le Haut Poitou, à Châtellerault (3). Il a quatre-vingt-huit ans. Autant d'années que de touches au clavier du piano. Une démarche précautionneuse, mais la canne paraît n'être qu'un svelte attribut et a trop d'élégance pour se faire remarquer. Point de mots. Ils seraient superflus. Quelques premières notes suffisent amplement à faire les présentations. Le public croit qu'elles vont venir de la main droite alors qu'elles surgissent, comme par enchantement, de la main gauche. Un petit tour de passe-passe, l'air de rien, pour amorcer un premier *Nocturne* de Chopin. Ce pianiste au visage hors d'âge est un magicien. D'emblée, l'extrême clarté de son jeu et son exquise musicalité sautent aux oreilles. Un second *Nocturne*, la *Tarentelle opus 43*, trois *Mazurkas* et la *Polonaise-Fantaisie opus 61* ne font que confirmer cette première et forte impression. Après l'entracte, Aldo Ciccolini, plus primesautier que jamais, offre les célèbres... *Scènes d'enfants* de Schumann. Et le voilà qui, en jouant, nous raconte des histoires. De croque-mitaines, de chevaux de bois, de bonheur parfait... Nous sommes au coin du feu et en plein rêve. Ce magicien est un poète. Mais soudain, c'est Castelnuovo -Tedesco et ses compositions des années 1920, injustement ignorées ou méconnues, qui s'imposent, *allegro furioso*, au programme. Changement radical de timbre et de style. Mais toujours des histoires de tarentelle, de nuit et de lune, que l'interprète, à sa manière, ferme et raffinée, raconte. Dans le *rubato* de ses phrases, il nous entraîne. En sa compagnie, nous prenons si bien le temps que nous avons le privilège rare de nous en abstraire. Trois *bis*, dont une *Toccata* de Scarlatti, digne de le voir figurer au côté d'Arturo Benedetti Michelangeli, dans une anthologie, un sourire, et c'en est déjà fini. À ceci près que le souvenir enchanté demeure. Ciccolini, ce poète, est un vrai musicien.

(1) Quelques années auparavant, en 2003, au cours d'un autre entretien, à Amsterdam avec Willem Boone, le pianiste avait déjà confié : *« Il n'y a pas de miracle. Je travaille énormément, parfois même la nuit. Je vis retiré chez moi et je vois peu de monde. En fait, tous mes efforts sont dédiés au piano. Parfois, j'oublie même de prendre mes repas... »*

(2) Réalisatrice de « Discorama, signé Glaser » (2007). Extrait d'un texte intitulé *Un récit de l'intérieur des archives : Discorama, signé Glaser* (2007) et paru dans la revue *Images documentaires* n° 63, Regards sur les archives, 1er et 2e trimestres 2008.

(3) Concert donné à l'invitation de l'association Les Amis de Laurie Clément et avec un piano Steinway & Sons, modèle D, fabriqué à Hambourg.

« Un chef-d'œuvre peut supporter un nombre interminable de lectures. Il n'y a que la mauvaise musique qui supporte une "exécution de référence". »

Aldo Ciccolini (1925-2015), lors d'un entretien paru dans l'*Est républicain*, 19 octobre 2013

61

Dans le blanc des touches

« C'était l'histoire sordide d'un pianiste de jazz naïf qui était placé devant le dilemme suivant : ou bien faire de la musique commerciale et gagner de l'argent, ou bien laisser parler son inspiration et crier famine. »

Renaud Rosset (c.1940-c.1985), *Parce que c'était lui, parce que c'était moi* (roman)

Le mot « jazz » souffre-t-il d'être circonscrit à une tour d'ivoire ? Le pianiste français Baptiste Trotignon le croit et n'a peut-être pas tort. Mais la responsabilité de l'instrument serait-elle pour autant engagée ? Certainement pas, puisque le piano n'a jamais été pris en défaut comme allié. Les musiciens le savent et vont même jusqu'à le tapoter gentiment à la fin d'un concert solo comme les jockeys flattent leur cheval après la course... Même si la lutte qu'implique souvent ce partenariat ne saurait être sous-estimée.

Les pianistes doivent-ils être mis en cause ? Certainement pas non plus. Leur talent et leur bonne volonté sont souvent très réels. En fait, sur le territoire français comme hélas en d'autres contrées, c'est sans doute vers le public qu'il convient de se tourner pour tenter de trouver l'origine du problème. Le jazz au piano n'y rencontre pas l'adhésion des foules. Pour une simple raison d'éducation et d'environnement politique et culturel, il reste... un « délit d'initié ». Autant il peut être apprécié des connaisseurs, de cercles de « sachants », autant il demeure un genre qui n'a pas de résonance auprès des strates les plus massives de la population... C'est ce qu'explique de façon très juste, car très vécue, Martial Solal. *« Quand vous jouez dans une petite salle, pour un petit festival de jazz ou dans des grands festivals, comme à New York ou à Montréal, avec un public un peu plus au courant,* confie-t-il (1), *vous sentez tout de suite que le public a compris. Commencez un standard, ils ont tout de suite compris, ils applaudissent, ou bien vous faites une citation ou la moindre chose, vous avez une réaction dans la salle, on entend des rires, il se crée une connivence qui ne peut exister qu'avec un public assez averti. » « On le trouve partout ce public, en France aussi,* souligne-t-il, *mais pas dans les très grandes salles ou dans les salles qui ont un public d'abonnés. Heureusement qu'il existe ce public, ce sont des gens qu'il faut respecter parce que ce sont des mélomanes, mais on peut dire qu'il est un peu moins connaisseur que dans les plus petites salles. »*

Tout se passe donc comme si le jazz, dans ses formes les plus développées, recherchées et abouties, relevait non de l'ésotérisme, mais de l'hermétisme. Le trou noir qui sépare les meilleurs jazzmen du public le plus large est si immense qu'il ne peut que les amener à regarder le piano dans le blanc des touches et à vivre leur musique dans leur quant-à-soi.

(1) *Martial Solal, compositeur de l'instant,* collection Paroles de musicien, Éditions Michel de Maule, 2005, p. 176.

« Tel qu'il se déroulait, en nos fêtes, ce temps-là, englouti dans la pénombre, tandis que sur l'ivoire jauni du piano droit, dans la grande salle, mes doigts de ragtime dansaient comme des spectres aux accords carnavalesques – car c'était le grand Albert qui jouait en personne. »

Jean-Edern Hallier (1936-1997), *Je rends heureux*

62

Noir sur blanc

« Mon piano, c'est pour moi ce qu'est au marin sa frégate, c'est ce qu'est à l'Arabe son coursier (...), c'est ma parole, c'est ma vie. »

Franz Liszt (1811-1886), dans une lettre à Adolphe Pictet, septembre 1837 (*in Lettres d'un bachelier ès musique*)

Florence Delaage (*) : « Pour une parcelle de rêve étoilé... »

Le bonheur peut prendre racine dans des moments intimes et personnels... Ainsi en fut-il pour la destinée d'une pianiste. Enfant, elle était bercée par les sons du piano, par les Kreisleriana de Schumann jouées par sa mère si musicienne, qui avait dit à sa naissance : *« Elle a une main de pianiste. »* Le bonheur surgit pour elle le jour où elle entendit à la radio les *Variations symphoniques* de César Franck jouées par un artiste dont la sonorité était profonde, émouvante, bouleversante : c'était celle d'un poète : Alfred Cortot. Et la petite fille de s'écrier : *« Je ne veux travailler qu'avec ce monsieur-là ! »* Comme par magie, ce rêve devint réalité...

L'empreinte des années de bonheur passées à découvrir les œuvres du répertoire aux côtés de son maître bien-aimé s'est-elle évanouie ? Nullement. Les conseils éclairés du maître, la pianiste les a recueillis précieusement pour les transmettre à ses élèves. Elle n'a pas oublié non plus ce cours d'interprétation à Sienne, dans le

Palazzo Chigi, où elle joua ces mêmes *Variations symphoniques*, accompagnée par le maestro lui-même ! Le consul général de France était présent. Quelques années plus tard, il l'invitait à donner son premier récital dans la cité des Médicis, au jardin Boboli. Là, un unique projecteur, accroché à la corniche du Palazzo Pitti, concentra tout son éclairage sur le clavier. C'est noyée dans l'obscurité environnante qu'elle joua Chopin, Schumann, Liszt et, en l'honneur du 14 Juillet, *Feux d'artifice* de Debussy qui se termine par une mesure de *La Marseillaise*...

Lorsqu'elle retourne à Florence et se promène dans les rues illuminées au silence mystérieux, soudain résonnent les cloches du Dôme au son si profond et si grave qui évoque les quatre notes de *Parsifal* dont l'écho se prolonge à l'infini. C'est surtout à Bayreuth que *Parsifal* prend toute son ampleur, dans ce théâtre où l'immensité du son resplendit depuis la fosse d'orchestre. Instants sublimes ! Cet enchantement, ce bonheur qu'elle ressent si fortement au fond de son âme, la pianiste tente de le transmettre à ceux qui l'écoutent, afin de partager avec eux une parcelle de son rêve étoilé.

(*) Née dans une famille partagée entre l'architecture et la musique, Florence Delaage est connue pour avoir joué toute jeune devant Alfred Cortot qui lui proposa aussitôt de devenir son élève particulière et qui lui léguera, à sa mort, ses deux pianos et la bague de Franz Liszt. C'est également de Georgy Cziffra, qui trouva en elle une « artiste exceptionnelle », qu'elle reçut de précieux conseils techniques. Florence Delaage s'est illustrée comme concertiste à Paris, salle Pleyel, au théâtre des Champs-Élysées, et, en avril 2014, salle Gaveau, mais sa carrière se poursuit surtout à l'étranger, principalement en Allemagne, en Autriche et en Italie. Elle a joué avec Gli Archi della Scala di Milano et de nombreux orchestres. Elle donne des master classes à New York et interprète chaque année au Festival de Bayreuth les transcriptions de Wagner-Liszt pour lesquelles Wolfgang Wagner l'a déclarée : *« Fabelhaft »*.

« Au mot "interpréter", j'ai toujours préféré le mot "transmettre" qui me semble mieux rendre compte de ce que devrait être l'attitude de ceux qui sont chargés de porter la lumière sur une œuvre. »

Nadia Boulanger (1887-1979),
citée par Bruno Monsaingeon dans *Mademoiselle*

63

Piano ou pipeau, il faut choisir !

« On a souvent dit : la France a surtout une école de violon, parce qu'il y a eu des violonistes célèbres. Mais je crois que la France est le pays des pianistes, il ne faut pas l'oublier. »

Martial Solal, in *Martial Solal, compositeur de l'instant*

Sur le territoire français, les rapports de la musique et de la politique sont le plus souvent sans portée. Pour une raison très simple que plus de trois décennies d'observation attentive permettent d'avancer sans crainte de pouvoir être démenti par qui que ce soit. Les politiciens investis par les partis sont massivement dépourvus d'éducation musicale. Incapables de jouer trois notes à peu près correctement alignées. À part de rares exceptions, en général fort mal récompensées par le suffrage universel, ils ne s'intéressent pas à la musique. Ou, plus exactement, ils ne s'y intéressent ou feignent de s'y intéresser que de manière exclusivement opportune. À la condition essentielle qu'elle puisse, à l'occasion de scrutins très rapprochés, contribuer à embellir leur image et servir leurs intérêts électoraux. En réalité, ils n'ont qu'une considération très limitée pour une activité dont la rigueur qu'elle implique leur est volontiers étrangère. De la musique, au fond, ils paraissent n'en garder le souvenir que du pipeau. De fait, il leur en reste quelque chose... Il suffit de les écouter. « Jamais, je ne... », « Toujours, je... », « Je ne soutiendrai aucun... ». Des discours péremptoires, qui vont vite souffrir leur premier dièse ou bémol, puisqu'ils n'offrent en règle générale aucune résistance à l'épreuve du temps, des rapports de force ou des affinités.

Rien d'étonnant dans ces conditions que Martial Solal puisse constater que *« l'éducation musicale du grand public reste à faire »* et que la télévision ne contribue guère – bien au contraire – à améliorer la situation. *« En France,* observe également le pianiste (1), *les chanteurs de variétés ont le droit de chanter faux. La plupart chantent faux et mal. Et c'est ça qui nourrit les Français musicalement. C'est un vrai désastre. La musique n'existe pas pour 90 % des gens. La musique, c'est autre chose. »* Pareil bilan devrait obliger de nombreux politiciens à la plus grande humilité. Il n'en est rien bien sûr. De surcroît, tout sentiment de honte leur est étranger : ils n'en éprouvent jamais, et si, par extraordinaire, ils en font soudain l'expérience, c'est qu'ils sont à la veille de quitter la sphère politique... Pour en revenir à la musique, il n'y a pourtant pas de quoi plastronner. La situation en notre époque n'est probablement guère meilleure que celle du XIXe siècle tant décrié. Il y a certes, ici ou là, dans des villes comme Paris, Nice, Lyon, Bordeaux ou Nantes, des efforts tout à fait notables, émanant de la puissance publique. Il arrive également qu'il y ait d'heureuses surprises dans des collectivités territoriales d'importance moindre. Que ce soit à Aix-en-Provence, dotée depuis septembre 2013 d'un nouveau et moderne conservatoire de musique, de danse et de théâtre (2), ou à Levallois-Perret, dans les Hauts-de-Seine, qui peut s'enorgueillir d'un conservatoire de musique doté d'une salle de concerts de grande qualité, à coup sûr l'une des plus remarquables de l'Ile-de-France dans sa catégorie. Patrick et Isabelle Balkany, si souvent l'objet de sarcasmes et de railleries à la suite de leurs frasques passées et de leur franc-parler, en sont à l'origine. Alors qu'ils reconnaissent volontiers qu'ils n'ont pas de grande culture musicale et encore moins de connaissances en matière de conception d'auditorium et d'acoustique, ils ont eu le mérite non seulement de prendre parti en lançant un projet culturel ambitieux, mais encore de déléguer en s'appuyant sur des gens de métier et d'assumer les critiques liées au coût qui n'ont pas manqué – comme toujours – de s'élever. Précision importante : le conservatoire de Levallois paraît doté d'un budget annuel de fonctionnement à la hauteur de son rang, à la différence de ce qui se passe trop souvent en France où les « réalisations » sont – dans le cas de figure le plus favorable – « de façade », histoire de produire une belle image lors de l'inauguration et d'impressionner le gogo-électeur-contribuable, et où les fonds font tristement défaut dès qu'il est question de s'équiper en bons instruments, de procéder à leur indispensable entretien... et de les accorder !

Plus généralement, la volonté des détenteurs de la puissance publique de faire progresser l'éducation artistique fait souvent défaut. Une attitude sans doute révélatrice du mépris foncier dans lequel trop d'entre eux tiennent les populations et d'une époque « tout foot » où il s'agit d'aller droit au but et de faire massivement rentrer les voix dans les filets... Que dire d'un système politique qui, durant des décennies, a laissé dans l'univers audiovisuel des producteurs s'empiffrer à tous égards, des castes de fermiers généraux des temps dits modernes prospérer à qui mieux-mieux, des féodaux de France Télévision s'incruster sur les écrans sans gêne ni pudeur, grâce à des mécanismes de cooptation et d'endogamie qui, par-delà les paillettes et les sirupeuses apparences, ressemblent à s'y méprendre à ceux longtemps en vigueur dans certains régimes à l'Est de l'Europe ? Non, ce ne sont pas les Victoires de la musique classique qui, une fois par an, peuvent parvenir à faire illusion et, quels que soient le talent et la bonne volonté d'un authentique musicien comme Frédéric Lodéon, à sauver la situation.

« Ce qui est grave, s'insurge Martial Solal, *c'est qu'on fasse croire à 95 % des téléspectateurs que la musique, c'est une certaine catégorie de musique, qui, selon moi, n'est pas de la musique, même si elle utilise des notes et des instruments, mais pour produire une musiquette insipide. » « C'est quand même dommage qu'on n'ait pas avancé depuis cinquante ans,* poursuit le pianiste. *J'espérais toujours en l'avenir. Le*

jazz s'est amélioré, bien sûr, et le public est plus nombreux. Mais dans l'esprit du public qui ne s'intéresse pas au jazz, c'est un vrai désastre, la situation est devenue catastrophique. On prend pour musique des choses qui sont absolument inaudibles. (...) À la télévision, la musique, en général, n'est pas bien traitée. Il faut faire la différence entre ce qui est de la musique, et ce qu'on appelle de la musique. Chacun a sa définition. Pour moi la musique n'est pas la même chose que pour tel autre. En France, tout le monde aime la musique. L'ennui, c'est que cette musique n'est pas ce que j'appelle de la musique. »

Hors du territoire français, les rapports de la musique et de la politique peuvent être autres, tout autres. Par tradition culturelle et atavisme. Par le simple fait aussi que les personnalités de premier plan n'hésitent pas à témoigner de leur éducation musicale. Si un Bill Clinton est un saxophoniste estimable, un Vladimir Poutine, si volontiers moqué dans les sphères médiatiques parisiennes et perçu comme un plantigrade des steppes, a reçu une formation de pianiste... dont les énarques moyens de l'Élysée paraissent souvent bien en peine de pouvoir se prévaloir (3). Moins connue, une Dariga Nazabayeva, femme politique du Kazakhstan, sans doute appelée à succéder à son père comme chef d'État, a su démontrer ses talents de chanteuse à l'occasion du récital qu'elle a donné, en 2013, à Paris, au théâtre des Champs-Élysées, accompagnée par Timur Urmancheev et plusieurs autres artistes.

Toutefois, il peut aussi arriver que la politique fasse fort mauvais ménage avec la musique, et surtout les plus remarquables musiciens. En 2012, le pianiste turc Fazil Say, célèbre pour ses interprétations très personnelles du répertoire classique, a ainsi attiré les foudres des milieux conservateurs en affichant son athéisme sur Twitter. Pour s'être moqué de l'appel à la prière du *muezzin* et s'être appuyé sur des vers du grand poète persan Omar Khayyam, critiquant la religion, il a été menacé de prison (4)... Comme si, en

Turquie, la meilleure des musiques ne pouvait, en aucune façon, adoucir les mœurs.

(1) *Martial Solal, compositeur de l'instant*, 2005.

(2) C'est également à Aix-en-Provence qu'est rouvert, depuis mai 2015, l'hôtel de Caumont, 1-3 rue Joseph-Cabassol, après avoir été – intéressante initiative – transformé en musée dédié à la peinture et au piano.

(3) À l'exception tout à fait notable et brillante de Emmanuel Macron, cet ancien secrétaire général adjoint de l'Elysée et pianiste, qui, devenu ministre de l'Economie, de l'Industrie et du Numérique à l'âge de 36 ans, s'est imposé comme homme d'Etat en s'efforçant d'amorcer, face à une classe politique en grande partie sclérosée et à des groupes de pression ultra conservateurs et bornés, des déblocages structurels fondamentaux, jamais entrepris sur le territoire français depuis des décennies voire des siècles.

(4) En 2012, un procureur d'Istanbul a réclamé à l'encontre de Fazil Say jusqu'à un an et demi d'emprisonnement.

« À notre époque, on demande avant tout aux musiciens d'afficher des convictions. On s'était borné à leur demander, jusqu'ici, d'avoir du talent. »

Camille Saint-Saëns (1835-1921), *Regards sur mes contemporains*

64

Pour l'amour du piano-bar

« Sergueï est au piano dans ce bar tamisé
Empli de grands défunts aux ombres irisées
Et tandis que ses mains venues de Moldavie
Nous racontent Chopin et le pauvre Satie
Je caresse tes yeux de mes yeux éblouis

Sergueï est au piano et le Steinway ravi
Résonne d'Hemingway sous le ciel de Paris
Et tandis que ses mains courent sur le clavier
Ce sont des flots d'amour que je verse à tes pieds
Ce sont des flots d'amour que je verse à tes pieds

Joue, Sergueï, joue
Ma joue contre sa joue
Le temps s'est arrêté
Joue, Sergueï, joue
Et si nos doigts se nouent
Laisse les tiens danser
Et si nos doigts se nouent
Laisse les tiens danser

Sergueï est au piano dans ce bar enivré
Où Verlaine passa lorsque son cœur pleurait
Et tandis que ses mains, par les blanches blanchies
Dessinent un lendemain dans le noir de la nuit
Je tremble en embrassant tes lèvres inouïes

Sergueï est au piano et les anges sourient
Aux mariés nouveaux de Chagall endormi
Et tandis que ses mains pleurent comme un champ de blé
Je contemple ton cœur qui m'a fait prisonnier
Je contemple ton cœur qui m'a fait prisonnier

Joue, Sergueï, joue
Ma joue contre sa joue
Le temps s'est arrêté
Joue, Sergueï, joue
Et si nos doigts se nouent
Laisse les tiens danser
Et si nos doigts se nouent

Laisse les tiens danser »

Chanson *Sergueï est au piano* (1), paroles de Thierry Séchan, frère de Renaud ; musique de Daniel Lavoie

Il en va du piano-bar comme de tout ou presque. Il peut être synonyme du meilleur, du convenable, du passable, comme du pire. Mais il serait malséant de le mépriser ou de le condamner. Le regretté Jacques Villeret n'aurait sans doute pas dit le contraire, lui qui assurait toujours qu'il aurait voulu devenir pianiste dans un piano-bar... En réalité, piano et bar n'ont rien d'une association de malfaiteurs. Bien au contraire, le plus souvent. Ils mériteraient même que leur existence commune soit davantage promue et reconnue. Alors qu'ils contribuent à un certain art de vivre, ils sont, du moins sur le territoire français, en voie de grande raréfaction, y compris au sein des plus grands hôtels. Victimes de la lourdeur des charges sociales et perçus comme beaucoup trop coûteux au regard des « retours sur investissement » qu'ils laissent espérer. Résultat : le piano-bar, qui pourrait être populaire, au sens très positif du terme, est plus que jamais un luxe pour *happy few*. Voilà qui paraît fort dommage, d'autant qu'il fut un temps, pas si lointain, où il pouvait rendre bien des services. Aux pianistes d'abord, et pas seulement à des artistes comme Louis de Funès ou Darry Cowl : les instrumentistes de tous niveaux sont innombrables à en avoir peu ou prou bénéficié. Ce n'est pas sans raison si une femme politique comme Nathalie Kosciusko-Morizet se plaît volontiers à rappeler que la mère de son grand-père paternel *« jouait du piano dans les bars pour financer ses études » (2)*. Un fait qui n'a pas manqué d'avoir un prolongement très ultérieur puisque cette femme politique n'a pas hésité à puiser dans sa quote-part de la réserve parlementaire pour permettre le financement d'un nouveau piano au conservatoire de musique d'Épinay-sur-Orge, afin de faire face à l'augmentation du nombre d'élèves inscrits aux cours. Trop souvent ingrat ou inconscient, le public devrait également témoigner de la reconnaissance au piano-bar et se rappeler les moments d'agrément et de convivialité, parfois exquis, qu'il a apportés (3), comme des instants de mélancolie qu'il a su accompagner... La chanteuse Françoise Hardy, elle, se souvient :

« Dernier *bis*
Dernier rappel
Attente émue
au bar de l'hôtel
Piano triste,
Pénombre, cocktail
Pour interlude
intemporel

Trop de gens autour de Lui
De faux-semblants
De faux bruits
Quelle folie de nous revoir ainsi !

Tel un ange
Tombé du ciel
Il vient vers moi
Peut-être que je rêve ?
Blues étrange
Sourire mortel
Il vient vers moi
Le jour se lève

Point de mire
Des cœurs transis
Sans avenir
Dans sa vie
Mieux vaut partir
Fuir très loin d'ici
Loin de Lui

Trop d'attente *a priori*
Étoile filante
Dans ma nuit
Quelle folie
De vous aimer ainsi !
Quelle folie
Le monde est si petit. » (4)

Bien sûr, Pierre Roche, l'ancien complice de Charles Aznavour et grand maître québécois du piano-bar, n'est plus de ce monde et il n'y a pas forcément à portée de main, comme l'écrivait Boris Vian, l'inventeur du « pianocktail », un *« cocktail gris perle et vert menthe, avec un goût de poivre et de fumée »* (5). Bien sûr, il n'y a pas toujours un Peter Vamos, cet instrumentiste d'origine hongroise, doté d'une solide formation à la Juilliard School, pour agrémenter *The House Of The Rising Sun* (*Le Pénitencier*), ni un John Ripley pour ensorceler le clavier d'un Baldwin, ni un pianiste aussi talentueux que Jean-Luc Kandyoti pour, au bar du Wetsminster, rue de la Paix à Paris, entraîner dans l'antichambre du paradis... Mais il peut y avoir de plus ou moins belles surprises. Un peu comme chez Boris Vian dans *L'Écume des jours*, quand Chick se met au piano, que, à la fin de l'air, une partie du panneau de devant se rabat d'un coup sec et qu'une rangée de verres apparaît... Deux d'entre eux pleins à ras bord d'une mixture appétissante ! Encore faut-il prendre le risque de s'engouffrer avec Jean-Edern Hallier dans le premier établissement venu, à la manière du narrateur de son *Chagrin d'amour*, attiré comme un papillon par la lumière, et d'entrer là où *« un pianiste en sueur, les mèches collées dans le cou, accompagné par un accordéoniste négligent »*, tire *« les sons les plus sensuels du choc de son instrument sur son genou »*... Pratiquer le refus ou la leçon des ténèbres, c'est parfois se retrouver *« sous le miroir doré du piano-bar de Babar »*.

(1) Chanson en référence à Sergueï Trocin, qui a, durant plusieurs années, officié à *La Closerie des lilas* avant d'être le pianiste attitré du Plaza Athénée, le prestigieux palace de l'avenue Montaigne, à Paris.

(2) *in* « Nathalie Kosciusko-Morizet, l'atout chic du président », Vanessa Schneider, *Le Monde*, 6 mars 2012.

(3) Par exemple durant les croisières, y compris lorsqu'un autodidacte comme Behrooz Sahaleh vogue sur un clavier dans un *freestyle* débridé en courant le risque sympathique de vite dévoiler ses limites...

(4) Chanson *Piano-bar*, paroles de Françoise Hardy, dans l'album « L'amour fou », sorti en 2012.

(5) *in L'Écume des jours.*

« C'est un pianiste américain qu'on a retrouvé un verre de whisky à la main (...) Derrière son piano-bar avec son gros cigare, il syncopait des blues pour tout son auditoire. Bien assis sur sa chaise, il semblait bien à l'aise, il était tellement mieux qu'au Père-Lachaise. »

C'est un pianiste américain, chanson de Loulou Gasté (Louis Gasté dit, 1908-1995)

« Au piano-bar
Fréquenté par des habitués
Quelque part à l'écart
À deux pas des Champs-Élysées
Dans le huitième.
De minuit à cinq heures
On reçoit en plein cœur
Irwing Berlin et Cole Porter
Tout ce qu'on aime
Et qu'un pianiste noir
Calmement joue au piano-bar.

Au piano-bar
Où mon cœur me traîne parfois
Pour noyer mon cafard
Dans un fond de whisky-soda
Et de musique.
Je m'installe en retrait
Là où elle m'aimait

Et tendrement me fredonnait
D'outre-Atlantique
Les merveilleux standards
Accompagnés au piano-bar.

Au cinéma
Elle aimait à
Voir en VO
Les musicaux
Des années trente et quarante.

Puis dans ce bar
On venait tard
Pour qu'"in the Mood"
Tout Hollywood
Et nos amours en nos cœurs chantent.

Au piano-bar
Accroché à mes souvenirs
Blessé de part en part
Je retourne pour m'étourdir
Par habitude
Et rêver qu'une nuit
Je la retrouve assise
À la place où depuis je vis
Ma solitude
Et recouvrer l'espoir
Entre ses bras au piano-bar.

Au piano-bar
Témoins de mes amours enfuies
Bourreau de ma mémoire
Agrippé à des mélodies
Dévastatrices
Qui font chanter les heures
Allumant en mon cœur
Des furieuses envies de bonheur
Qui me meurtrissent
Jusqu'à l'aube où je pars
Désenchanté du piano-bar.

Où ce vieux complice
De pianiste inspiré
À la voix embrumée
Par l'alcool et par la fumée
Fait que surgissent
Ces précieux moments rares
À jamais liés au piano-bar
Précieux moments rares
Liés au piano-bar. »

Chanson *Au piano-bar*, paroles de Charles Aznavour

65

Noir sur blanc

« C'est vrai, la vie n'est rien, le songe est trop rapide,
On s'aime, on se déchire, on se montre les dents,
J'aurais aimé pourtant bâtir ma Pyramide
Et que tous mes amis puissent dormir dedans. »

Bernard Dimey (1931-1981), *Les Enfants de Louxor*

Véronique Soufflet, une certaine idée de la chanson

Rose McGowan, alias Paige Matthews, dans *Charmed* ou Christina Applegate, alias Kelly Bundy, dans *Mariés, deux enfants*, c'est elle. Emily O'Brien, alias Jana Hawkes, dans *Les Feux de l'amour* ou Kate Voegele, alias Mia Catalano, dans *Les Frères Scott*, c'est encore elle. Samantha Morton, Chloë Sevigny et Carla Gugino dans divers films, c'est toujours elle. Tant et si bien que les oreilles de tous les téléspectateurs assidus et cinéphiles connaissent sa voix. Mais cette très jolie voix a aussi un nom qui lui appartient en propre. À force de doubler les vedettes américaines, Véronique Soufflet – puisque c'est bien sûr d'elle qu'il s'agit – a fini par avoir une double vie. D'un côté, elle apparaît comme une comédienne spécialisée dans le doublage, après un parcours universitaire à la Sorbonne nouvelle, « La Mecque » des études théâtrales à Paris, et une formation reçue au cours René Simon, au sein de l'école internationale Jacques Lecocq et auprès de Jean-Laurent Cochet. De l'autre, elle est une chanteuse qui, depuis plusieurs années, construit un univers particulier, dans le cadre d'une authentique démarche artistique (1). Ayant bénéficié des conseils de Roger Ferber, ce « coach de voix » connu pour avoir perfectionné sa technique avec Judy Garland et chanté sur les plus grandes scènes du monde, elle développe, comme auteure et interprète, un répertoire à la fois très personnel et diversifié. À défaut d'être pianiste, elle entretient avec l'instrument une liaison si constante et si durable qu'elle finit par faire corps avec lui. Mais sans doute incarne-t-elle trop bien une certaine idée de la chanson française pour avoir droit aux plus puissants « coups de projecteur » des principales chaînes de télévision, généralement réservés, il est vrai, au « toc », à la « variétoche » bassement consommable et hautement périssable et à tout ce qui est supposé « faire masse », c'est-à-dire assurer de l'audience, grâce aux « tubes » les plus éculés des vedettes les plus ripolinées ou les plus momifiées... Alors, qui pourrait, après avoir écouté, ne serait-ce qu'une fois, Véronique Soufflet interpréter, avec l'accompagnement pianistique « sur mesure » de Jean-Luc Kandyoti, la chanson de Bernard Dimey, *Les Enfants de Louxor*, encore douter qu'il y a de la respiration, de la vibration, du sublime dans ces moments-là et que l'enchantement magique de la variété haut de gamme, appréciée des connaisseurs, existe toujours ?

(1) Au printemps 2015 , elle a sorti un nouvel album baptisé « Version originelle », qui rassemble une douzaine de titres, tous en mode piano-voix (accessible sur toutes les plates-formes – ITune, Deezer... – et en téléchargement).

« On est tous des exilés d'un coin perdu de notre enfance. »
Véronique Soufflet, *La Voix d'El Sett*

66

De la variété avant toute chose

« Aimez-vous la nuit ?
– Oui, avec beaucoup de lumière.

L'aube ?
– Oui, avec un piano et des copains.

Le soir ?
– Parce que, pour nous, c'est l'aube. »

Extrait des réponses d'Édith Piaf (1915-1963) à un questionnaire, parues dans la revue *Music Hall* (n° 59, février 1960)

« Au clair de la vie
Les mains des amis
Les yeux des lendemains
La vie devant nous
L'amour, et puis tout
Et tout, et plus rien…
Ils sont tous morts
Au milieu d'un accord
Ils sont morts dans Ravel
Dans un drôle d'arc-en-ciel. »

Chanson *Le Vieux Piano*, interprétée par Édith Piaf en 1960 (paroles d'Henri Contet et musique de Claude Léveillée)

Tant qu'il y aura un Elton et des Véronique, le piano pourra voir l'avenir en rose... comme il le voyait déjà à l'époque de Marie Dubas, d'Édith Piaf ou de Charles Trenet. Oui, tant qu'il y aura un Elton John, une Véronique Sanson, une Véronique Soufflet ou un Cœur de Pirate, il aura la place privilégiée qu'il mérite, au centre de toutes les attentions comme de toutes les histoires, grandes et petites, parfois pittoresques, anecdotiques ou amusantes... À l'exemple de celle racontée par l'acteur Pierre Richard, lorsqu'il évoque ses souvenirs de *L'Échelle de Jacob* et de quelques autres cabarets parisiens : « *J'adorais Barbara. La belle, la divine, la fragile, la myope Barbara. Ah oui, myope. Juste avant l'entrée de la scène, elle avait fixé sur le mur une petite glace bon marché. Elle s'y regardait toujours avant de se montrer au public, pour remettre en place une mèche un peu folle, effacer une ombre sur le nez... C'était une habitude, un réflexe plus qu'une nécessité. Alors, parfois, évidemment, on retournait le miroir côté carton... Ça ne la dérangeait pas du tout. Elle se recoiffait devant le carton avec la même application, avec le même petit geste. Pis : le piano était de l'autre côté de la scène... À 3,87 mètres précisément. Elle avait compté : ça lui faisait quatre pas plus un quart de pas... Elle pouvait ainsi s'avancer devant le clavier sans que le spectateur ne puisse s'apercevoir de sa myopie, tandis qu'elle ne s'apercevait même pas du spectateur. Il nous suffisait donc d'avancer le piano de sept petits centimètres pour entendre, avec délice, le petit bruit de l'œuf sur le comptoir... Un petit « poc » qui, en l'occurrence, était celui du genou de Barbara sur le montant du piano, infiniment plus jouissif, n'en déplaise à Prévert. Elle se retournait vivement vers la coulisse pour repérer les coupables. Nous étions évidemment d'autant plus hilares qu'on se savait invisibles, hors de portée. Elle ne voyait déjà rien à 2 mètres, alors à 3,87 mètres !* » (1)

Si dans l'univers de la chanson, des variétés, du music-hall, le piano a une grande importance, ce n'est évidemment pas sans raison. Impossible de résumer tout ce qu'il a contribué à apporter. Beaucoup trop démesuré. Quelques rappels peuvent simplement souligner son rôle déterminant. Qu'aurait été Piaf sans lui et ses nombreux instrumentistes, qu'ils aient joué, distinctement ou confusément, les rôles d'accompagnateur, de compositeur, de mari, d'amant, d'ami, de confident ou d'homme à tout faire ? Comment pourrait-on oublier que l'on doit à Marguerite Monnot les musiques de nombreuses chansons célèbres, dont *Mon légionnaire* (2), *Milord, L'Hymne à l'amour* et *La Vie en rose* dont il importe peu qu'elle n'en ait pas été officiellement « créditée » puisqu'elle porte sa « griffe » indélébile ? Comment ne pas se souvenir également de Charles Aznavour, Charles Dumont, Jacques Pills (3), Claude Léveillée ou encore Gilbert Bécaud, qui a composé la musique de *Je t'ai dans la peau* (4) ?

Dans les années 1960, nombreux sont les pianistes à avoir beaucoup œuvré dans l'univers de la chanson, parfois de manière fort discrète. Un exemple. Qui a composé les deux plus fameux « tubes » de Boris Vian, *J'suis snob* et *On n'est pas là pour se faire engueuler*, sinon le brillant pianiste Jimmy Walter (5) qui s'est également distingué en créant pour Claude Nougaro, Jacques Higelin, Serge Reggiani, Brigitte Fontaine, Mouloudji... Tout le monde connaît *Il est cinq heures, Paris s'éveille*, la chanson de Jacques Dutronc (6) diffusée en mars 1968 et souvent classée parmi les plus belles réussites de ces cinquante-cinq dernières années. Mais qui connaît le nom du musicien qui effectue le solo de flûte ? Et surtout qui sait que ce merveilleux musicien avait un « vice », le piano, qu'il avait voulu en son for intérieur être pianiste professionnel et qu'il a accompagné sa sœur dans des mélodies de Gabriel Fauré ? Roger Bourdin (7), puisque c'est de lui qu'il s'agit, a lui-même raconté comment s'était déroulé ce solo qui a fait sa gloire. *« J'enregistre du Jean-Sébastien Bach chez Vogue,* a-t-il confié, *quand, tout à coup, le directeur artistique de Dutronc vient me trouver. "Écoute Roger, nous sommes en panne avec Dutronc. Il a fait un truc très sympathique hier, mais il y a des trous partout. Comme tu improvises bien, ne pourrais-tu pas les boucher ?" Je maugrée un peu. Finalement, de guerre lasse et après qu'ils m'ont amené une petite bouteille de bordeaux, je fais deux prises en dix minutes. Je dis à tous mes élèves, à tous les musiciens : faites de l'harmonie, vous aurez des joies inégalables. Je pense que le fait d'être harmoniste, d'être musicien plus complet, m'a permis de réaliser ce solo.* » (8) Roger Bourdin a été mieux qu'un flûtiste soliste et musicien touche-à-tout : un prodigieux amoureux de la musique. Parmi d'autres noms – innombrables – qui mériteraient, à coup sûr, d'être mentionnés (9), figurent bien sûr ceux des trois M comme Michel Legrand, instrumentiste de rêve et mélodiste de renommée mondiale, Michel Polnareff, ce pianiste dès le plus jeune âge au credo exquis, *Love me, please love me*, et Michel Berger, ce fils d'une pianiste-concertiste (10) qui jouait, comme chacun sait, du piano debout et avait sa groupie passant ses nuits sans dormir à gâcher son bel avenir... Tous trois ont marqué, chacun à sa manière, le triomphe absolu du piano auprès du plus large public. Aussi surprenant qu'il puisse peut-être paraître mais... comme d'habitude forcément, Claude François, qui fut si longtemps méprisé dans les sphères dites supérieures de la société, pourrait être surnommé le « Clo-Clo du piano » pour avoir été le premier artiste de variétés sur le territoire français à avoir, dans le cadre de ses tournées à grand succès, doté son pianiste accompagnateur d'un piano numérique, un instrument alors d'avant-garde et « prototype » conçu par Yamaha (11), pourvu d'un clavier et d'un son ressemblant à s'y méprendre à celui d'un piano à queue, et aisément transportable.

(1) Souvenirs rapportés dans *Rire c'est vivre – Le Grand Livre de l'humour*, préface de Michel Galabru, Sélection du Reader's Digest, Paris, Bruxelles, Montréal, Zurich, 2005. Barbara est connue pour sa récurrente « inflexibilité » au sujet de son piano de scène. Dès 1964, alors qu'elle chantait à Göttingen devant des étudiants, elle exigea, selon ses biographes Kävin'Ka et Catherine Le Cossec, d'avoir un piano à demi-queue noir, ce qui eut pour conséquence de retarder de deux heures le début de son récital.

(2) D'abord chantée par Marie Dubas (1894-1972).

(3) Jacques Pills (pseudonyme de René Ducos, 1906-1970) qui, avant la Seconde Guerre mondiale, forma avec le pianiste, chef d'orchestre et dialoguiste Georges Tabet (1905-1984) le duo Pills et Tabet, fut l'époux d'Édith Piaf de 1952 à 1957. Talentueux chanteur de charme à succès, il a eu Gilbert Bécaud (1927-2001) comme jeune pianiste accompagnateur. Dans le film *Boum sur Paris* réalisé par Maurice de Canonge, en 1954, il apparaît comme pianiste-compositeur et interprète *Pour qu'elle soit jolie ma chanson* en duo avec « La Môme ».

(4) Devenu par la suite un chanteur très connu de la seconde moitié du XXe siècle, Gilbert Bécaud (François Gilbert Léopold Silly dit, 1927-2001) est également l'auteur des partitions d'un opéra, *L'Opéra d'Aran*, créé en 1962 au théâtre des Champs-Élysées à Paris, sous la direction de Georges Prêtre.

(5) Né en 1930, Jimmy Walter (Benjamin Walter, dit), ce grand pianiste-compositeur-arrangeur de l'ombre, a joué et composé jusqu'à sa mort, survenue en 2012 alors qu'il préparait un nouveau disque de jazz. Son fils, Philipp Walter, est également un pianiste et pédagogue réputé.

(6) Jacques Dutronc est l'interprète et le compositeur de la musique de *Il est cinq heures, Paris s'éveille* dont les paroles ont été écrites par Jacques Lanzmann et Anne Segalen.

(7) Né en 1923 et mort en 1976, Roger Bourdin a été flûtiste soliste de l'orchestre de l'Association des concerts Lamoureux et de l'ORTF (Office de radiodiffusion-télévision française), ainsi que chef d'orchestre dans plusieurs casinos français.

(8) Propos publiés sur le site du saxophoniste Philippe Bourdin, fils de Roger Bourdin.

(9) Dont Jacques Denjean (1929-1995) et Claude Bolling.

(10) Annette Haas-Hamburger (1912-2002).

(11) Plus de dix ans avant l'apparition, en 1983, du fameux « Clavinova » de Yamaha et le début de la commercialisation de cet instrument auprès d'un large public.

« Le vieux piano de la plage ne joue qu'en *fa* qu'en fatigué
Le vieux piano de la plage possède un *la* qui n'est pas gai
Un *si* cassé qui se désole
Un *mi* fané qui le console
Un *do* brûlé par le grand soleil du mois de juillet (...)

Le vieux piano de la plage ne joue qu'en *sol* en solitude (...)

Adieu, Adieu, piano. Tu sais combien peuvent être cruelles
Ces notes que tu joues faux mais dans mon cœur ouvrant ses ailes

S'éveille alors la douce rengaine
De mon heureux sort ou de mes peines
Lorsque tu tapes toute la semaine mais le samedi,
Quand les jeunesses débarquent,
Tu sais alors, brigand de la plage,
Que ton souvenir les marque
Et qu'un beau soir, passé le bel âge,
Un autre que moi, devant la piste, s'arrêtera là et sera triste
En écoutant, le cœur battant,
L'air de ses vingt ans. »

Charles Trenet (1913-2001), *Le Piano de la plage*

« On avait souhaité qu'un sang impur abreuve nos sillons sans savoir qu'un jour un déluge de sons impurs abreuverait nos microsillons. »

Jacques Sternberg (1923-2006), *Pensées*

67

Noir sur blanc

« Peu importe les notes, en musique,
ce sont les sensations produites qui comptent. »
Leonid Pervomayskiy (Leonid Solomonovich Pervomayskiy, 1908-1973),
Des notes disparates

La mélodie qui marche

« Pouvons-nous faire en sorte que les gens choisissent les escaliers en les rendant amusants ? » C'est la question que s'est posée le grand constructeur automobile Volkswagen et le défi baptisé « thefuntheory.com » qu'il s'est lancé à la fin des années 2000 face aux escaliers de métro qui, à Paris comme hélas en d'autres lieux, sont souvent d'une saleté résolument émétique, d'une raideur à couper le souffle et d'une grisaille à rendre un troupeau de gnous dépressifs... La marque a donc pris l'initiative d'associer son nom à une mélodie urbaine en sous-sol, en procédant à un « relookage » des marches en touches de pianos... Rien de bien original peut-être, mais le concept a eu au moins deux vertus. D'abord parce qu'il s'est révélé efficace puisque, à en croire des témoins de cette expérience, les Escalator ont été volontiers délaissés – à proportion de deux personnes sur trois – au profit de ces escaliers « relookés » et « sonorisés ». Ensuite parce que, par-delà son côté un peu ludique, il vise un objectif de santé publique qui s'inscrit dans la durée : il incite à prendre l'escalier au lieu de l'ascenseur ou de l'Escalator, et au prix de cet exercice sain, à se sentir mieux.

Malheureusement, l'expérience n'a pas été effectuée à grande échelle. Impliquant un coût significatif, elle est restée conceptuelle et quelque peu anecdotique. Pour provoquer un changement de comportement qui soit ressenti dans l'ensemble de la société, il aurait fallu que le concept puisse être généralisé dans de nombreuses villes, que les Escalator et ascenseurs soient réservés aux seules personnes âgées, handicapées, et que les marches en touches de piano se laissent fouler au pied comme par enchantement !

« Il n'y a plus, de nos jours, que deux sortes de piétons :
les rapides et les morts. »

Attribué à Jean Rigaux (1909-1991)

68

YouTube Story

« On peut quand même être satisfait de la presse en général, alors qu'il y a lieu de pleurer en regardant la télévision. »
Martial Solal, in *Martial Solal, compositeur de l'instant*

Faut-il qu'un téléfilm soit américain pour que le piano soit magnifié ? En tout cas, la diffusion sur TF1, le 9 juillet 2012, de « L'Effet ricochet », treizième épisode de la huitième saison des fameux « Experts Manhattan », a pu donner à le penser. La fin de ce téléfilm ne se contente pas de montrer un médecin légiste qui met au point un coussin ergonomique afin d'améliorer le sommeil. Elle raconte que le brevet de ce coussin a été acheté par une société japonaise pour un nombre onirique de millions de dollars et que le médecin-légiste inventeur se demande : *« Qu'est-ce que je vais pouvoir faire de tout cet argent ? »* avant que la réponse soit fournie au cours des dernières séquences : un superbe piano à queue... dans la morgue ! Le médecin légiste confie, en effet, que la première chose qu'il a achetée après avoir perçu ses millions de dollars, c'est un piano à queue noir, superbe, et que, s'il l'a placé dans la morgue où il officie, c'est, bien sûr, pour pouvoir en jouer à loisir ! Une telle promotion pour l'instrument devant des millions de téléspectateurs relève, bien sûr, de la plus grande rareté. En règle générale, le piano est peu visible et encore moins audible. Qu'il soit placé dans un coin de studio pour un fugitif gros plan, histoire de donner une « touche » culturelle à une émission en quête d'alibi et à des « invités » en mal de « promo », ou qu'il se la joue en blanc, assorti d'un clavier de synthétiseur, afin de contribuer au « standing » d'un orchestre de bruyants intermittents du spectacle, le résultat est le même. En réalité, c'est désormais YouTube qui représente aujourd'hui une séduisante formule de télévision « à la carte » et fait, à profusion, voir – et entendre – le piano. La richesse des propositions a de quoi fasciner. Toutes générations confondues. Comment ne pas se réjouir de pouvoir accéder à tel ou tel document rare, d'un intérêt culturel inestimable, de découvrir Alfred Cortot en train de parler ou de jouer, de revoir Georges Cziffra dans une séance époustouflante de préparation au tournage d'une émission de télévision, ou encore d'avoir la surprise de constater que Richard Nixon, président des États-Unis de 1969 à 1974, jouait du piano et plutôt bien (1) ? Bien sûr, de nombreuses vidéos ne justifient guère la moindre seconde d'attention et il peut paraître superficiel de se surprendre soi-même, au fil de la déambulation sur écran, à visionner Omar Harfouch, le « jetsetteur » franco-libanais originaire de Tripoli, visiter un yacht à vendre ou à louer... Mais voir le personnage jouer quelques notes sur un piano permet à tout le moins de supputer une initiation minimale et il appartient au « visiteur » de faire preuve de discernement dans ses élans de curiosité, de distinguer le bon grain pelliculaire ou numérique de l'abondante ivraie, souvent vaine et parfois « spamique »...

(1) Richard Nixon a même composé un *Richard Nixon Piano Concerto*, dont il a joué un extrait, en 1963, dans l'émission télévisée Jack Paar Program. Toutefois, après avoir quitté la Maison-Blanche, ce fin musicien n'est pas allé jusqu'à constituer un « Watergate Quartet »...

« Le temps m'a convaincu d'une chose.
La télévision n'est pas faite pour être regardée, mais pour qu'on y passe. »

Noël Coward (1899-1973), dans une lettre écrite au milieu des années 1950

69

Fait divers

« Une voiture de la maison Alphonse Blondel, faubourg Poissonnière, faisant une livraison de pianos, était arrêtée rue d'Hauteville, près de la rue des Petites-Écuries. Un monsieur, voulant passer devant le cheval, l'écarta avec son parapluie. Le cheval, sans doute froissé, l'empoigna par le bras avec les dents. On croyait le pauvre homme estropié. Il en a été quitte, heureusement, pour la peur et un fort accroc à la manche de son pardessus. »

Le Figaro, 4 avril 1898, p. 4

L'incongru du coin de la rue

Le piano peut être présent dans les lieux les plus inattendus. Au coin de la rue comme au sommet du mont Blanc ou encore dans les tranchées avec les Poilus... À l'angle ou au petit bonheur d'une rue, c'est bel et bien une réalité grâce au projet Play Me, I'm Yours (Joue-moi, je suis à toi) (1), qui met à disposition, gratuitement, des instruments dans les artères de telle ou telle capitale et dont le succès semble en passe de conquérir le monde. À défaut de promettre l'Olympia, la formule est sympathique, offre en principe l'assurance d'un minimum de public et se prête bien aux heureuses surprises. C'est en s'asseyant derrière un piano des rues de Londres qu'un musicien se serait fait remarquer par les organisateurs d'un grand festival qui lui auraient fait cadeau de l'instrument. C'est également autour d'un des pianos de Play Me, I'm Yours, à Sydney, que deux journalistes envoyés pour couvrir l'événement seraient tombés fous amoureux et qu'ils se seraient par la suite mariés !

Jusqu'à présent, Play Me, I'm Yours envisage d'autant moins d'étendre son action dans les plus hautes sphères que l'initiative s'est d'ores et déjà concrétisée à la fin du siècle dernier et ne pourrait avoir qu'une allure rédhibitoire de « déjà-vu ».

C'est, en effet, en 1993, à l'occasion de la Fête de la musique, que le pianiste Christophe Beckett et l'orchestre philharmonique polonais de Lodz ont donné un concert à la fois exceptionnel et insolite au sommet du mont Blanc. À l'occasion de cette initiative de l'association Europa en faveur de la paix en Europe et des enfants victimes de la guerre en ex-Yougoslavie qui fit naturellement l'objet d'un film, un piano fut descendu d'hélicoptère sur la neige par un filin, ce qui permit de voir, dans un magnifique fondu enchaîné, l'instrument se poser et le pianiste se mettre à jouer Beethoven à environ deux mille mètres d'altitude... Originaire de Nouvelle-Zélande et détenteur de deux premiers prix de piano et de musique de chambre au Conservatoire national supérieur de musique de Paris (2), Christopher Beckett a, il est vrai, un goût prononcé pour les expériences musicales plus ou moins incongrues. Il aime à transformer en lieu de concerts des espaces qui n'y sont pas prédestinés, qu'il s'agisse d'hôpitaux, de grottes, de terrains de plein air, de plans d'eaux ou encore de piscines ! Mais impossible de trop s'étonner de son parcours pianistique quelque peu atypique quand on sait qu'il a accompagné Maurice Baquet, le regretté comédien-violoncelliste, pendant près de trente ans...

Historiquement, c'est peu connu, le piano a participé, à sa manière, à une mémorable, quoique folle, « guerre de tranchées » où, en seconde ligne et fort d'un minimum de doigté, le pianiste-soldat pouvait sans doute, à certaines heures, se montrer « rigolboche »... Pour s'en convaincre, il suffit de se référer au témoignage de Maurice Pouron et d'André Gadioux, dans *Ce que nous avons fait – Historique du 32e régiment pendant la campagne 1914-1919 (3) : « Cet hiver 15-16 ne fut pas trop pénible. À Loos, où nous relevions le 90e, qui venait de repousser brillamment une attaque allemande, nous n'eûmes pas beaucoup de pertes. La nature du terrain rendait les travaux de terrassement difficiles ; mais les secteurs du Maroc et de la Fosse-*

Calonne étaient confortables. Les tranchées étaient lambrissées avec les rondins des mines ; il y avait des caillebotis et des "cagnas" dont l'ameublement était quelquefois luxueux. En deuxième ligne, nous avons vu un piano ! C'était par ailleurs très calme. Quelques obus tombaient régulièrement à la même place et souvent à la même heure. Les soldats connaissaient les habitudes de l'ennemi ; les civils aussi, qui restaient dans les villages des Brebis et de Bully-Grenay, à quelques centaines de mètres de la première ligne. »

(1) Play Me, I'm Yours est un projet créé en 2008 par l'artiste britannique Luke Jerram. Se servant de dizaines de pianos customisés, il s'est concrétisé dans une série de capitales, dont Sydney, Barcelone, Londres et Paris.

(2) Par-delà le caractère humain et donc faillible de toute structure, le CNSM-Conservatoire national supérieur de musique de Paris peut être considéré comme un établissement sérieux. Il ne saurait être comparé ou assimilé à certains établissements français d'enseignement du type IEP-Institut d'études politiques de Paris. Ses diplômés sont tous dotés d'une vraie compétence.

(3) *Ce que nous avons fait – Historique du 32e régiment pendant la campagne 1914-1919*, André Gadioux et Maurice Pouron, Éditions Mame et fils, Tours, c.1935.

« Fait pianos en tout genre. »
Publicité d'un facteur de pianos (Auguste Jules Lainé), en 1836

« M. Erard, facteur de pianos, dont les instruments à toute force ne veulent plus se recommander à toute force, car ils ont ruiné grand nombre d'oreilles bien longues, va faire construire un nouvel instrument à 80 coins, qui s'ouvre à la fois de 80 côtés, et qui sera capable de rendre sourdes 80 millions d'oreilles à la fois. Le nom de cet instrument précieux sera hache-mains, et sa grandeur sera telle que la queue traversera la croisée à 86 pieds de longueur. L'artiste qui doit le toucher sera fixé à un gros cordon dans l'air frais, et 56 parapluies garantiront la sécheresse de l'instrument. Onze forêts du Brésil livreront leur bois pour le construire, et des concerts sur hache-mains Erard sont préparés pour l'hiver prochain. On est prié de ne pas payer les billets de faveur, mais d'apporter des mandats, car on SERA FORCE par la gendarmerie d'acheter des hache-mains d'Erard. »

Le Fou de Paris, première livraison, 1842

70

Noir sur blanc

« En plein ciel, tu donnes le concert éternel
Et les anges pour t'applaudir battent des ailes. »
Claude Nougaro (1929-2004), *Le Piano de mauvaise vie*

Armstrong, la vie, quelle histoire ?

« Armstrong, la vie, quelle histoire ? C'est pas très marrant... Qu'on l'écrive blanc sur noir. Ou bien noir sur blanc... » Chanson connue d'un auteur disparu. Mais avec Kit Armstrong, la vie peut prendre une dimension quelque peu inattendue. Kit, c'est bel et bien le prénom de ce jeune pianiste et compositeur, né aux États-Unis d'une mère anglaise et d'un père taïwanais, qui s'est porté acquéreur, en 2012, d'une église Sainte-Thérèse-de-l'Enfant-Jésus, à Hirson, une petite ville de la Thiérache, au nord de la France, après l'avoir visitée et être tombé amoureux du bâtiment construit en 1930 par Aimé Bonna, l'inventeur des tuyaux en béton armé.

Jouant les sauveurs d'édifices en péril, il ne se contente pas d'éviter que le lieu ne se transforme, comme d'aucuns en avaient conçu le projet, en discothèque ou *« private lounge club »* : il s'efforce de lui redonner une seconde vie qu'il souhaite digne de sa première vocation. Comment ? Tout simplement, s'il est permis de l'écrire, en parvenant à l'utiliser comme salle de concerts et résidence d'artistes.

Pour le premier récital qui a eu lieu le 3 juin 2014, c'est lui qui, en disciple d'Alfred Brendel, a mis la main au clavier et interprété, outre des œuvres de Guillaume de Machaut, Jacques de Senleches, Franz Liszt, Toru Takemitsu et Claude Debussy, *Le Tombeau de Couperin*, la célèbre suite de six pièces pour piano de Maurice Ravel. Si le public n'a pas manqué d'ovationner la performance, il s'est bien sûr trouvé quelque chroniqueur germanopratin pour flairer le « coup marketing » et publier l'article venimeux de circonstance. Une manière comme une autre de faire son intéressant.

Fort heureusement, tout le monde sait depuis Rivarol que c'est un terrible avantage de n'avoir rien fait, mais qu'il ne faut pas en abuser... Et nul ne peut nier que Kit Armstrong, ce brillant étudiant en mathématiques à l'université de Paris VII, sait ne pas rater une occasion de surprendre et que, en tout état de cause, il a le mérite, lui, d'être passé à l'acte. Alors, franchement, qui irait douter que sainte Thérèse, dont la statue domine le maître-autel de l'église à Hirson, soit insensible à une telle résurrection et ne donne pas, sans la moindre arrière-pensée, sa bénédiction ?

« Dans chaque église, il y a toujours quelque chose qui cloche. »
Jacques Prévert (1900-1977), *Fatras*

71

Lang, Lang et Lang : Jack, Carl, Michel, Pierre, François et les autres…

« Louis : Et, après lui, il y a Jean-Pierre, n'est-ce pas, qui aura réussi… Vous n'êtes pas comme les étudiants, vous, quand vous cassez quelque chose, vous savez quoi mettre à la place. C'est bien, ça.
– Isabelle : On n'a qu'une vie.
– Louis : C'est vrai. Mais le charme de votre âge, généralement, c'est de penser qu'on en a plusieurs. »

Françoise Sagan, *Le Piano dans l'herbe*

Lang peut, bien sûr, relever de la duplication pour se transformer en Lang Lang et bien marquer la distinction... Mais, généralement, il fait partie de ces noms de famille où les prénoms font vraiment toute la différence. Jack ou Carl, c'est plus qu'une nuance, à l'évidence. Michel ou Pierre, c'est du cinéma d'un côté, du théâtre de boulevard bien réel de l'autre (1)... Tandis qu'avec François, changement de décor, c'est le piano, dans sa version la plus tristement insolite. Né en 1908, François Lang commença pourtant par connaître des débuts plus que prometteurs. Il s'imposa rapidement comme un brillant pianiste et acquit une enviable renommée. Parallèlement à son activité de concertiste, il cultiva avant le début de la Seconde Guerre mondiale ses talents de collectionneur et réussit à constituer un ensemble d'environ mille trois cents manuscrits et imprimés musicaux précieux allant du XVIe au XXe siècle. Malheureusement, la guerre et, bien sûr, l'application des mesures antisémites du régime nazi furent fatales à ce neveu de David David-Weill, le président de la Banque Lazard. Arrêté par la Gestapo en novembre 1943, il mourut dans le camp de concentration d'Auschwitz, en janvier 1944. Sa bibliothèque musicale, avec les trésors qu'elle renfermait, aurait fort bien pu être volée, pillée, détruite... S'il n'en a rien été, ce n'est pas par chance, mais essentiellement grâce à la chanteuse Ninon Vallin qui put la cacher et la conserver jusqu'à ce que la Fondation Royaumont pour le progrès des sciences de l'homme, fondée en 1964 par Henry et Isabel Goüin, le beau-frère et la sœur de François Lang, en prenne possession. Ainsi, de rares manuscrits musicaux, des lettres autographes de Berlioz, Weber, Liszt ou Fauré, ou encore la partition annotée de *Pelléas et Mélisande* de Debussy et les partitions d'origine de grands compositeurs baroques de la musique française comme Couperin et Rameau et de l'école romantique allemande, de Beethoven à Schubert en passant par Schumann, restent protégées et rendent un bel hommage posthume à un pianiste-collectionneur en faisant passer son nom à la postérité.

(1) Pierre Lang n'est, à proprement parler, ni un auteur ni un acteur de pièces pour théâtres de boulevard. Mais on doit à cet inénarrable pharmacien-biologiste, maire et ancien député mosellan, l'une de ces inoubliables histoires à la mords-moi-le-nœud dont on sait faire, en Lorraine, des gorges chaudes à l'approche de l'hiver, au coin du feu... En 2010, il avait en effet saisi la très sérieuse chambre disciplinaire du conseil régional de l'ordre des médecins, siégeant à Nancy, car il accusait un spécialiste de chirurgie maxillo-faciale d'avoir dérogé au code de déontologie et rompu son serment d'Hippocrate en ayant eu une aventure avec son épouse, pourtant ouvertement consentante...

« Tout bonheur est poésie essentiellement, et poésie veut dire action ; l'on n'aime guère un bonheur qui vous tombe ; on veut l'avoir fait... Imaginez-vous un collectionneur qui n'aurait pas fait sa collection ? »

Alain (Émile-Auguste Chartier dit) *Propos sur le bonheur*

72

Noir sur blanc

« Le spectacle n'est pas un ensemble d'images, mais un rapport social entre des personnes, médiatisé par des images. »

Guy Debord (1931-1994), *La Société du spectacle*

Piano furioso

Les milliers de personnes qui ont vu le spectacle *Maestro furioso* se souviennent, à coup sûr, du moment où Gilles Ramade au piano relit sa lettre à Élise... Qui a pu oublier la couette à musique, le détourneur de pages, la famille Bach, Amadeus, Frédéric et les autres ?

Dans *Piano furioso*, deuxième volet d'un spectacle devenu quasi mythique, le même Gilles Ramade, toujours auteur-metteur en scène et comédien, raconte son chemin pianistique pavé de gammes, sa méthode « j'ose », ses nuits de jazzman dans les caves toulousaines, ses matinées de pianiste de ballet sous les toits du Capitole, ses après-midi sur les bancs du conservatoire et sa passion pour l'opéra, pour le rock et le baroque... Il va même jusqu'à confesser qu'il en a pris à perpète derrière une forêt de grilles, perché sur une montagne de partitions... Insatiable baroudeur, celui qui ne fut pas lauréat du conservatoire de Toulouse pour rien déchiffre, improvise, chante, interprète et construit sous les oreilles du public son dernier *opus*, un moment musical et théâtral à son image : insolent, passionné, inclassable, « mégalogamme », mais conseillé aux âmes sensibles !

Au sujet de ce « one gamme show », *La Dépêche du Midi* n'a pas manqué d'apporter un soutien chaleureux. *« Formidable exercice de virtuosité réalisé par Gilles Ramade,* a-t-elle écrit. *Tour à tour chef d'orchestre, pianiste, chanteur lyrique et acteur burlesque, Gilles Ramade mène la danse, tambour battant. Le spectacle qu'il a conçu et mis en scène plonge le spectateur dans un rêve musical.* »

« Grimpé sur mon piano, je suis l'Antéchrist coiffé d'un entonnoir de gramophone. »

Jacques Rigaut (1898-1929), *Écrits*

73

Insolite : les nouvelles partitions de Mozart

« Bien qu'il fût natif de Salzbourg, lorsque Mozart est venu au monde, il est venu au monde entier. »

Sacha Guitry (1885-1957) (1), *Toutes réflexions faites*

« Mon maître préféré ? En ai-je un ?... En tout cas, j'estime que Mozart demeure au plus parfait de tous. (...) Il n'était que musique. »

Maurice Ravel (1875-1937), cité par Nino Franck dans le journal *Candide*, mai 1932

Wolfgang Amadeus Mozart est un compositeur vraiment épatant. Depuis le début des années 2000, soit plus de trois cents ans après sa mort, il ne cesse de surprendre par ses nouvelles pièces pour piano. En 2006, une première partition, jusqu'alors parfaitement inconnue, est retrouvée dans les archives de l'archevêché de Salzbourg, la ville natale, comme chacun sait, du musicien. En 2008, une deuxième, elle aussi inédite, se présente sous la forme du *Credo* d'une messe et fait son apparition dans une bibliothèque de Nantes. En 2009, deux pièces, déjà connues des chercheurs, mais considérées jusqu'alors comme anonymes (2), sont également extraites des archives de la Fondation Mozarteum de Salzbourg et réexaminées. En 2012, c'est un *Allegro molto pour piano*, inédit, qui est découvert dans le grenier d'une maison, au Tyrol, inséré dans un cahier portant la date de 1780, mais que Mozart aurait, selon la musicologue Hildegard Herrmann-Schneider, composé vers 1767-1768, à l'âge de onze ans. Sur cette partition figure l'écriture, *« incroyablement précise »* à en croire Ulrich Leisinger, le directeur du département de recherches de la Fondation Mozarteum, du nom *« Del Signore Giovane Wolfgango Mozart »* (3). Ce fait aurait, semble-t-il, suffi à convaincre les experts salzbourgeois qu'il s'agissait bel et bien d'une composition du jeune génie, bien que l'écriture ne soit attribuable ni à Mozart ni à son père Leopold, mais à une connaissance proche.

Présenté et joué pour la première fois par le pianiste autrichien Florian Birsack sur le pianoforte de Mozart, dans le salon de danse de la maison à Salzbourg où vécurent le compositeur et sa famille, cet *allegro molto* est une sorte de sonate de 84 mesures et d'une durée de quelques minutes. Il s'agirait donc d'un essai précoce où Mozart tentait de s'affirmer dans ce type de registre.

Aucune de ces récentes découvertes n'est venue provoquer un quelconque bouleversement dans l'histoire mozartienne, et encore moins dans l'histoire de la musique : les pièces en question sont même beaucoup trop courtes ou trop fragmentaires pour inciter les interprètes à faire évoluer leur répertoire. Mais ces documents peuvent se révéler intéressants, voire passionnants, pour les chercheurs en musicologie. Ils ont, en outre, le mérite non négligeable de provoquer de brefs, mais puissants, « coups de projecteur » médiatiques, à une époque où la musique classique subit souvent, en dépit de nombreuses chaînes de télévision, une honteuse sous-médiatisation (4). Alors, à quand la prochaine partition inconnue ?

(1) Les pianistes Adolphe Borchard (1882-1967), Louis Beydts (1896-1953), Louiguy (Louis Guglielmi dit, 1916-1991) et Jean Françaix (1912-1997) furent ses compositeurs pour les musiques de ses films.

(2) Ces deux pièces font partie du *Livre de musique pour Nannerl*, petit cahier d'études élaboré par Léopold Mozart, le père de Wolfgang, pour l'éducation musicale de ses enfants – dont Maria Anna, surnommée Nannerl, sœur de Wolfgang Amadeus –, et conservé depuis 1864 à la bibliothèque de la Fondation Mozarteum de Salzbourg.

(3) Toujours selon la musicologue Hildegard Herrmann-Schneider, ce nom était connu jusqu'alors comme utilisé uniquement par le père de Mozart quand il inscrivait le nom de son fils sur les partitions.

(4) Alors qu'un clan d'animateurs bénéficie de temps d'antenne considérables dans le cadre de programmes souvent indigents, rares sont les musiciens classiques à avoir droit à un minimum d'« espace » pour se faire entendre. Même leur mort ne suffit plus à les faire exister. Si une chaîne comme TF1 n'a pas osé passer sous silence la disparition du compositeur Henri Dutilleux, elle ne l'a évoquée qu'en moins de vingt secondes en fin de journal...

« Mozart ! »

Dernier mot de Gustav Mahler (1860-1911),
mort en dirigeant d'un doigt un orchestre invisible...

« Écoutons Mozart, pour s'extirper d'un univers de cacophonie. »

Muriel Cerf (1950-2012), dans le quotidien *Le Monde* du 16 novembre 2001,
Muriel Cerf, passion et réclusion, propos recueillis par Jean-Luc Douin

74

Noir sur blanc

« L'ouïe est un spectateur qui applaudit des yeux. »
Malcolm de Chazal (1902-1981), *Ma révolution*

Au-delà de mon piano…

Au théâtre des Bouffes du Nord, à Paris, s'est déroulé, fin janvier 2014 la première édition de *Beyond My Piano* (*Au-delà de mon piano*), un nouveau rendez-vous musical qui entend bien ne surtout pas être un simple et énième festival de piano. Se présentant comme un laboratoire ouvert à la création et destiné à allier les musiques électroniques, cette manifestation vise à faire planer un vent futuriste sur Paris, en général, et sur le théâtre des Bouffes du Nord, en particulier, grâce à la participation de musiciens renommés qui ont l'ambition affichée de repousser les « frontières des genres musicaux ». Ce sont, en fait, des pianistes d'aujourd'hui qui orchestrent cette initiative. Issus des scènes classiques, jazz, électro ou pop, ils ont le mérite de tenter de réinventer les sonorités du piano, cet instrument historique et intemporel capable de tout jouer, des mélodies classiques aux compositions les plus avant-gardistes grâce à l'apport des technologies numériques qui ont permis aux claviers et autres synthés de s'imposer dans le monde des musiques actuelles. Parmi les artistes présents en 2014, la pianiste classique Vanessa Wagner a entrepris un dialogue avec le musicien électro mexicain Murcof. Une occasion de faire rimer ambiances numériques et tonalités acoustiques au cours d'une expérience sonore plutôt rare. Pianiste au style volontiers perçu comme inclassable, influencé aussi bien par le classique, le jazz, le contemporain, les musiques brésiliennes ou balkaniques, Boyan Z en a profité, lui, pour présenter un projet en solo, tandis que le Luxembourgeois Francesco Tristano, instrumentiste au style libre et atypique, doté d'une grande technique, a invité à vivre un récital où résonnaient musiques nouvelles et électroniques. En 2014, fut également programmée une création inédite sur fond de techno et de groove acoustique, qui réunissait le trio Aufgang et la formation berlinoise Brandt Brauer Frick, composée de six musiciens, deux pianos, deux batteries et huit synthétiseurs. S'ensuit donc le souhait que les prochaines éditions de *Beyond My Piano* parviennent à tenir toutes les promesses d'un lancement réussi...

« Le vase donne une forme au vide, et la musique au silence. »
Georges Braque (1862-1963), *Le Jour et la Nuit*

75

Obscène ? Vous avez dit obscène !

« Un acte d'ostentation est toujours une faute de goût (...)
Cela vient de ce que le Moi s'étale dans toute chose d'ostentation,
et qu'il n'y a rien de plus mauvais goût que le moi. »
Charles Dollfus (1827-1913), *De la nature humaine*

Quand un compositeur décède, il a la faculté de laisser, sinon une œuvre véritable, du moins quelques partitions, plus ou moins estimables. Quand un pianiste meurt, il peut léguer, sinon des enregistrements d'anthologie, du moins des souvenirs de concerts qui le font exister dans la mémoire et le cœur des vivants. Or, il arrive, hélas, qu'un grand instrumentiste fasse l'erreur de se produire devant le public, alors qu'il n'est manifestement plus en possession de tous ses moyens physiques et intellectuels. C'est ce récital de trop que Brigitte Engerer a commis, le 12 juin 2012, au théâtre des Champs-Élysées, à Paris. Triste vision en vérité, à proprement parler, obscène, où cette femme, soutenue d'un bras par le chef d'orchestre et, de l'autre, par une canne, arrive sur le plateau face à une salle comble, s'installe au piano, soulève une jambe avec ses mains afin de la placer sur la pédale et se veut drôle en disant au chef : *« C'est fait ! Ok ! »*, avant d'amorcer le concerto de Schumann, de s'appuyer sur les considérables acquis de son métier pour réduire au minimum les approximations, et enfin, oui enfin, cinquante ans après son tout premier concert dans ce même lieu, quitter la scène à grand-peine (1). Dérive à coup sûr contagieuse d'une époque où tout, absolument tout, se vend. La maladie. La déchéance. L'article de la mort... Mais comment s'en étonner quand, dans le même temps, une ex-candidate au second tour de l'élection présidentielle française n'hésite pas à brandir le bouclier humain de ses quatre enfants – majeurs – pour implorer des suffrages de compassion, échapper aux oubliettes de la politique et s'épargner les conséquences de ses propres erreurs d'appréciation ?

Mieux vaudrait en définitive pouvoir ne retenir qu'une autre vision, celle donnée, en 1988, au théâtre du Rond-Point, à Paris, à l'occasion d'un concert magnifique où l'ancienne élève de Stanislas Neuhaus, alors au sommet de sa forme physique et intellectuelle, démontra qu'un succès international dès le plus jeune âge et une gloire fondée sur le talent, la passion et une vie de concerts sans frontières n'étaient pas usurpés.

(1) Brigitte Engerer s'est éteinte quelques jours plus tard, le 23 juin 2012, à l'âge de 59 ans, vaincue par un cancer qui la rongeait depuis plusieurs années.

« Il est fréquent d'aimer les abîmes, il est juste de s'y précipiter, mais il est étrange d'accepter d'y descendre lentement, pas à pas, et d'envelopper cette déchéance d'une douceur qui trompe tout le monde et soi-même. »

Roger Nimier, *Les Enfants tristes*

76

Derviche tourneur avec ou sans vis

« Avec les mauvais pianos, on s'arrange toujours, mais avec les tabourets qui grincent, on ne s'arrange jamais. »

Attribué à Samson François (1924-1970)

Il est rond, rectangulaire, carré ou ovale. Il a un, deux, trois ou quatre pieds. C'est le tabouret de piano. Objet avec ou sans vis, qui est un peu au pianiste ce que la selle est au cavalier, mais jouit rarement d'une vraie considération. À tort. Car *« un piano, spontanément, ça veut dire un tabouret... »*, comme le disait si bien Barbara (1930-1997), cette grande dame de la chanson française à qui, *« une fois, on avait donné une chaise avec des Bottins »* (1).

Si de leur siège de nombreux pianistes se montrent très soucieux, au point parfois d'en faire une véritable fixation, ce n'est pas sans raison. À l'évidence, ne serait-ce qu'en raison du grand nombre d'heures passées en sa compagnie, l'objet justifie des attentions particulières. Question de confort et de tenue du corps. Un postérieur mal posé, c'est l'assurance, à plus ou moins long terme, d'un mal de dos carabiné. Tout instrumentiste digne de ce nom évite donc de trop s'acoquiner avec les « tabourliches » défoncés d'époque Napoléon III, les engins sans millésime ni estampille à crémaillère improbable, les bons gros poufs à l'allure rassurante, mais à la stabilité aléatoire, les surfaces sans âge et apparemment bien plates, qui, à l'usage, démontrent vite qu'elles ont irrésistiblement dû prendre la fâcheuse habitude de s'affaisser plus d'un côté que de l'autre... La relique à vocation décorative a parfaitement le droit d'exister et peut offrir d'amorce à bien des conversations. Un petit tour de généalogie familiale par-ci, un autre petit tour à base d'anecdotes plus ou moins vécues, et hop, le « tabourliche » devient, sinon le centre du monde, du moins le plus adorable derviche tourneur du salon. Simplement, une relique n'est pas un outil de travail et même un objet *a priori* récent et bien charpenté peut trahir une certaine fatigue à avoir affronté tout le poids durable d'un postérieur. Même les meilleures fabrications laissent quelquefois des souvenirs mitigés aux concertistes. Au point que certains solistes, lassés des petits problèmes constatés lors de récitals avec cet accessoire qui n'en est pas un, n'hésitent pas une seconde à prendre le risque de passer pour des divas et à se déplacer avec leur propre tabouret. Cela ne semble pas encore être le cas du pianiste chinois Lang Lang. L'emploi du temps chargé de ses tournées et les contraintes inhérentes au transport aérien ne lui laissent généralement que fort peu de « marges de manœuvre » pour choisir l'instrument destiné au concert et procéder à une installation personnalisée. Dans le documentaire *Pianomania*, on le voit, avant le début d'un récital au Konzerthaus de Vienne, former juste un vœu : que lui soit réservé un tabouret massif capable d'endurer son jeu extraverti sans la moindre défaillance ou interférence sonore parasite. Le souhait sera exaucé.

(1) Entretien avec Denise Glaser (émission télévisée « Discorama » réalisée par Raoul Sangla, produite par Denise Glaser et diffusée le 29 décembre 1968).

(2) *Pianomania, à la recherche du son parfait*, documentaire germano-autrichien réalisé par Lilian Franck et Robert Cibis, et produit en 2009.

« La vie m'a tant giflé que la tête m'en tournait comme la vis d'un tabouret de piano. »

Léon-Paul Fargue (1876-1947), *Vulturne*

« Ne jetez pas vos vieux décrets-lois, transformez-les en tabourets de piano. L'envers vaut l'endroit. Méthode simple et facile envoyée franco contre 18,95 F. »

Pierre Dac (1893-1975), *L'Os à moelle*

77

Noir sur blanc

« La musique, c'est du rêve dont on écarte les voiles ! Ce n'est même pas l'expression d'un sentiment, c'est le sentiment lui-même ! »

Claude Debussy (1862-1918), dans une lettre au prince André Poniatowski, en février 1893

Carine Achard, chanteuse-pianiste

Tous les Français ont connu, en son temps, Marcel Achard (1899-1974), l'académicien, auteur de *Patate* et autres comédies de boulevard, et homme de cinéma. Ils connaîtront peut-être bientôt Carine Achard.

Le piano est entré dans l'existence de cette chanteuse d'origine tourangelle dès son plus jeune âge. *« Très tôt,* raconte-t-elle, *j'ai été attirée par ce monstre noir et imposant qui attendait dans le salon, on ne sait depuis quand, on ne sait pour qui et pour quoi... Les années passent, la vie suit son cours et il est toujours là, je l'apprivoise, le délaisse prise par le cours des choses. Mais, sans trop comprendre, le besoin de le retrouver est toujours plus fort. Alors, pendant de longues années, de ruptures en retrouvailles, de la fusion à la déchirure, je me suis construite sans trop m'en rendre compte, comme pianiste. »*

Cependant, au sortir de l'adolescence, face à l'asepsie et à la monochromie de la société moderne, le chant et l'écriture se sont imposés à elle comme une évidence, un irrépressible besoin vital. Carine

Achard avoue volontiers avoir découvert grâce à la chanson et à la composition « *un moyen de sortir d'elle certaines choses qui ne peuvent être que chantées, une façon d'exprimer ses révoltes et ses émotions, mais aussi de réécrire la vie à sa manière, pour l'apaiser et remettre en couleurs ce qui ne l'est pas* ».

Très vite, bien sûr, et très naturellement, le besoin de partager son univers musical avec un public s'est fait sentir. « *Pour moi*, confie-t-elle encore, *la musique sans public est un non-sens : l'art et la création impliquent irrémédiablement le partage et donc, la scène. Ce qui compte le plus à mes yeux dans ce métier, ce sont ces instants hors du temps, où quelque chose d'indescriptible se passe avec les spectateurs, l'émotion dans un regard, une parole à la fin d'un spectacle qui résonne en vous pendant plusieurs jours, ces choses qui justifient le fait de remonter sur scène !* »

Tout en continuant sa formation musicale et en parallèle de ses études universitaires, elle a ainsi multiplié les expériences en piano-bar, soirées privées et petites salles provinciales. Au fil des notes et au croisement des routes, elle a remporté le premier prix d'interprétation au concours de chanson francophone Utopia, à Besançon, chanté en première partie d'un récital de Nicoletta et effectué plusieurs passages remarqués au *Petit Journal Montparnasse*, à Paris. Depuis le début des années 2010, elle met en avant son projet personnel de compositions qu'elle présente au public sous la forme d'un tour de chant piano-voix en solo ou accompagnée de Dominique Chanteloup à la batterie et aux percussions. À l'automne 2014, est sorti un superbe album, « Avant l'aurore » (1), qui représente l'aboutissement d'un long travail de maturation artistique, empreint de cohérence et de détermination. Avec de très jolies chansons comme *Page de vie*, *Overdose* ou *À lui*, Carine Achard entraîne dans un tourbillon expressionniste des sentiments, fait voyager là où l'on ne va que très rarement sinon jamais, et donne, pour le meilleur, bien sûr, et seulement pour le meilleur, « rendez-vous au pays des rêves ».

(1) « Avant l'aurore », CD, Charad Production, 2014 (diffusion : L'autre distribution). Musiques et textes : Carine Achard. Piano, voix : Carine Achard. Batterie, percussions, clarinette : Dominique Chanteloup. Guitare : Jean-Yves Rousseau. Violoncelle : Flora Chevallier. Accordéon, basse : Fabien Tessier.

« Où sont les larmes grises qui noyaient mes violences
Et cette moite chaleur qui fit bouillir mon sang
Et mes tempes brûlantes qui battaient en silence
Mes propres mélodies que j'entendais encore ? »

Carine Achard, *Amnésie*

78

Piano à pédales

« Chasseur de yaourt voudrait bien savoir quel développement il doit mettre aux pédales de son piano pour monter la gamme de *si* naturel sans essoufflement ? »

Pierre Dac (1893-1975), *L'Os à moelle*

Qu'elles soient deux ou trois, voire quatre (1), les pédales du piano ne sont pas une mince affaire. Aussi bien pour le pianiste débutant que pour le concertiste chevronné. Une fois qu'il a surmonté les problèmes d'indépendance entre les mains et les pieds – ce qui ne relève pas de l'évidence –, le premier commence par ne pas savoir quand il faut appuyer et relâcher. Le second, lui, a depuis longtemps compris qu'elles pouvaient être des outils magiques pour l'expression et l'interprétation musicales, mais il est soucieux de ne pas rendre son jeu moins intelligible en raison de leur utilisation excessive et malvenue. Libérant le son de l'instrument, la pédale forte – la pédale de droite – peut ainsi se révéler aussi bénéfique que diabolique, car elle a tôt fait, si elle n'est pas utilisée avec beaucoup de délicatesse et de discernement, de provoquer un mélange cacophonique des sons. Il convient toutefois de lui rendre cette justice : devant un public et en cas d'urgence liée à l'insuffisante préparation ou à la défaillance complète de l'instrumentiste, elle permet de tricher, de faire plus ou moins illusion, de « sauver » la partition... Très tentante en vérité puisqu'elle se montre toujours prête à être, en toute facilité, complice de l'à-peu-près.

À ce sujet, une pianiste comme France Clidat (1932-2012) ne manquait jamais une occasion de se référer à l'avis fort expert de Lazare-Lévy, qui fut l'un de ses maîtres, et à insister sur l'importance de l'enseignement. « *La pédale,* pour Lazare-Lévy, rappelait-elle dans un entretien (2), *n'était pas un accessoire, un artifice qu'on pouvait coller à sa guise, pour son plaisir, où l'on en avait envie. Elle faisait partie de l'univers sonore d'un morceau. Il devrait toujours en être ainsi. C'est quelque chose qui doit s'enseigner, la pédale. J'entends souvent les professeurs dire à leurs élèves : "Quand tu sauras ton morceau, tu mettras la pédale." C'est idiot. La pédale exige une technique spécifique, elle joue le rôle de l'éclairagiste et du metteur en scène. Deux pédales bien mises dans un morceau, voire trois, donnent des résultats fantastiques. Certains ont l'air d'ignorer les mécanismes qui leur sont sous-jacents, comme ils méconnaissent l'action du pied sur la barre. On se voit contraint de leur dire : "La pédale, vous ne devez jamais la lâcher. Vous devez la tenir au creux de votre semelle... et l'enfoncer avec l'oreille." On travaille les doigts, on ne travaille pas les pieds, on oublie l'oreille. Je le constate tous les jours. J'aurai eu cette chance, avec Lazare-Lévy, de pouvoir tout aborder en même temps. Dans l'*Ondine du Gaspard de la nuit *(3), il nous faisait imaginer que notre bras droit était suspendu au plafond par un fil. Pour réussir les batteries d'accords, les doigts doivent être légers, légers au point de ne plus avoir de poids et de tomber, littéralement, sur le clavier. Ils ne doivent bien sûr pas s'affaisser, la tension ne doit pas être annulée, mais pesée, au sens propre. Le contrôle du son se fait par l'oreille, qui dirige et contrôle l'égalité sonore, et la pédale se change judicieusement, très précisément, suivant la compréhension qu'il faut impérativement avoir des lois de l'harmonie ravélienne.* »

(1) Il existe en effet des modèles de piano à queue, conçus et réalisés à notre époque, qui comportent quatre pédales, pouvant être utilisées indépendamment ou simultanément. Cas, en particulier, des instruments du fabricant australien Stuart & Sons.

(2) Entretien avec Frédéric Gaussin, site Internet Jejouedu piano.com.

(3) Œuvre de Maurice Ravel.

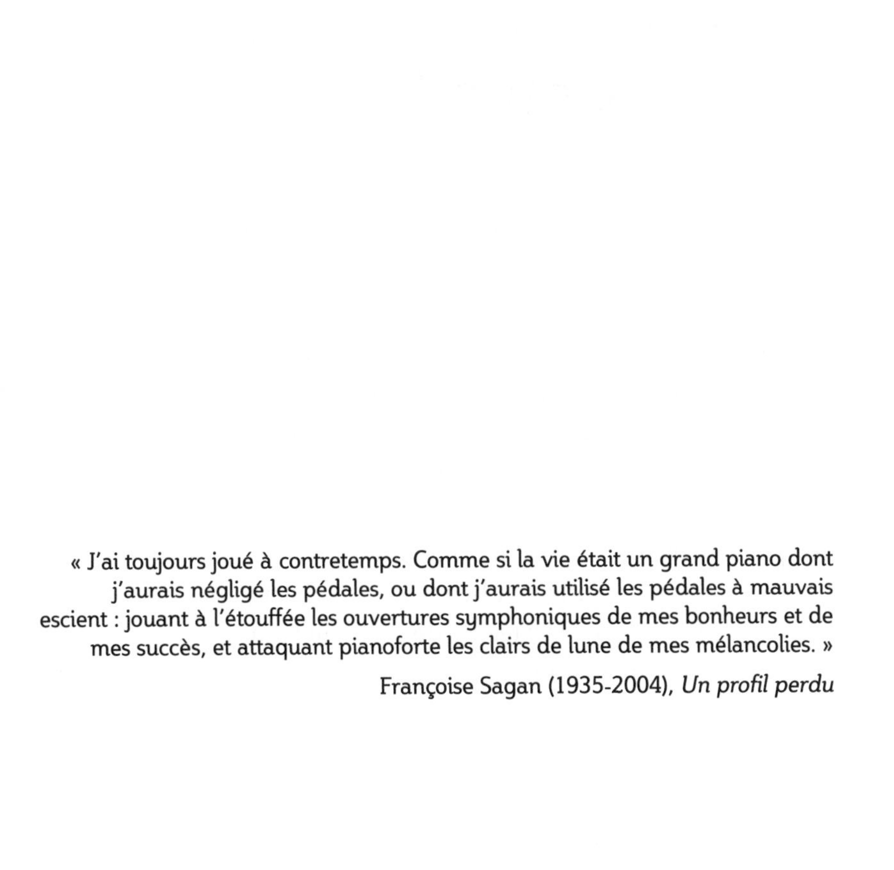

« J'ai toujours joué à contretemps. Comme si la vie était un grand piano dont j'aurais négligé les pédales, ou dont j'aurais utilisé les pédales à mauvais escient : jouant à l'étouffée les ouvertures symphoniques de mes bonheurs et de mes succès, et attaquant pianoforte les clairs de lune de mes mélancolies. »

Françoise Sagan (1935-2004), *Un profil perdu*

79

Noir sur blanc

« Tant qu'il s'agit du piano, je me fie entièrement au sentiment.
Je ne m'en méfie que dans la vie. »
Oscar Wilde (1854-1900), *L'importance d'être constant*

Gérard Fauvin (*) : « Le plus beau des pianos du monde, c'est celui... »

« Ma » Fabienne vient de fêter mes soixante ans, m'offrant sans doute l'anniversaire le plus pianistique jamais imaginé. Rêveur invétéré, fainéant hyperactif, amoureux de la vie, moine contemplatif dont la relique est le piano, je traverse le monde des mammifères plantigrades bipèdes avec délectation. Le piano a été le compagnon fidèle de toute une demi-vie (je ne mourrai pas avant cent vingt ans). J'en ai joué, usé, abusé. J'en vends, j'en loue, j'en porte, répare, restaure et je ne m'en lasse pas ! Malgré toutes mes désaffections et périodes d'abandon, il m'est resté fidèle et sans rancœur. Nous avons passé ensemble plus de cinquante-huit ans, et IL ne cesse de se renouveler, de m'offrir la beauté de ses harmonies, la force de ceux qui le font vibrer, la sagesse de ceux qui l'ont inventé, créé, fait évoluer, construit, amélioré.

Aujourd'hui, le carburant de ma joie de vivre est toujours le piano. Le « lourd » s'est précisé en TROIS domaines : L'accord « Beauté et Justesse, Sculpture sonore », le service concert (Rencontres avec des hommes remarquables) et la restauration de pianos (Restauration traditionnelle de qualité ou Restauration historique).

Accord : Je partage souvent cette vérité : si l'on ne me payait pas (cher) pour accorder vos pianos, j'en serais vite réduit à payer moi-même, afin de continuer à vivre le privilège de travailler sur moi-même par la recherche de la justesse, de l'Accord parfait, de l'Harmonie universelle.

Accorder un piano ne se résout pas à une relation tarifée, forme de prostitution professionnelle inévitable : pognon contre temps passé, le résultat du premier degré (piano jouable et accordé) n'étant souvent qu'approché, le deuxième degré (approche d'une relation symbolique entre êtres humains) carrément inexistant dans ce marché de dupes.

Accorder un piano obéit aussi à une « règle de trois ». Accorder, c'est mettre un corps sonore en harmonie avec l'Univers, à un moment donné, dans un lieu donné, pour une personne donnée.

Puis-je développer ? Nous vivons dans un univers en perpétuel mouvement et évolution, l'accord réalisé sur CE PIANO-LÀ se situe à un moment précis de la journée ou de la nuit, dans un lieu doté de son acoustique propre, tributaire du temps qu'il fait, de la saison, et réalisé PAR ou POUR une personne donnée : moi-même (l'accordeur) ou bien « le pianiste » lui-même ; si, si : ça arrive ! Pour accorder, la démarche s'effectue d'une manière précise et « non négociable »... On part du diapason, le « UN », l'unique, « La » « référence ». Du *la* 3, j'accorde le *la* 2 et commence à établir quintes, quartes et tierces selon un schéma immuable... qui change tous les cinq ans ! Il ne faut pas risquer de s'endormir dans une méthode qui pourrait devenir confortable. Il y a la règle et la mise en application de la règle.

Service concert. C'est le lieu de rencontre idéal avec des humains d'exception. Rencontre avec des hommes remarquables. Plus ils sont grands, plus ils sont simples, vrais, plus ils vont à l'essentiel. Le minimum qu'ils demandent : un piano parfait ! Ensuite, on va chercher à aller plus loin, ensemble... afin de se dépasser, de faire encore mieux que ce qui est simplement possible.

Mon piano, mis à leur service ce jour-là, est une sorte de « plat du jour » imposé. Vous avez beau présenter fièrement une belle côte de bœuf à un végétarien, il n'appréciera pas ! Merveilleux enseignement de la vie : le « plus beau des pianos du monde », un mardi soir, n'est plus qu'un piano « un peu lourd » le mercredi, trop léger le jeudi, un peu trop clair le vendredi, un peu sourd et mat le samedi. C'est ici que l'on apprécie les grands pianistes (attention, ne pas confondre « grand » pianiste et pianiste « reconnu »). C'est souvent leur capacité d'empathie envers leurs semblables qui fait que leur *Opus 11* ou *Sonate de Liszt* devient si poignante. Livraison et mise en place sont souvent des opérations indispensables et permettent de « créer un lien » avec les gens du théâtre, de la salle de spectacle. Mise en place du piano : un homme seul face à 550 kilos de masse inerte qui se laisse manœuvrer comme un jouet ; opération solitaire souvent suivie par des dizaines d'yeux étonnés, incrédules, voire admiratifs !

Le service concert est souvent l'aventure d'une journée de quinze heures. Au magnifique Nouvel Auditorium de Bordeaux, où j'officie sur le grand Steinway D 274 que je leur ai fourni, j'arrive généralement vers 7 heures. Deux à trois heures d'accord, à traquer la moindre harmonique, facétieuse ce jour-là, à créer un lien émotionnel, spirituel et astral entre l'objet piano, l'accordeur outil de la réalisation, charpentier de la mise en harmonie du « corps sonore », la personnalité du ou de la pianiste et, enfin, le répertoire.

Ensuite, la mécanique, le pédalier, nettoyer le piano, reprendre l'accord, retoucher le timbre de quelques notes...

Arrivée de l'artiste. Joie, expression du ressenti, le moins de mots possible, s'effacer. Il sait se faire lui-même une opinion sur le piano, pas besoin de lui vanter le produit : il sait, il sait faire et écouter. Et la magie du service concert est là : accordeur, facteur de pianos, je sais TOUT faire, mais je ne sais pas QUOI faire ! Seul le pianiste, qui, lui, ne sait RIEN faire à ce niveau-là (régler, piquer, chauffer, modifier l'échappement, la course de pédale) sait nous emmener là où il le souhaite, là où je ne serais jamais allé sans lui. (Souvenir d'une journée mémorable avec Mikhael Pletnev au théâtre des Champs-Élysées)...

Restauration historique. Je suis apprenti en facture de pianos et de clavecins depuis plus de trente-cinq ans. J'ai appris durant quatre ans avec mon maître, Joseph Meingast, chez Neupert, à Bamberg, en Bavière. Puis j'ai cru pouvoir approfondir tout seul, innover, trouver, réinventer. Et puis c'est un piano, cadre bois de facture moyenne, qui m'a interpellé. Que d'ingéniosité, de savoir-faire dans cet instrument ; c'est lui qui me guidait et m'indiquait ce qu'il « attendait de moi ». Depuis, au quotidien, avec mes compagnons, ou la nuit, seul, de retour de concert, je passe des heures à « écouter » ce que me demandent les Erard, Pleyel, Bosendorfer, Schiedmayer, Bluthner, C. Bechstein et bien sûr les Steinway & Sons. Apprenti et rien de plus ; surtout rien de plus.

Quand j'entends parler d'intégrer une mécanique neuve et moderne dans un piano ancien, je sors mon revolver ! La belle restauration, c'est l'instrument magnifique dont on ne peut comprendre les qualités musicales, l'égalité de toucher, la beauté du meuble, alors que « visiblement », il est en état d'origine. Je commence à passer de plus en plus de temps à la « conservation » en état d'origine de pianos des années 1850 à 1890... Des merveilles...

(*) *« Le piano, ce n'est pas mon métier, c'est ma vie »*... Depuis plusieurs décennies, c'est ce que proclame volontiers Gérard Fauvin à force de consacrer jour après jour son existence à l'instrument. Après des études de musicologie à Strasbourg, il est parti pour un stage d'un mois à Bamberg, en Allemagne, où il est finalement resté plus de quatre ans, durant lesquels il a appris tous les aspects de sa profession, jusqu'à se voir confier des restaurations pour les musées allemands et autrichiens. Depuis mai 1986, il s'est installé avec son épouse, Fabienne, en Charente, à Jurignac, où ils ont tous deux créé le Domaine musical de Pétignac. C'est un coup de cœur pour l'ancienne « maison de maître » d'un important viticulteur et courtier en eaux-de-vie qui les a amenés à remplacer les barriques de cognac par environ deux cents pianos droits et à queue, pianofortes, pianos anciens et clavecins. Aujourd'hui, Gérard Fauvin loue ses instruments et ses Steinways & Sons (marque pour laquelle il est à la fois l'un des douze concessionnaires officiels, service concert et technicien membre de la prestigieuse « Steinway Academy ») pour les concerts et enregistrements, prépare des modèles neufs, entretient les pianos des conservatoires et fournit régulièrement orchestres et festivals. Avec les compagnons qu'il a formés, il continue de développer son concept de « restauration historique ». Son activité s'étend sur toute la France ainsi qu'en Suisse, en Allemagne, en Angleterre, au Portugal, en Algérie, au Maroc, au Brésil et aux États-Unis. Il participe régulièrement à Musicora, au Salon du patrimoine culturel, au Carrousel du Louvre, à Paris, ainsi qu'à différentes autres manifestations. Enfin, dans le cadre de la formation professionnelle et continue, des stages sont organisés au Domaine musical de Pétignac pour les pianistes, enseignants de musique et accordeurs en recherche de perfectionnement. Chaque année, la Fête de la musique et du silence brille de tous ses feux en ce lieu, le samedi qui précède la fête officielle du 21 juin.

« "Toute musique n'est qu'une suite d'élans qui convergent vers un point défini de repos.»

Igor Stravinsky (1882-1971), *Poétique musicale* (II Du phénomène musical)

80

Touche érotique

« C'était Mozart qu'on assassinait. Après l'avoir longuement torturé. La salle de bal du Schloss Eisenstadt avait été transformée en auditorium l'espace d'une soirée afin de permettre à la baronne Frederika de démontrer ses talents de pianiste, au cours d'un concert interminable, clou de sa grande fête du printemps. (...) Un couple venait d'échapper à l'horreur musicale. Enlacés, ils gagnèrent un autre coin de la rambarde. Impitoyables, les notes du piano continuaient à les poursuivre... La baronne Frederika les aurait à l'usure. Alexandra resserra les cuisses, enfermant Malko dans son ventre. »

Gérard de Villiers (1929-2013), *L'Anthologie érotique de SAS*

« Traversée directement par les désirs et les pulsions, la musique n'a jamais eu d'autre sujet que le corps. »

Jacques Attali, *Bruits*

Le corps a ses raisons que la raison ne connaît pas... Surtout quand le piano s'en mêle. À l'origine d'innombrables rapprochements, il paraît avoir le don de susciter plus d'un attouchement. Ce qui explique d'ailleurs en partie que, au XIXe siècle, il y ait eu tant d'intérêt – et de succès – pour les morceaux joués à quatre mains, qui justifiaient et autorisaient les effleurements, sinon en tout genre du moins en tout bien tout honneur et dans le plus strict respect apparent des sacro-saintes convenances... Il suffit de lire certains écrits érotiques de Stendhal pour percevoir combien le piano est très tôt apparu comme le témoin et le complice privilégié des pulsions les plus directes.

« Resté seul un instant avec Mlle Isnard, l'aînée, qui touchait le piano, raconte l'auteur du Rouge et le Noir, *assise sur un sofa où il était aussi, saisi d'un transport, il voulut l'enfiler. Il ne lui avait jamais parlé d'amour de sa vie. »* (1) Trente ans plus tard, Aurélien Scholl

ne fait que confirmer que l'instrument agit comme un aimant. *« La dame a cru voir autre chose en moi,* écrit-il (2), *que dans les soixante prétendants dont je l'ai trouvé environnée, piano aidant ; je ne saurai que plus tard si elle s'est trompée. »*

La forme du piano peut même produire, tous azimuts, d'irrépressibles effets. En témoigne l'homme des *Gymnopédies*, Erik Satie, auquel est souvent attribuée cette phrase dépourvue de toute équivoque : *« J'aimerais jouer avec un piano qui aurait une grosse queue ! »* Bien sûr, l'origine aphrodisiaque d'une liaison ne se trouve pas nécessairement dans l'ampleur d'une courbe noire, l'extrême longueur des cordes les plus graves, la simple présence d'un pédalier ou le galbe d'une lyre... Mais si le couvercle de certains instruments pouvait s'entrouvrir et parler, il est probable qu'il dévoilerait l'intensité érotique de la relation de Liberace et son amant longtemps secret Scott Thorson, de Daniel Varsano et l'imitateur Thierry Le Luron, et de bien d'autres couples, tant homo que hétérosexuels. Heureusement, un romancier comme Alessandro Baricco est là pour suggérer la magie de certains instants... *« Il ne jouait pas, il glissait,* écrit-il dans *Novecento : Pianiste. C'était comme une combinaison de soie qui glisserait doucement le long du corps d'une femme, mais en dansant. Il y avait tous les bordels de l'Amérique dans cette musique, mais les bordels de luxe, ceux où même les filles du vestiaire sont belles. »* Heureusement aussi, il y a parfois des désirs qui deviennent une chanson (3) : *« Cette fille... J'la coucherai dans mon piano... Elle n'a pas d'égale sur terre, sur mer, même en enfer. »*

(1) Stendhal, 21 juin 1832, dans *Les Écrits érotiques de Stendhal* (1801-1832), ouvrage publié en 1928 par la Société stendhalienne.

(2) *Histoire d'un premier amour,* 1860.

(3) *J'la coucherai dans mon piano,* chanson de Jean-Claude Vannier, 1975.

« L'amour à seize, c'est l'amour chic, spécial et compliqué,
à la mode amoureuse des initiés associés du seizième arrondissement,
le cul dans un grand seau à glace rompue et les œuvres vives des convives sur
le clavier d'un large piano à longue queue de concert, à pédale tantôt douce,
tantôt forte et à couvercle rabattu. »

Pierre Dac (1893-1975), *Avec mes meilleures pensées*

81

Note pédagogique

« Oui, la musique, c'est très important. D'ailleurs, petit, je faisais du piano, que j'aimais beaucoup, jusqu'à ce que ma professeure me renverse de la soupe bouillante sur la main. Après, plus de piano ! Je me suis mis à l'harmonica (soupir)… Notez, c'est mieux que l'accordéon ! »

Jean-Pierre Marielle, dans un entretien au *Figaro Magazine* paru le 20 novembre 2010

Dès lors que les noms des premiers degrés de la gamme correspondent, depuis Guido d'Arezzo (1), aux premières syllabes d'un chant religieux latin, il faut, à coup sûr, y voir un signe. Apprendre la musique à autrui relève bel et bien d'un sacerdoce ! Et donner des cours de piano suppose une vocation quasi bénédictine, au regard des trésors de patience et d'abnégation dont il est nécessaire de faire preuve. Un hommage particulier devrait d'ailleurs être rendu à l'inimaginable dévouement de tous ces professeurs qui s'efforcent d'inculquer les indispensables bases techniques du jeu pianistique et qui ne peuvent qu'en de rares occasions songer à aborder le stade de l'interprétation et sa dimension artistique. Quand Georges Ade (1866-1944) écrit dans ses *Fables* que *« le professeur de piano venait deux fois par semaine combler l'immense fossé qui séparait Dorothée de Chopin »*, il ne fait que laisser entrevoir l'inhumaine entreprise de rabâchage qu'impliquent, le plus souvent, une telle ambition et son caractère trop vertigineux pour ne pas être assommant... Pour les enseignants comme pour la plupart des élèves. Même une Jacqueline de Romilly, dans un contexte *a priori* et à tous égards plutôt favorable à la pratique instrumentale, n'a pas résisté. Elle l'a avoué à la fin de sa vie. *« Là encore, en effet,* raconte-t-elle dans *Jeanne* (2), *il faut penser à la différence des époques. Il ne s'agissait pas alors de rester assis à écouter un transistor, ou même une chaîne de haute fidélité ; quand on aimait la musique, on la jouait. Et ce sérieux qui nous touche dans la jeunesse d'alors, au point de sembler en offrir une image un peu convenue et embellie, lui était en fait imposé par les circonstances. À ce que l'on aimait, il fallait collaborer ; la joie que l'on en tirait devait être plus durable. Pour ma part, j'ai eu très tôt des disques et le long détour par les leçons de piano m'a agacée, découragée. Moi, la fille de mon père, j'ai renoncé...* »

(1) Guido d'Arezzo (992-1050) doit sa célébrité à sa contribution à la pédagogie musicale. Afin de nommer les six degrés de son hexacorde, ce moine italien a en effet utilisé *ut, re, mi, fa, sol, la*, les premières syllabes de chaque demi-vers d'un chant religieux latin, l'*Hymne à saint Jean-Baptiste* dont le texte est généralement attribué à un autre moine italien, l'érudit Paul Diacre (en latin Paulus Diaconus).

(2) Jacqueline de Romilly, *Jeanne*, Éditions de Fallois, Paris, 2011.

« Heureusement qu'il reste des professeurs de musique. Sans eux, les élèves feraient trop de progrès. »

Attribué à Moritz Moskowski (1854-1925)

« L'art est un échange. On peut guider, mais pas enseigner. L'art ne s'enseigne pas. »

Maria Joao Pires, dans un entretien avec Stéphane Friédérich publié dans la revue *Pianiste* en mai-juin 2013

82

Noir sur blanc

« Le musée est un des lieux qui donnent la plus haute idée de l'homme. »
André Malraux, *Le Musée imaginaire*

Alençon ne fait plus dans la dentelle

Alençon est une petite ville très française. Comme sa population avoisine les trente mille habitants, elle a bien sûr son « agglo », histoire de se donner l'illusion d'avoir un peu d'importance, de parfaire le « mille-feuille administratif » et surtout de permettre à son maire d'améliorer sensiblement le montant de ses indemnités de fonction... Mais elle a beau avoir eu ses décennies de gloire avec ses imprimeries et ses dentelles, avoir été l'un des bastions de Moulinex, s'être imposée comme le centre planétaire de la production du fameux « moulin à légumes » de feue cette grande entreprise industrielle de petit électroménager, aujourd'hui, elle n'est plus qu'un panneau de signalisation sur l'autoroute Rouen-Le Mans. Le fait d'être le lieu de naissance d'Auguste Poulet-Malassis, l'éditeur et ami de Baudelaire, de la musicienne Jeanne Messager, du chanteur Daniel Balavoine, du comédien Lorant Deutsch et de l'actrice Anne Consigny n'y change évidemment rien. Pourtant, depuis l'été 2014, Alençon a de quoi susciter la curiosité puisque s'y est ouvert un musée du piano (1) ! Avec des pièces uniques rassemblées par un passionné de l'instrument. L'initiative n'est pas la première du genre en France puisqu'il existe, depuis 2002, un établissement public entièrement consacré à l'instrument à Limoux, dans la région du Languedoc-Roussillon, et doté d'une centaine de pianos de toutes les époques. Mais elle a le triple mérite d'être unique au nord de la Loire, de démontrer qu'Alençon ne fait plus seulement dans la dentelle et de marquer l'aboutissement d'une démarche privée, celle d'un pianiste et professeur de piano, Pierre Tisseyre, qui a souhaité faire partager au public le fruit de ses recherches et de ses efforts pour dénicher une vingtaine d'objets présentant un réel intérêt musicologique – qu'il s'agisse d'une épinette de l'époque de Louis XIV, d'un clavecin rarissime (2) ou d'un Pleyel de 1848 –, les sauver de l'abandon ou de l'oubli et leur redonner vie. Dans *La Tête d'obsidienne*, André Malraux n'assure-t-il pas que *« le musée est le seul lieu du monde qui échappe à la mort »* ?

(1) Musée du piano, 9, rue de l'École-normale, à Alençon. Ouvert tous les jours de 15 heures à 18 heures (dernière visite guidée à 17 heures). Tarif : normal : 5 €, 3 € pour les étudiants et les moins de 18 ans, gratuit pour les moins de 12 ans. Possibilité de visite hors horaires d'ouverture, contact : 06 25 79 55 90.

(2) Contrairement à une idée largement répandue, le clavecin n'est pas, à proprement parler et à la différence du piano- forte, l'ancêtre du piano actuel. Cet instrument, qui conserve aujourd'hui encore ses amateurs, continue d'être joué par des spécialistes de grande renommée comme Pierre Hantaï et Andreas Staier, et parfois par d'éminents pianistes, dont Paul Badura-Skoda.

« Lorsqu'il arrive, nous nous installons dans le plus grand salon, celui qu'on appelle le salon de musique, là où trône un piano à queue. Bien que ce ne soit plus l'instrument d'origine, c'est là que l'épouse de Malraux avait l'habitude de jouer quand le ministre de la Culture de Charles de Gaulle habitait ce lieu. »

Valérie Trierweiler, *Merci pour ce moment*

83

Roi du mambo

« Vous venez de pénétrer dans l'univers du ridicule, mademoiselle. Tout ici est ridicule. La rumba est ridicule, le mambo est ridicule, le tango est ridicule, la valse est ridicule, mais à l'intérieur de tous ces ridicules, il y a peut-être le bonheur. »

Patrick Cauvin, *Héloïse*

Les Cubains peuvent être très étonnants. Au meilleur sens du terme et dans tous les arts. Qu'il s'agisse du cirque, avec des jongleurs et acrobates hors du commun, qu'il est possible d'apprécier sous les plus grands chapiteaux et dans les meilleurs music-halls du monde, ou de la peinture, avec notamment Wifredo Lam (1902-1982), Gina Pellon (1926-2014), Jorge Camacho (1934-2011) et Joaquin Ferrer, le chantre de l'abstraction lyrique salué par Max Ernst. À croire qu'ils ont, les uns et les autres, un sens inné de l'universalité, qui leur vient peut-être de leurs lointaines origines phéniciennes (1)... En musique, ils sont les maîtres du mambo, un genre musical lié au danzon (2) et un style de danse qui remontent aux années 1930 et leur appartiennent. Il suffit, pour ceux et celles qui s'aviseraient d'en douter, de se référer à Pérez Prado (1916-1989) et d'avoir la curiosité de voir, via YouTube, quelques bribes pelliculaires qui font revivre des instants magiques de piano solo pour vite se rendre compte que le surnom donné au personnage, « le roi du mambo », n'était en rien usurpé, même si, dans le genre, d'autres instrumentistes – comme le Cubain Jean Bruno Tarrazas ou le Mexicain Chamaco Dominguez – furent loin de démériter. À la fois chanteur, organiste, pianiste, chef d'orchestre et compositeur, Damaso Pérez Prado démontrait en tout cas qu'avec lui le mambo, mot d'origine bantoue qui signifie « voix en chœur », devenait véritablement doigts en chœur... Certains de ses grands succès populaires restent fort célèbres. En particulier, *Patricia*, dont s'est servi Federico Fellini dans *La Dolce Vita*, et *Mambo n° 5*.

Bien évidemment, l'univers musical et pianistique latino-américain ne se réduit pas à sa seule dimension cubaine, aussi remarquable soit-elle. Avec l'Argentine et le Brésil, il offre des champs immenses pour de surprenantes découvertes... Ici, ce sont des tangos que Luis Bacalov, ce pianiste et compositeur italien d'origine argentine, sait rendre magistraux et exquis. Là, ce sont encore ces tangos d'origine contrôlée, dans lesquels ce « tigre » de Clemenceau ne voyait *« que des figures qui s'ennuient et des derrières qui s'amusent »*, mais revisités de fond en comble par Stefano Bollani, au style si éclectique et si riche en citations musicales. Là encore, ce sont des valses et autres morceaux magnifiques de Ernesto Nazareth, le maître du « tango brésilien », sous les doigts inspirés de Arturo Moreira Lima, à coup sûr l'un des meilleurs interprètes latino-américains de Frédéric Chopin.

À ce petit jeu, même un pays volontiers ignoré ou dédaigné comme l'Uruguay peut réserver d'heureuses surprises, avec par exemple le candombe, ce merveilleux genre musical qui s'y est beaucoup développé et où a excellé le pianiste Alberto Dogliotti (1939-2007), natif de Montevideo.

(1) À en croire notamment Charles Étienne Brasseur, dit Brasseur de Bourbourg (1814-1874), ce missionnaire qui fut l'un des pionniers de l'archéologie et de l'histoire précolombiennes.

(2) Genre musical créé vers 1880 à Cuba, à Matanzas, par Miguel Failde, le danzon est une forme de *contradanza-habanera*.

« Le tango, je me demande pourquoi ça se danse debout ! »
Sacha Guitry (1885-1957), *Mon père avait raison*

« Sur un piano systématiquement faux
Un légionnaire énigmatiquement beau
Jouait, jouait pour oublier ses tourments
La toccata qu'il aimait tant. »

Jean Yanne (Jean Gouyé dit, 1933-2003), *Le Mambo du légionnaire*

84

Noir sur blanc

« Entrer en scène, c'est comme se jeter dans le vide
du haut de la tour Montparnasse. »

Thierry Le Luron (1952-1986), *Comme trois pommes*

D'un Alain Bernard l'autre

Fils d'un décorateur de théâtre et auteur de chansons, Alain Bernard n'a pas eu besoin ni d'un « droit de présentation » archaïque ni d'un bakchich pour plonger dans la carrière artistique. D'emblée, il a opté pour la version piano-bar, tout en apprenant à composer avec Patrick Lemaître. Une collaboration récompensée en 1983 par un disque d'or avec Céline Dion.

Attiré par le spectacle, en général, et la comédie, en particulier, c'est cependant le même Alain Bernard qui intègre l'équipe du « Théâtre de Bouvard » à la télévision et devient par la suite le pianiste attitré de Smaïn. Leur complicité durera vingt ans ! Tous deux vont se produire sur les plus grandes scènes, à Paris, en province et à l'étranger. Ce qui n'empêche pas le musicien de poursuivre, en parallèle, d'autres activités et de démontrer que son homonyme champion olympique n'est pas le seul à savoir pratiquer les « quatre nages » : il sévit à la radio en revisitant l'histoire dans « Rire et Chansons », joue au théâtre, notamment dans la pièce à succès *Court sucré ou long sans sucre*, et compose pour la scène, la télévision et le cinéma. Comme il est aussi pianiste-animateur lors d'événements et autres manifestations, il fait son cinéma au Festival de Cannes et son tweet en 140 notes pour celui de la Fiction TV, à La Rochelle...

Pourtant, rien de tout cela ne lui vaudrait de figurer dans cet ouvrage s'il n'avait pas pris l'initiative de monter son propre *one-man-show* d'humour musical *Piano Rigoletto*, en faisant appel à Pascal Légitimus pour assurer la mise en scène.

Avec ce spectacle, Alain Bernard offre, avec son piano et son Casio, une leçon de musique résolument loufoque et ludique. Il fait, en effet, revivre l'histoire de la musique et la réalité quotidienne des musiciens, de la préhistoire à David Guetta, en passant par le Moyen Âge, les périodes classique et romantique... De Beethoven à Bob Marley, en passant par Chopin, la chanson réaliste, le blues et les musiques de film.

« Ce qui compte aujourd'hui, c'est l'apparence :
quand tu ne parais pas, tu disparais. »

Smaïn, dans le spectacle *Smaïn* au Casino de Paris

85

Libre-service

« La musique creuse le ciel. »

Charles Baudelaire (1821-1867), *Journaux intimes* (Fusées, VIII)

En France, la musique est à la fête un jour par an. Autant souligner qu'elle ne l'est pas vraiment les 364 autres jours de l'année...

De fait, elle n'a que faiblement droit de cité et, socialement, les musiciens ne sont rien. Ou si peu. Pourtant, quelle injustice !

Hier très présente dans les supermarchés, les ascenseurs de grands hôtels, les messageries téléphoniques et les sous-sols, elle a certes droit au logement, mais confinée dans ses enceintes hi-fi et ses amplis, souvent rattachés à ce qui peut faire écran... Or, la musique, en général, et la musique pour piano, en particulier, ne sont heureuses – on ne le chantera jamais assez – que vivantes. C'est-à-dire jouées. Ce qui sous-entend prendre le risque d'étonner ou d'être mal jouées... Mais les instruments ont presque tous disparu des lieux accueillant le public, des foyers de théâtre comme des foyers. Seuls le piano, la guitare, le violon ou le violoncelle parviennent encore à survivre, ici ou là, au sein de familles à profil relativement connoté. Encore ne jouent-ils la plupart du temps qu'un rôle de figurants...

C'est dans ce contexte qu'est apparue, en 2014, l'intéressante initiative de Gares & Connexions, une filiale de la SNCF. Après le succès rencontré par l'installation d'un piano à la gare Montparnasse lors de la première édition parisienne de Play Me, I'm Yours, cette filiale de la SNCF a souhaité pérenniser l'opération et surtout l'étendre dans d'autres gares. De son côté, Yamaha Music Europe a eu le bon réflexe de proposer son aide, de faciliter l'accès à ses distributeurs et de proposer un suivi pour l'accord et l'entretien des instruments. Tant et si bien que des dizaines d'instruments, pianos droits acoustiques ou numériques, ont pu devenir accessibles en libre-service dans certaines gares françaises (1). Cette grande manœuvre s'accompagne d'un concours national où chaque pianiste en herbe ou amateur confirmé est invité à se filmer en train de jouer et à poster sa vidéo sur un site dédié. Toutefois, aucune étude n'a été réalisée pour déterminer si la présence de pianos dans les gares est de nature à réduire au minimum les dysfonctionnements et autres grèves et à apaiser les esprits des voyageurs qui restent à quai...

(1) En juin 2014, à l'occasion de la Fête de la musique, quelque cinquante pianos ont également « fleuri » aux Champs-Élysées, à Paris, et permis des concerts improvisés autour des jardins du théâtre Marigny.

« Sire et fade au sol ciré
Si - ré - fa - do - sol - si - ré
L'adoré, dos raide aussi
La - do - ré - do - ré - do - si
L'ami dort hélas ici.
La - mi - do - ré - la - si - si »

Louise de Vilmorin (1902-1969), Fado in *L'Alphabet des aveux*

86

Noir sur blanc

« Le piano est un compagnon, un complice, toujours prêt à faire écho à vos sentiments, à votre humeur. Un ami peut vous contredire, vous mentir, vous trahir ; le piano jamais ne ment, ne contredit ni ne trahit le pianiste. C'est un confident, toujours prêt à l'écoute. Il ne répète ce qu'on lui confie que si le compositeur le lui impose. »

Maurice Denuzière, *L'Alsacienne*

Stephen Paulello (*) : « Pour une nouvelle vague d'évolution »

Le piano jadis « forte » est récemment devenu « acoustique » pour le distinguer du clavier numérique. Ce bel instrument amorcera-t-il une nouvelle vie ou appartiendra- t-il bientôt au musée ?

Il devient banal de dire que nous sommes entrés dans une phase de transformation forte dont la révolution numérique est le trait le plus marquant. Le clavier numérique, inutile de le préciser, a le vent en poupe.

En outre, l'éventail des musiques dites actuelles focalise aujourd'hui notre attention. Celles-ci regroupent la chanson, le jazz et l'improvisation, les musiques traditionnelles accompagnées d'instruments modernes, les musiques amplifiées comme le rock, la pop, le métal... Toutes ces musiques s'appuient sur l'électro-amplification. Le clavier numérique et le synthétiseur y tiennent une place croissante.

Le piano, lui, semble ne trouver son sens que dans la musique dite « savante » ou « classique ».

Cela étant posé, pourquoi et comment tenter de repenser une facture de piano tricentenaire, jouant à la belle endormie depuis un siècle et demi, croyant avoir atteint une illusoire et inutile perfection, vantant les mérites d'une sonorité aussi objective et pauvre que celle de ses épigones numériques ?

Non pour ajouter un énième piano à ceux si inutilement fabriqués aujourd'hui, mais pour faire comprendre qu'après trois vagues d'évolution successives, l'arrivée d'une quatrième vague est l'unique chance donnée à cet instrument de poursuivre sa vie. Ce mouvement a été lancé par Wayne Stuart, en Australie, et nous-mêmes, en France. Pour cela, les dogmes de la facture de pianos sont repensés un à un et d'autres solutions envisagées. Les pianos Stephen Paulello et Stuart & Sons sont mieux pensés, plus stables et, surtout, inimitables électroniquement, tant leur sonorité est non convenue, versatile et complexe. Ils sont destinés aux compositeurs, aux improvisateurs et aux trop rares pianistes amoureux du son, qui considèrent que *« chaque concert est une aventure dont ils ne connaissent pas l'issue »*. Notre objectif : développer un nouveau paradigme.

C'est dans cette perspective que nous travaillons en collaboration avec l'ENSTA, l'INSA de Lyon, le laboratoire de mécanique des solides de l'École polytechnique, le Laboratoire UMR-Navier UPMC. Un programme de recherche sur quatre ans concernant les tables d'harmonie de pianos vient d'être lancé. Par leur construction, nos pianos sont particulièrement adaptés à ce type d'expérimentation.

Nous fabriquons couramment deux modèles de pianos à queue à cordes croisées et travaillons sur un modèle de concert de 3 mètres dit « Opus 102 » équipé d'un clavier de 102 notes avec une extension dans les basses aussi bien que dans l'aigu.

Nous utilisons notre principe de structure monobloc et un système à haute mobilité constitué d'un chevalet unique à agrafes et d'une table d'harmonie sans précontrainte dépourvue de raidisseurs. Ce cadre métallique ne possède pas de raidisseurs et toutes les cordes sont accessibles comme peuvent l'être celles d'une harpe car elles sont parallèles et obliques.

La première de l'Opus 102 est prévue mi-2015. Nous compléterons notre gamme de pianos à cordes parallèles avec un quart de queue 185, un trois-quarts de queue 220 et plus tard un piano droit équipé d'une mécanique de piano à queue.

Menacés par ses enfants numériques, concurrencés par les offres de loisirs, les pianos de l'avenir seront ce que nous voudrons bien en faire. La formation des futurs musiciens, l'éducation de leur oreille, leur sensibilité à la poésie ainsi que le niveau de leur culture générale, l'idée qu'ils ont de leur métier sont autant d'éléments qui conduiront la musique classique, en général, et le piano, en particulier, à sa survie ou à sa mort. Après trente années d'enseignement du piano et de la musique de chambre dans un conservatoire parisien et à travers un effort de transmission du savoir acquis au cours de nombreuses recherches et expérimentations, et le développement d'une production d'instruments d'une autre ère, nous espérons que, à l'avenir, nombreux seront ceux qui se joindront aux « Davidsbündler » pour lutter contre les Philistins. Le piano doit retrouver sa diversité et sa richesse ou sera oublié.

(*) L'agrégation d'allemand mène-t-elle à tout, à condition d'en sortir ? En tout cas, elle ne semble nullement avoir empêché Stephen Paulello de devenir, selon l'appellation que lui-même revendique, fabricant de pianos. Bien au contraire. Ce diplômé de langue et civilisation anglo-américaine et de l'école d'interprètes de Heidelberg s'est même offert le luxe d'obtenir plusieurs autres parchemins, dont un diplôme universitaire d'acoustique, de métallurgie, de résistance des matériaux et de technologie du bois, le diplôme d'exécution, la licence d'enseignement et la licence de concert de piano de l'école normale de musique Alfred Cortot... Il a donc été, tour à tour ou dans le même élan, professeur d'allemand, professeur titulaire de piano et musique de chambre au conservatoire du Ve arrondissement de Paris, pianiste-concertiste (lauréat des concours internationaux d'Iturbi et Monza), responsable du service concert de Bechstein, lecteur d'innombrables ouvrages sur la facture de piano, concepteur-designer d'instruments... Après s'être vu décerner plusieurs distinctions (prix de la facture instrumentale de Musicora, le salon de la musique classique, en 2003, attribué par le ministère de l'Artisanat et des PME (Petites et Moyennes Entreprises) et le ministère de la Culture, prix de l'innovation de l'Anvar-Agence nationale de la valorisation de la recherche, en 2004, dans la catégorie « projet en émergence » et Prix 3i Analytics pour l'innovation en 2005), il a créé, en 2006, la société qui porte son nom, afin de développer à Villethierry, dans l'Yonne, plusieurs activités, dont la conception et la fabrication de pianos d'exception, la réalisation d'études pour la maison Feurich, en Autriche, la préparation et la location d'instruments de concert, la restauration de pianos, l'organisation de journées d'initiation ou de séminaires de perfectionnement pour techniciens expérimentés. Stephen Paulello est, aujourd'hui, l'un des très rares fabricants en activité sur le territoire français. Avec l'ambition affichée de « penser le piano autrement », de « le faire entrer dans une ère nouvelle » et d'« ouvrir un horizon » à la composition et à l'interprétation.

« En France, quand vous demandez quelque chose qui sort un peu des sentiers battus, on vous dit systématiquement que c'est impossible !
Il faut alors beaucoup insister ! »

Claude Bessy, dans *Claude Bessy présente les ballets classiques de sa vie*

87

Bienvenue au club

« Je ne saurais rester plus longtemps dans un club qui accepte des membres tels que moi. »

Groucho Marx (1890-1977)

Les chaînes de la télévision dite d'État remplissent-elles aujourd'hui leur mission de service public en ce qui concerne la musique, en général, et les instruments, en particulier ? Une réponse négative relève de l'évidence pour qui veut bien se donner la peine de consulter l'ensemble des programmes diffusés et de ne pas se laisser abuser par l'existence d'une exception estimable comme *La Boîte à musique* animée par Jean-François Zygel et de quelques émissions ponctuelles, à périodicité annuelle – cas des Victoires de la musique classique que présentent Frédéric Lodéon et Louis Laforge – ou diffusées à l'intention prioritaire des insomniaques. Ce constat, nullement anodin, ne fait pas que trahir le mépris, hélas généralisé et atavique, des représentants du pouvoir politique français pour leurs « administrés », avec ou sans dents (1). Il s'inscrit sans doute aussi dans une stratégie vieille comme le monde ou presque. *« Si tu veux contrôler un peuple, contrôle d'abord sa musique »*, écrivait Platon dans *La République*... Mais franchement, ne serait-il pas envisageable qu'un jour les amoureux du piano puissent avoir ne serait-ce qu'un modeste rendez-vous télévisuel ? Les lois d'une Ve République de plus en plus décrépite n'en seraient sans doute pas davantage ébranlées que par la nomination, coup sur coup, de deux ministres, l'un super-menteur « les yeux dans les yeux », l'autre diplômé d'un de ces instituts d'études politiques (2) où la probité, le respect des règles communes et les « humanités » ne font vraiment pas partie des matières enseignées...

En des temps reculés, quelque peu antiques, il a existé quelques émissions fort intéressantes, qui témoignaient d'un souci de la qualité et du respect du public. En particulier, celles de Pierre Petit, de Jack Diéval (3) ou de Jacques Chancel. Pas question pour autant de verser dans une nostalgie qui ne serait pas de mise. Pierre Petit n'est plus de ce monde. Jack Diéval non plus. Et Jacques Chancel s'est éteint à l'âge de 86 ans fin 2014... Leurs époques sont révolues. Pas question non plus de chercher à faire un *remake*, un « Pop Club » à la José Artur ou un « Discorama » à la Denise Glaser, qui, en l'absence de l'un comme de l'autre, ne serait probablement qu'une insipide copie d'une formule originale... Aujourd'hui, les jeunes générations de professionnels ne demandent sans doute qu'à faire leurs preuves et à mettre au point un nouveau « club du piano » (4). Encore faudrait-il qu'ils aient, pour l'exercice de leurs activités et la concrétisation de leurs projets, des perspectives autres que la soumission absolue à des « féodaux » et autres « négriers » sans scrupule ou le recours à des pratiques inavouables (5).

(1) L'expression des « sans-dents » est attribuée à l'actuel président de la République française, François Hollande (dans *Merci pour ce moment*, le best-seller publié, en 2014, aux éditions Les Arènes par l'une de ses ex-compagnes).

(2) Héritiers du prestige de l'École libre des sciences politiques, surnommée « Sciences Po Paris », qui forma les élites des grands corps de l'État français, ces établissements ont joui d'une considération certaine jusque dans les années 1970-1980 mais, en raison notamment du grand nombre d'arrivistes et de très mauvais juristes, gestionnaires, publicitaires et journalistes issus de leurs promotions, ont été peu à peu discrédités au point de pouvoir être dénoncés aujourd'hui comme fléau national.

(3) Producteur et animateur dans les années 1950-1960 des émissions de télévision « Paris Carrefour du monde » et « Club du piano ».

(4) L'émission serait, bien sûr, ouverte aux autres instruments de musique et pourrait peut-être entraîner l'émergence télévisuelle, sur l'une des chaînes du service public, d'un club du violon et du violoncelle, de la flûte, du saxophone ou de la trompette...

(5) Dans l'émission « Le plus grand cabaret du monde » diffusée en mars 2003, sur France 2, un animateur comme Patrick Sébastien a eu cette boutade hélas ! fort peu équivoque : *« À la télévision, avec une pipe, on arrive à tout. »*

« La supériorité de la télévision sur la radio : vous n'entendez pas seulement les parasites, mais vous les voyez. »

Coluche (Michel Colucci dit, 1944-1986)

« Vous regardez la télévision pour mettre votre cerveau en veille, vous allumez votre ordinateur pour le mettre en marche. »

Steve Jobs, *Steve Jobs*

88

Point d'orgue

« Sur un doigt, sur une note
Je t'écris cette chanson
Et plus tard quand d'autres notes
À la suite me viendront
Ell's seront la conséquence
D'un piano de troubadour
Comme tu es la conséquence de tous mes rêves d'amour

Les gens passent trop souvent leur temps
À se parler jusqu'au délire
Pour ne rien dire
On a pas besoin des arabesques
De la gamme pour traduire
Ce qu'on désire
Il suffit d'une seule note
Qui se couche sous mes doigts
Je caresse cette note
Comme je te caress' toi
Et qui veut toutes les notes
Ré mi fa sol la si do
Reste seul sans une note
À pleurer sur son piano

On n'avait jamais encor' écrit
Sur une note de musique
Que des cantiques
Moi j'ai voulu faire une chanson
Et si elle n'est pas magnifique
Elle est unique
Sur un doigt, sur une note
Je t'écris cette chanson
Et plus tard quand d'autres notes
À la suite me viendront
Ell's seront la conséquence
D'un piano de troubadour
Comme tu es la conséquence de tous mes rêves d'amour »

Chanson sur une seule note, interprétée notamment par Jean-Claude Pascal (1927-1992). Paroles adaptation française par Eddy Marnay (pseudonyme d'Edmond Bacri) de *Samba de uma nota so* (*One Note Samba*) »,
paroles brésiliennes de Newton Mendonça

Avec quatre-vingt-huit notes, le compte est bon. Très bon même quand l'écriture n'en a que vingt-cinq et que la musique se contente de sept lettres, chiffre sacré il est vrai... Il faut donc en finir. Une bonne fois pour toutes. C'est une affaire entendue. En finir avec le piano. Solo ou pas. Il dérange tout le monde. Lourd. Sonore (1). Encombrant. Et si connoté... socialement. Il a (presque) tous les défauts de la terre. Même lorsqu'il sonne juste, il fait parfois trop de bruit. Ne serait-ce que médiatiquement. Il n'y en a, dénoncent ses ennemis – ou pire ses faux amis –, que pour lui.

Pourtant, que cela plaise ou non, il est souverain. Roi des instruments, il n'a pas du tout l'intention de se laisser détrôner. Du moins ni aujourd'hui ni demain. Après-demain peut-être. Mais, à long terme, comme disait le célèbre économiste Joh Keynes, nous serons tous morts... Alors, très nombreux sont les pianistes qui vont, sur tous les continents, continuer à toucher les notes de leur piano. Certains en toucheront sans aucun doute infiniment plus que d'autres. Mais qu'importe. À propos de Prosper Mérimée, son ami Stendhal disait : *« Il ne touche que huit notes de son piano »*... Rapporté par le regretté Jean Dutourd (2), ce jugement est, comme souvent, « mal » cité, c'est-à-dire, tronqué car en se référant à la source authentique, il apparaît que *« Kla (phi)* (alias Mérimée) *touche supérieurement huit touches, mais il n'en touche que huit »* (3). Or, toucher supérieurement huit touches d'un piano, ce n'est pas à la portée du premier instrumentiste débutant venu. Au prix de décennies d'efforts quotidiens, les meilleurs pianistes solistes parviennent, eux, à donner l'impression de se jouer de l'ensemble de leur clavier. Sans pour autant se bercer d'illusions. Ils savent tous que rien n'est définitivement acquis, à cette grande école de la vie qu'est le piano.

(1) Si des innovations technologiques permettent de réduire à néant le volume sonore d'un instrument acoustique, il ne paraît pas anormal que le son d'un piano puisse se projeter et se développer dans l'espace... Par principe et dans le respect des règles de bon voisinage, c'est même préférable.

(2) *in Contre les dégoûts de la vie.*

(3) Marginalia du 7 janvier 1830 des *Promenades dans Rome* au sujet de Prosper Mérimée.

« Note soutenue. Point d'orgue de votre repas au restaurant,
pendant la saison des parasols. »
Ambrose Bierce, *Le Dictionnaire du diable*

« Moi, je joue du piano
disait l'un
moi je joue du violon
disait l'autre
moi de la harpe moi du banjo
moi du violoncelle
moi du biniou... moi de la flûte
et moi de la crécelle
Et les uns les autres parlaient parlaient
parlaient de ce qu'ils jouaient.
On n'entendait pas la musique
tout le monde parlait parlait
parlait personne ne jouait
mais dans un coin un homme se taisait :
"Et de quel instrument jouez-vous monsieur
qui vous taisez et qui ne dites rien ?"
lui demandèrent les musiciens.
"Moi je joue de l'orgue de Barbarie
et je joue du couteau aussi"
dit l'homme qui jusqu'ici
n'avait absolument rien dit
et puis il s'avança le couteau à la main
et il tua tous les musiciens
et il joua de l'orgue de Barbarie
et sa musique était si vraie
si vivante et si jolie
que la petite-fille du maître de la maison
sortit de dessous le piano
où elle était couchée endormie par ennui
et elle dit :
"Moi je jouais au cerceau

à la balle au chasseur
je jouais à la marelle
je jouais avec un seau
je jouais avec une pelle
je jouais au papa et à la maman
je jouais à chat perché
je jouais avec mes poupées
je jouais avec une ombrelle
je jouais avec mon petit frère
avec ma petite sœur
je jouais au gendarme et au voleur
mais c'est fini fini fini
je veux jouer à l'assassin
je veux jouer de l'orgue de Barbarie."
Et l'homme prit la petite fille par la main
et ils s'en allèrent dans les villes
dans les maisons dans les jardins
et puis ils tuèrent le plus de monde possible
après quoi ils se marièrent
et ils eurent beaucoup d'enfants.
Mais l'aîné apprit le piano
le second le violon
le troisième la harpe
le quatrième la crécelle
le cinquième le violoncelle
et puis ils se mirent à parler parler
parler parler parler
on n'entendit plus la musique
et tout fut à recommencer ! »

Jacques Prévert (1900-1977), *L'Orgue de Barbarie*

Changements d'octaves

Quatre-vingt-huit « notes »... et puis s'en vont ? Nenni, nenni. Le territoire français est trop mondialement réputé pour sa créativité fiscale, sur fond de sclérose politique en plaques dès qu'il s'agit de procéder à la moindre petite réforme structurelle, pour se priver de quelques contributions directes en forme de changements d'octaves.

Des partitions complémentaires peuvent être de nature à aborder les thèmes du « piano solo » et du pianiste soliste, un aspect comme une idée, d'une manière détournée, à ouvrir des horizons plus ou moins inattendus et à donner du relief à la perception.

Pour évoquer les univers de la scène, du jazz et du « piano » gastronomique, la comédienne Anne-Elisabeth Blateau et les critiques Jean-Louis Lemarchand et François Roboth ont ainsi accepté de se prêter à cet exercice toujours délicat d'une intrusion dans un contexte qui leur est étranger.

D'aucuns estimeront peut-être ces « changements d'octaves » comme de simples fantaisies. Mais les bibliophiles sont bien placés pour savoir que c'est, parfois, grâce à ces notes supplémentaires, dotées de leurs armatures avec dièses ou bémols à la clef, qu'un livre doit la pérennité de l'intérêt qu'éventuellement il suscite.

Les riches heures du jazz

« Monsieur Armstrong, qu'est-ce que le swing ?
– Madame, si vous avez à le demander, vous ne le saurez jamais ! »
Réponse attribuée à Louis Armstrong (1901-1971)

Qu'est-ce que le jazz ? À chacun bien sûr sa définition, sa propre expérience, son opinion. Simplement, le jazz, le vrai, se vit sans doute au quotidien. Sinon, il est plus que probable qu'il vous sera « inaudible » en maintes occasions. Mieux vaut être prévenu. Les quatre lettres du mot « jazz » sont très trompeuses, car très génériques. Elles recouvrent des genres multiples, des styles différents et des approches diverses. Au piano, Bob Milne, un très bon expert du ragtime boogie, ne saurait être comparé à Hiromi Uehara, une Japonaise talentueuse et spécialiste du « timeout piano solo », qui, elle-même, ne saurait être mise en « concurrence » avec le grand « polytechnicien » du clavier Martial Solal, le « radiologue du piano *stride* » Louis Mazetier, la jeune « polyvalente » du Harlem Stride Stéphanie Trick, la Révélation de l'année 2013 aux Victoires du Jazz Thomas Enhco ou le pianiste-compositeur-improvisateur-accompagnateur biélorusse Kirill Zaborov... De la même manière, vouer un culte à Duke Ellington ou à Memphis Slim n'implique pas nécessairement de faire preuve d'une admiration sans bornes devant le raffinement, pourtant exquis et « mediumnique », du swing et de l'improvisation de Jack Diéval... Au fond, ce qu'il est convenu d'appeler le jazz, ce n'est peut-être, pour parodier Boris Vian, que l'écume musicale des jours qui se suivent et ne se ressemblent pas. À ceci près que cette écume a ses riches heures et laisse parfois des traces de musique écrite qui, à force de s'inscrire dans la durée et d'être reconnues de grande valeur par des générations successives, deviennent classiques.

Le piano de Boris

Dans le petit appartement près du Moulin Rouge où il emménagea au début des années 1950, Boris Vian avait imaginé une bibliothèque sur mesure pour ranger ses livres d'Alfred Jarry ou de Raymond Queneau et ses disques de jazz. Passionné de musique, comme nul n'ignore, il avait également singé les architectes d'intérieur pour concevoir où devait impérativement se nicher le piano. Avant d'aller jouer de la « trompinette » aux Trois Baudets, il se livrait volontiers à des répétitions très « jazziques », du genre « diable au corps », avec Henri Salvador et Alain Goraguer. Cela ne doit pas être une légende. L'auteur de *J'irai cracher sur vos tombes* ne paraissait concevoir autrement ses amitiés comme ses amours. Comme s'il lui fallait la vie en jazz, sinon rien. En tout cas, ce qui est un fait plus qu'établi, c'est que peu de temps avant sa propre disparition, Henri Salvador a demandé à revenir chez Boris, qu'il s'est assis devant le piano et qu'il s'est mis à pleurer...

Point de vue autorisé

Comme il ne saurait être question de trop succomber à la tentation de l'anecdote au point de verser dans l'anecdotique, il a paru préférable de faire appel à Jean-Louis Lemarchand afin qu'il évoque sa propre perception de l'historique « problématique » du pianiste de jazz jouant solo. Un point de vue particulièrement autorisé puisqu'il émane d'un critique qui a écouté avec attention de très nombreux instrumentistes et dont la passion pour le jazz, loin de s'émousser, semble gagner en intensité au fil de ses incessantes découvertes...

« La musique de jazz, c'est comme les bananes, ça se consomme sur place...
J'ai découvert le jazz en Amérique, comme tout le monde. »

Jean-Paul Sartre (1905-1980), *in New York City*, 1947

« Et, dans la vie, il n'y avait qu'une seule chose qui comptait pour moi : jouer de la trompette. Alors, quand le bruit a couru qu'ils cherchaient des gars pour le paquebot *Le Virginian*, là-bas sur le port, je me suis mis sur les rangs. Avec ma trompette. Janvier 1927. "– Des musiciens, on en a déjà, me dit le type de la Compagnie. – Je sais." Et je me suis mis à jouer. Lui, il est resté là à me fixer, pas un muscle de son visage qui bougeait. Il a attendu que j'aie fini, sans dire un seul mot. Et puis il m'a demandé :
"– C'était quoi ?
– Je sais pas.
" Ses yeux se sont mis à briller."
"Quand tu ne sais pas ce que c'est, alors c'est du jazz." »

Alessandro Baricco, *Novecento : Pianiste*

Le « professeur » est un orchestre

par Jean-Louis Lemarchand (*)

Exercice redoutable, le solo n'est pas moins apprécié par les pianistes de jazz. Le « professeur », terme employé pour désigner le pianiste, considéré comme un musicien cultivé, aux premiers temps de la Nouvelle-Orléans, peut s'exprimer en toute liberté et majesté. Un orchestre à lui seul.

Le premier pianiste de jazz serait un jeune esclave noir et aveugle, Thomas Bethune (alias Blind Tom), qui aurait, en 1857 – il avait sept ans ! –, été exhibé par son maître dans toute la Géorgie, si l'on en croit le très docte *Dictionnaire du jazz* (Bouquins, Éditions Robert Laffont). Depuis, tout au long de ce grand siècle et demi, le piano n'a jamais cessé d'exercer un pouvoir de fascination sur les fans pratiquants de jazz.

Instrument central des formations – à de rares exceptions comme dans le fameux quartet sans piano du saxophoniste baryton Gerry Mulligan dans les années 1950 – le « 88 touches », droit ou à queue, peut occuper aussi la scène à lui tout seul. Dans les clubs, bistrots et autres maisons de passe de la Nouvelle-Orléans, il était bien souvent solitaire et son titulaire astreint à des sessions marathoniennes (jusqu'à huit ou dix heures/jour). Il n'est guère étonnant dès lors de retrouver, en 1923, un solo de piano, *Kansas City Stomp* sous les doigts d'un personnage aussi virtuose que truculent, Jelly Roll Morton (qui se présentait comme « le créateur du jazz »), dans l'un des tout premiers disques gravés. Un des maîtres de l'époque – et de tout le siècle du jazz – Duke Ellington, compositeur et chef d'orchestre de grande formation (de quinze à dix-huit musiciens), devait lui aussi, tout au long de sa carrière, se faire plaisir dans ce face-à-face avec le clavier. Puis vinrent les as du boogie-woogie, Meade Lux Lewis, Clarence Pinetop Smith et bien d'autres, qui savaient exprimer toute l'énergie du piano dans un style puissant et direct.

L'histoire retiendra aussi parmi les pianistes solitaires et remarquables des années 1930 le facétieux Fats Waller et le titanesque Art Tatum. Ce dernier, qui sidéra le concertiste classique Vladimir Horowitz (*« ils sont deux »*, aurait-il dit en l'entendant à la radio), mariait *« technique pianistique stupéfiante, profondeur de toucher, articulation parfaite, trouvailles harmoniques et sûreté rythmique »*, relève le critique (et pianiste) Claude Carrière. L'ère du be-bop, dans les années 1940, verra quelques-uns de ses innovateurs les plus notables, les pianistes Bud Powell et Thelonious Monk exprimer toute leur originalité en solo. Le premier enregistrera, en 1951, huit solos de piano qui seront publiés sous le titre ronflant (mais justifié) de « The Genius Of Bud Powell », tandis que le second attendra l'âge de 36 ans, en 1954, pour graver, à Paris, pour le label Vogue, ses premiers solos. Dans un style totalement différent, marqué par une sensibilité à fleur de peau, un jazzman alors âgé de 27 ans et qui inspirera des générations de pianistes, enregistre ses premiers albums en solo, Bill Evans. Dans cette même période, des pianistes aussi créatifs, mais pas aussi reconnus – Lennie Tristano, Elmo Hope, Herbie Nichols – méritent amplement de figurer dans la discothèque de tout amateur de piano solo. Exubérants interprètes, Oscar Peterson (vélocité à toute épreuve) et Erroll Garner (efficacité et *feeling*) délaissèrent temporairement – mais brillamment – le format classique du trio pour le solo. Le solo allait tenir son succès commercial bien plus tard avec Keith Jarrett. Musicien repéré chez

Miles Davis, il va littéralement « se lâcher » lors d'un concert donné à l'opéra de Cologne, le 24 janvier 1975, pour une longue suite improvisée de sa main (deux morceaux de trente minutes). Sorti par le label ECM, cet enregistrement capté en direct, connu simplement comme le *Köln Concert*, s'impose rapidement en tête des ventes et *« l'album de jazz pour ceux qui n'aiment pas le jazz »*, selon le mot d'un détracteur, dépassera les 4 millions d'exemplaires. Dans cet exercice périlleux du solo, qui ne supporte pas la médiocrité, où le pianiste ne peut compter sur l'assistance habituelle de la rythmique (basse-batterie), Keith Jarrett se situe à un niveau de plénitude que vont atteindre ses pairs, maestros du piano, Herbie Hancock, Chick Corea, Brad Mehldau, Fred Hersch, Enrico Pieranunzi, Kenny Werner... Aujourd'hui, la génération des 40-50 ans ne manque pas d'interprètes de talents qui peuvent « tenir leur auditoire » avec un solo : Jean-Michel Pilc, Manuel Rocheman, Laurent de Wilde, Baptiste Trotignon, pour se limiter (de manière très restrictive) aux seuls jazzmen français. Enfin chez des « espoirs » déjà consacrés, comme Yaron Herman ou Tigran Hamasyan, le solo constitue le moyen le plus direct de transmettre au public la musique venue de leurs parents et de leur terre d'origine, respectivement Israël et l'Arménie.

Une seule certitude demeure à l'issue de ce (très) bref, voire lapidaire, et bien sûr lacunaire, panorama du piano solo en jazz : il faut de la personnalité pour réussir l'épreuve de l'exercice en solitaire. Si la condition est remplie chez le jazzman, alors les voies s'ouvrent à lui. Le solo constitue une forme très prisée par les organisateurs de concerts, permettant notamment au jazz d'investir ainsi des salles de concerts (Pleyel, Gaveau) ou des festivals (La Roque d'Anthéron) dédiés à la musique classique. Les producteurs apprécient également la forme du piano solo et pas seulement pour des raisons financières (un seul cachet) ou pratiques (facilité de concrétiser un projet avec un seul artiste). Des projets ont ainsi été montés par le producteur Jean-Jacques Pussiau sur le thème du cinéma – avec Paul Bley, Alain Jean-Marie, Steve Kuhn, Stephan Oliva, Martial Solal – et plus récemment des villes – faisant cette fois appel à Richie Beirach, Bill Carrothers, Joachim Kühn, Éric Watson, Kenny Werner. Autant de pianistes qui exercent aussi leur métier au sein ou à la tête d'un groupe. Ils sont rares, en effet, ceux qui ne se sont pas livrés à cette astreinte du solo, Ahmad Jamal, Nat King Cole... Être « *sideman* » et soliste constitue deux fonctions indispensables à la condition de pianiste de jazz complet. Quand l'accompagnement demande de l'humilité et de la disponibilité, le solo exige de l'ambition et de la prise de risque. Expert en la matière, Cecil Taylor allie ces deux qualités dans cet exercice, délivrant un torrent de notes sur un rythme effréné.

Témoignant, quant à lui, d'une grande sobriété, Duke Ellington eut cette formule culinaire savoureuse, mais qui résume le goût pour le solo, impliquant donc l'absence de ses deux ingrédients habituels, basse et batterie : *« On peut aimer le caviar sans les œufs et les oignons ! »*

Sélection (très sélective) discographique du piano solo

(par ordre chronologique)

Jelly Roll Morton. 1923-1940 (dates des enregistrements). BD -Nocturne.

Art Tatum. 1934-1949. Over The Rainbow. Dreyfus.

Duke Ellington. 1928-1954. Duke Ellington At The Piano. 2 CD. Nocturne.

Bud Powell. 1951.The Genius Of Bud Powell. Mercury.

Thelonious Monk. 1954. Piano solo. Vogue-BMG.

Hank Jones. 1956. 2CD. Nocturne.

Bill Evans.1956. Waltz For Debby. Pacific.

Oscar Peterson. 1968. My Favorite Instrument. MPS.

Cecil Taylor. 1971. Piano Solo At Town Hall. Free Factory.

Martial Solal en solo. 1971. RCA-BMG.

Keith Jarrett. 1975. Köln Concert. ECM.

Michel Petrucciani. 1997 ; Piano solo. The Complete Concert In Germany. Dreyfus.

Alain Jean-Marie, Steve Kuhn, Stephan Oliva, Martial Solal. 1998. Jazz'n (e)emotion. (jazz et cinéma) BMG.

Michel Graillier. Live au Petit Opportun.1996-99. Extensions records.

Fred Hersch. 1999. At Jordan Hall. Nonesuch.

Brad Mehldau. 2006. Live in Marciac. Nonesuch.

Jacky Terrasson. 2007. Mirror. Blue Note.

Tigran Hamasyan. 2011. À Fable. Verve.

Richie Beirach (Tokyo), **Bill Carrothers** (Excelsior), **Joachim Kühn** (Ibiza), **Éric Watson** (Paris), **Kenny Werner** (New York), 2011-2012, collection Jazz & The City. OutNote Records-Outhere.

John Medeski. A Different Time. 2013. Okeh-Sony Music.

... et pour les amateurs d'anthologie, Piano Solo Legends, Cristal Records, 2012, sélection de Claude Carrière offrant vingt-quatre pianistes de Bix Beiderbecke (faisant infidélité à la trompette), en 1927, à Lennie Tristano, en 1961, avec entre autres Randy Weston, Herbie Nichols, Earl Hines, Bernard Peiffer et Phineas Newborn Jr. (ndlr : le choix s'arrête en 1961, en raison de la législation sur les droits d'auteur qui fait entrer les œuvres dans le domaine public après cinquante ans).

(*) Chroniqueur de jazz depuis les années 1990 – *La Tribune, VSD, Pleine Vie...* –, Jean-Louis Lemarchand contribue régulièrement aux *Dernières Nouvelles du jazz* et à *Jazz Magazine*. Membre de l'académie du Jazz, il est l'auteur de *Ce soir-là sur la planète Jazz* (2013) et *Paroles de jazz* (2014), ouvrages parus aux Éditions Alter Ego.

« La musique de jazz, c'est une insouciance accélérée. »
Françoise Sagan, *Un certain sourire*

Les riches heures du spectacle

« Ainsi les dieux ont enseigné aux hommes à se contempler eux-mêmes dans le spectacle comme les dieux se contemplent eux-mêmes dans l'imagination des hommes. »

Pierre Klossowski (1905-2001), *Le Bain de Diane*

Love me, please love me... Les solistes connaissent la chanson. Qu'ils soient musiciens ou comédiens, ils ont besoin d'amour. De compliments. Oui, ils ont besoin de croire aux éloges qu'ils peuvent entendre. Quoi de plus naturel en somme... C'est en tout cas une grande soif d'amour – et une immense peur – qui se dégageaient à la fin des années 1960 de l'arrivée sur scène de l'incarnation du *Love me, please love me*, Michel Polnareff. Difficile aujourd'hui de prendre la pleine mesure du spectacle offert par cet être malingre à l'occasion d'un *show* nocturne, en plein air, devant deux mille personnes, sur la place centrale d'une sous-préfecture. Si une partie du public – des femmes essentiellement – se pâmait d'impatience à force de l'idolâtrer, une autre était venue au moins autant par curiosité que par désir d'en remontrer au bellâtre de ces dames et demoiselles. L'attente fut longue et l'on finit par entendre des clameurs du genre « Accouche ! » parmi les vociférations les plus gracieuses. Soudain, on vit un individu filiforme se glisser très furtivement jusqu'au clavier du piano à queue... L'atmosphère devint hystérique. L'ancien élève du cours Hattemer et du conservatoire du VIIIe arrondissement de Paris faisait un peu peine à voir. Il était à l'évidence plus qu'attendu au tournant du micro et son filet de voix n'avait guère de quoi impressionner une « meute » qui avait prévu de pleins cageots de « munitions » paysannes et semblait prendre plaisir à s'illustrer dans le lancer de légumes en tout genre... Ce soir-là, le jeune Polnareff fut sauvé par le piano. Par deux fois. D'abord grâce à la « guirlande » de notes au début de *Love me, please love me*. Effet magique, quasi orgasmique. Là, face à l'indéniable, le public resta coi. Le freluquet dégingandé était peut-être d'allure non définie et de sexe non identifié, mais il avait bien « quelque chose » dans les doigts. Ensuite, il y eut un jet de tomate très mûre qui aurait dû, aux yeux de tous, éclabousser le visage du jeune chanteur... Mais, comme une serviette éponge avait été placée sous le couvercle du piano, la victime put éviter de voir rouge et en un éclair se jouer de cette singulière marque d'enthousiasme populaire.

Autres images, autres souvenirs... Tout à trac. En vrac. Ici, c'est Ventsislas Yankoff s'avançant à petits pas sur la scène de la salle Cortot, à Paris, donnant, après plusieurs milliers de concerts, un fabuleux récital, puis repartant comme si de rien n'était, avec un charmant sourire... Un très grand monsieur du piano, souvent oublié ou méconnu, qui donne l'impression – erronée bien sûr – d'être éternel. Là, c'est Christoph Eschenbach, magistral, salle Pleyel (1), Maurizio Pollini, impérial, au théâtre du Châtelet, Radoslav Kvapil, magnifique, au théâtre des Champs-Élysées, Peter Schmalfuss, aujourd'hui disparu et si estimable devant quelques poignées de personnes, dans le cadre de l'Orangerie du château de Breteuil, dans les Yvelines... Là encore, c'est ce pianiste « anonyme », mais talentueux, qui parvient à retenir l'attention de plusieurs centaines d'élèves-gendarmes, présents à ce concert parce que leur hiérarchie les y incite fermement. Là, enfin, c'est un tout autre environnement. Dans une ex-petite salle de spectacle devenue restaurant, à Paris, sous le nom de « Beaubourgeois », un pianiste plutôt décoiffant livre un drôle de combat avec le piano droit. Il n'a pas de notoriété et ne semble même pas chercher à se faire un prénom... Mais le public composé de quelques personnes dont le propriétaire de l'établissement, Jean-Marie Proslier (2), a bien raison d'être à l'écoute, car, soudain, c'est ce même pianiste qui accompagne... Claude Véga. Ce soir-là, au début ou au milieu des années 1980, voire au début des années 1990 – allez savoir ! –, cet imitateur d'actrices et chanteuses que plus personne ou presque ne connaît de nos jours fit une « performance » si extraordinaire, si éblouissante qu'elle ne peut que rester gravée dans la mémoire de ceux ou celles qui ont eu, par les hasards de la vie parisienne, le privilège d'y assister et sont encore de ce monde...

Rien ne peut remplacer le « spectacle vivant ». À la scène, il faut rendre cette justice. Qu'il s'agisse, sous une forme ou sous une autre, de théâtre ou de musique en solo, tout se joue... et se paie comptant. L'effort de l'artiste comme celui du spectateur. Il n'y a ni « faux direct » ni « retour sur image ». Tout n'y est que chimère et illusion...

Pourtant rien n'y est jamais gratuit, tout y est authentique, et la solitude scénique ne fait que rendre plus dur, plus intense, et plus mémorable parfois, l'exercice, comme le confirme Anne-Elisabeth Blateau. Ayant elle-même expérimenté avec succès le *one-woman-show* avant de devenir une vedette de la télévision, la très talentueuse comédienne et dramaturge est particulièrement bien placée pour livrer un témoignage aussi éclairant que précieux.

(1) Alors qu'au doigt levé, il remplace Martha Argerich, défaillante.

(2) Jean-Marie Proslier (1928-1997) fut un acteur, comédien et humoriste. Ses participations à des jeux télévisés et, surtout, ses apparitions dans des films publicitaires pour la marque Terra (de Johnson) où il jouait le rôle de Solcarlus lui valurent la popularité. Au début des années 1980, ce dilettante résolu et bon vivant assumé reprit, au 19, rue Sainte-Croix-de-la-Bretonnerie à Paris, *Le Beaubourgeois*, un restaurant (ex-salle de spectacle baptisée *La Mama du Marais* dans les années 1970), où ont eu lieu des représentations théâtrales et où il lui arrivait d'être lui-même à l'affiche. Mort d'un infarctus du myocarde, il a laissé quelques ouvrages dont *Excusez-moi si je vous demande pardon*.

« On ne sait jamais pourquoi on remplit une salle,
mais on sait pourquoi on la vide. »

« Je dis "vous" à mon impresario. Avec l'argent qu'il me prend,
j'ai toujours cru qu'ils étaient deux. »

Attribué à Thierry Le Luron (1952-1986)

Seule en scène

par Anne-Elisabeth Blateau (*)

« Dans un théâtre, les seuls trucs que je n'ai pas réussi à faire rire, ce sont les fauteuils... »

Attribué à Jacqueline Maillan (1923-1992)

Contrairement à ce que l'on pourrait peut-être croire en me voyant chaque soir sur M6, je n'ai pas toujours été accompagnée par d'autres comédiens. Mais je dois avouer qu'être seule en scène a été pour moi l'expérience de jeu la plus difficile. Jouer, ce n'est pas seulement sur le plateau que cela se passe. C'est aussi une mise en condition, il y a l'avant, il y a l'après. Arriver au théâtre et être seule, seule dans sa loge, se préparer seule, attendre seule que la représentation commence enfin ! sentir le trac monter, sans partenaire avec qui le partager pour le faire taire un peu... Ensuite, même sur scène avec le public, même si c'est avant tout à lui que tout s'adresse, il me manque un partenaire, un complice, un appui, une énergie. Oui, il me manque la vie en face de moi. Le mot « accompagnée » est trop faible pour exprimer la force qui unit des comédiens sur une scène, les mille liens invisibles qui les tiennent. Je te parle, tu me réponds, nous jouons ensemble à faire croire à une histoire, comme des enfants. Ce n'est rien d'autre que cela le théâtre.

Et l'après alors ! Comment se passer de ces moments précieux où les comédiens ensemble « débriefent », se refont « le match », se racontent ! Je n'ai jamais réussi à gérer cette solitude du *one-woman*, où, pour moi, la peur prend le pas sur la joie.

Bien sûr, le comédien soliste s'appuie le plus souvent, comme le pianiste soliste, sur un support écrit, l'un sur un texte, l'autre sur une partition... Mais comme je ne suis pas du tout musicienne, j'ai du mal à m'imaginer comment on apprend des notes et pas des mots...

Dans les deux cas de figure, existe la crainte du fameux « blanc », du « trou de mémoire ». Au point qu'avoir un trou est le cauchemar du comédien. Mais, là encore, c'est plus facile à gérer avec des partenaires que toute seule. Pour ma part, j'ai la chance de n'avoir que très rarement des « trous » de texte. L'une des fois où j'ai eu un « blanc » seule sur scène, j'ai d'abord paniqué, une sueur d'angoisse a coulé le long de mon dos, et puis j'ai marché de long en large sur le plateau... et le texte est revenu, de manière aussi inexplicable qu'il était parti.

Cela étant dit, il n'y a pas de secret dans la préparation d'un spectacle ou d'un récital. Du travail, et c'est tout. Répéter. Chercher. Tout savoir par cœur, et pourtant tout réapprendre encore une fois. Sincèrement, je ne peux pas m'empêcher de penser que, en termes d'exigence, de précision et de capacité de travail, les musiciens sont largement un cran au-dessus des comédiens...

Avoir des « tripes »

À quoi se reconnaît d'ailleurs la marque du grand professionnalisme de l'artiste qui se produit en solo sur scène ? À sa capacité à toujours « donner le change », à « gommer » les imperfections ou les défaillances éventuelles, à toujours procurer l'illusion d'être au « top » ? Il me semble, en tout cas, que l'exercice exige plus d'énergie, plus de concentration. Car l'artiste porte quasiment seul la responsabilité du spectacle. Au-delà d'un grand professionnalisme, il lui faut, pour de bon, avoir des « tripes ».

Je ne sais pas si le travail sur scène « en solo » est considéré à sa juste valeur, si le public a une exacte conscience – et une vraie reconnaissance – de ce que représente ce type d'exercice ?

Ce que je crois, en revanche, c'est que même s'il n'a pas forcément conscience de la somme de travail exigée – ce n'est d'ailleurs pas ce qu'on lui demande –, le public est toujours impressionné, voire intimidé, par l'artiste qui se produit seul. Il sent bien qu'il assiste là à une « performance ».

Qu'importe que le spectacle, aussi superbe soit-il, ait un caractère éphémère. Rien ne dure en vérité ! Nous sommes éphémères ! La beauté du spectacle « vivant » ne peut pas durer par définition. Mais c'est justement parce qu'elle ne dure pas que c'est la vie. Shakespeare ne dit pas autre chose dans *Macbeth* : *« La vie n'est qu'une ombre qui passe, un pauvre acteur qui parade et s'agite pendant son temps sur scène et puis qu'on n'entend plus. »* Il ne reste rien de la beauté d'un spectacle, il ne reste rien d'autre que le souvenir, mais le souvenir est puissant.

Peut-être est-ce ce qui explique le désir d'être soliste. On invoque souvent l'égocentrisme plus ou moins naturel, la volonté – consciente ou inconsciente – de passer à la postérité, la vocation... En fait, être seul en scène, c'est être le centre du monde, au moins pour deux heures. Alors oui, impossible de faire cela, de prendre autant de risques sans être égocentrée. Comme un enfant qui réclame l'attention sur lui. Sur le tournage de *Marathon Man*, à Dustin Hoffman qui lui déclarait soudain : *« Mais pourquoi fait-on ce métier ? »*, Laurence Olivier a rétorqué : *« Regardez-moi, regardez-moi, regardez-moi ! »* C'est ça, la motivation première, être regardé, vu, entendu.

Être excellent comédien de théâtre ou excellent pianiste-concertiste ne garantira jamais le passage à la postérité. Spécialement aujourd'hui, à l'heure où le spectacle vivant est délaissé et où l'on n'est pas reconnu si l'on n'est pas estampillé « vu à la télé ». Je connais un pianiste classique, dont le génie irradie toute une salle lorsqu'il se produit. Il est pauvre et inconnu...

Esprit de troupe

Impossible enfin de ne pas être d'accord avec cette leçon de théâtre donnée par l'immense acteur Michel Serrault dans une interview : *« Certains acteurs agissent comme ça. Ils jouent en solo ce qu'ils ont dans leur tête. Ils ont perdu la notion de gratuité du plaisir. Elle est pourtant primordiale. La comédie, c'est une partie de ping-pong. Il faut d'abord s'écouter. Puis respirer. J'ai joué avec des partenaires qui n'attendaient pas la fin de mes phrases pour lancer des répliques, tant ils étaient pressés de se mettre en valeur. Dans ce métier et dans la vie, il y a de plus en plus de solistes. Ils n'ont rien compris à rien. La vérité n'existe pas. On a le droit de s'amuser avec elle : c'est une source d'inspiration. »*

Malheureusement, il existe bel et bien des comédiens « cabots » qui jouent tout « face au public », au lieu de s'amuser avec l'autre. Mais ce ne sont pas de bons comédiens, alors peu importe... Au travers de mon expérience, j'estime en outre que l'esprit de troupe a tendance à revenir. En tout cas, au sein de La Troupe à Palmade dont je fais partie, nous créons des spectacles, que nous écrivons à quatre mains minimum et que Pierre Palmade met en scène. Dans la vie aussi, je crois, ou du moins j'espère, remarquer une envie fréquente de « jouer collectif » plutôt que « solo ».

Jusqu'à présent, il ne m'est jamais arrivé de rêver d'être une pianiste et, *a fortiori*, d'être une pianiste donnant des récitals en solo. Comme j'ai un peu appris cet instrument sur le tard, et sans grand succès, je ne pense donc pas – hélas ! – me retrouver de sitôt sur une scène avec un piano. Je me contente de regarder parfois les récitals de Glenn Gould... en rêvant au génie.

(*) Formée à l'école d'art dramatique Jean Périmony et diplômée de l'IEP (Institut d'études politiques de Paris), Anne-Elisabeth Blateau est une comédienne, actrice et auteure de théâtre française. En 2004, elle a joué au Festival d'Avignon et au théâtre d'Edgar dans *Les Feux de l'amour ça brûle*, une pièce qu'elle a écrite. Après s'être pro-

duite dans un *one-woman-show*, *La Petite Vadrouille*, elle a été associée à plusieurs tournées théâtrales, puis intégrée dans la troupe de comédiens repérés par Pierre Palmade. Elle a participé, en 2007, à l'émission d'humour « Made in Palmade » diffusée sur France 3. Signataire d'une contribution dans le livre *Carré d'art : Byron, Barbey d'Aurevilly, Dali, Hallier*, elle a été, entre 2008 et 2014, à l'affiche des pièces *Le Comique* et *Le Fils du comique* de et avec Pierre Palmade. Elle a également joué dans le téléfilm *Fais danser la poussière* de Christian Faure diffusé en 2010 sur France 2 puis sur la scène du théâtre de la Porte-Saint-Martin en 2011, dans la pièce *L'Amour sur un plateau* d'Isabelle Mergault. Depuis 2011, elle participe en binôme avec David Mora à « Scènes de ménages », la série télévisée à grand succès de M6.
Anne-Elisabeth Blateau s'est vu décerner, en 2008, une Mention pour la meilleure actrice lors du 6e Festival de court-métrage de Saint-Maur. En 2014, elle a été nominée au Molière du jeune talent féminin.

« La vie, c'est une pièce de théâtre. Ce qui compte, ce n'est pas qu'elle soit longue, mais qu'elle soit bien jouée. »

Sénèque (entre l'an 4 av. JC et l'an 1 ap. JC- 65 ap. JC), *Lettres à Lucilius*

Les riches heures de la table... d'harmonie

« Plus que l'anonymat des coffres, c'est le prestige des pianos qui attire certains Français en Suisse. »

Stéphane Davet, *La Dynastie gourmande de Crissier*, *Le Monde*, 21-22 avril 2013

Piano est un maître mot. En musique comme en gastronomie... et en politique. Dans la zone F de l'Euroland, dès qu'il est question de cuisine politique, le mot vient *illico presto* à l'esprit sinon aux lèvres... Piano, piano, les lettres fatidiques et magiques pour ne pas... brûler les étapes ! C'est-à-dire ne pas toucher aux postes ni – surtout pas ! – aux fauteuils des uns et des autres, ne pas dépoussiérer les services devenus inappropriés, ne pas recomposer des équipes afin de les rendre plus performantes et, bien sûr, ne pas mettre un grand coup de pied et encore moins d'épaule dans le système des partis politiques, ces élevages obligés de brêles indécrottables (1) ! Piano, piano... À ce petit jeu, les Français auront mis plus de soixante ans pour simplement découvrir le contenu des lumineuses et prémonitoires conclusions du rapport Louis Armand - Jacques Rueff, sans le moins du monde s'apercevoir que, au fil du temps, en dépit des 14 Juillet et des 11 Novembre, des tours de vélo à gogo, des transfusions et autres piqûres de rappel, des commémorations à tout va et des dépôts de gerbes en veux-tu, en voilà, la France avait disparu ! Piano, piano, toujours et encore, au petit bonheur du meilleur comme au grand risque du pire.

Dans les restaurants aussi, le mot piano est souverain. Mais comme plan de travail et de cuisson essentiel, non comme tapis de jeu de casino ou de *mercato*. Mieux vaut être prévenu. Pas plus que la musique, la cuisine n'offre une quelconque assurance de « retour sur investissement » faramineux. Comme a pu l'écrire un journaliste (2), *« dans les métiers de bouche où les mercenaires se sont mis à valser à la cadence de la finance, il est rare de voir l'homme des pianos racheter la philharmonie. Et y servir des ravioles de foie gras ou un turbot nacré aux artichauts violets »*.

Paul Bocuse, Alain Ducasse, Pierre Troisgros, Michel Guérard, Jean-Yves Leuranguer, Joël Robuchon, Georges Blanc, Alain Senderens Anne-Sophie Pic, Marc Haeberlin, Michel Bras, Bernard Pacaud, Alain Passard, Eric Fréchon, Pierre Gagnaire, Guy Savoy, Régis Marcon, Gilles Goujon ou les grands pâtissiers Christophe Michalak et Pierre Hermé ont beau faire partie des sommités de leur métier, ils ne sont pas pour autant des oligarques russes ou des princes de l'Orient, qu'il soit proche ou moyen. En outre, si certains cuisiniers très talentueux – à l'exemple de Dorian Wicart, que l'auteur de ces lignes a pu voir œuvrer en « soliste » à Paris (3) – connaissent des évolutions de carrière aussi brillantes que méritées en se distinguant aujourd'hui comme chefs d'équipes étoffées, il n'y pas de sommet dans l'art – qu'il soit culinaire, pianistique ou autre – qui mette à l'abri des remises en question.

Pour évoquer la cuisine en solo, il fallait un observateur détenteur, sans doute, du meilleur des parchemins. Depuis des décennies, François Roboth côtoie sans relâche grands et petits maîtres du « piano ». Il sait combien les cuisiniers solistes, qui officient seuls ou avec une assistance très réduite, sont fort nombreux à apporter, jour après jour et sur l'ensemble du territoire français, leur contribution aux riches heures de la table. Il sait également que les plus grands chefs cuisiniers, qui sont parfois à la tête d'impressionnantes brigades d'adjoints et de marmitons, peuvent avoir été ou redevenir de merveilleux « super-solistes ». Il sait enfin que tous ces artistes de la gastronomie font partie d'un dernier carré du

« patrimoine français vivant », si précieux à une époque où des pans entiers du savoir-faire industriel et artisanal sont anéantis ou en voie de liquidation. Il a donc choisi de retenir, selon son bon plaisir, un cas exemplaire, à la fois bien connu des sphères du pouvoir médiatico-politique et emblématique du « piano solo », celui du « Père Claude ».

(1) Une triste réalité française que parviennent de plus en plus difficilement à atténuer, et encore moins à occulter, les personnalités reconnues, en tout petit nombre.

(2) Luc Le Vaillant dans un article du quotidien *Libération* consacré au cuisinier Guy Martin (Grand Véfour) et publié le 13 juin 2013.

(3) Dorien Wicart est le chef du Donatello de l'Hôtel Dolce à Chantilly, cette commune de l'Oise célèbre pour son champ de courses et le prestigieux prix de Diane.

« Pour l'orchestre qui se joue dans notre cave,
nous ne sélectionnons que des super-solistes. »

Olivier Krug, directeur général du champagne Krug,
dans *Point de Vue*, 18-24 juin 2014

Pour le Père Claude, la solitude, ça n'existe pas !

Par François Roboth (*)

« Entrez, il y a des dieux aussi dans la cuisine. »
Héraclite, cité par Aristote dans *Les Parties des animaux*

À l'aube d'un nouveau millénaire classé révolutionnaire et né sous les auspices du digital et des nanotechnologies, aussi célèbres qu'au XIXe siècle le furent les maréchaux d'empire napoléonien, plus proches de nous depuis le siècle dernier sous l'impulsion de Paul Bocuse, les chefs de cuisine, à la tête de leurs brigades pléthoriques ou légères, sont aujourd'hui aussi médiatisés et populaires que les people les plus en vue.

Cependant, douillettement installées dans cette fragile notoriété, souvent filantes, ces nouvelles étoiles ignorent qu'à Kunshan, dans la banlieue de Shanghai, un Chinois visionnaire vient tout récemment d'ouvrir un restaurant qui n'utilise en cuisine et en salle que des robots sophistiqués de la dernière génération. Sans charges sociales ni congés maladie, moyennant 40 000 yuans (4 865 euros). Ainsi s'écrit la petite et grande histoire de la restauration.

Pour reprendre une expression chère à « l'aigle de Saulieu », le regretté grand cuisinier Bernard Loiseau qui, à ses débuts, fut aussi cuisinier soliste dans les Barrières parisiennes de Claude Verger, où lui succédèrent ses confrères Claude Perraudin et Guy Savoy, l'enfant de Chamalières déclarait souvent que *« dans mon métier, il ne faut jamais oublier que c'est deux fois par jour qu'il faut avoir la gueule sur le piano ! »* Ce cri du cœur permet de rendre hommage à d'autres cuisiniers qui, quotidiennement, sur leur piano interprètent, solo et sans fausse note, une partition gustative, uniquement à deux mains.

Historiquement, c'est depuis le XIXe siècle et jusqu'au milieu du XXe que les « mères », déjà médiatiques pour l'époque, les excellentes cuisinières lyonnaises, ont écrit les premières pages savoureuses de notre gastronomie pour les « Gones », les habitants gourmands de « la capitale mondiale de la gastronomie » et les gourmets avisés de la France et du monde entier. Tous connaisseurs et amateurs de cervelle de Canuts (fromage blanc aux herbes), de quenelles de brochet, de gibiers en saison et de grenouilles des Dombes, d'opulentes volailles de Bresse, de gras-double et de tablier de sapeur, de gratin de macaroni et de bugnes... Arrosés de gouleyants crus de beaujolais servis en pots, et frais comme il se doit, avec la Saône et le Rhône, le troisième fleuve qui coule dans la capitale des Gaules.

Les noms des mères Brazier, où Paul Bocuse fut apprenti dans son restaurant du col de la Luère, Bizolon, Jean, Blanc, Vittet, Bourgeois, Lea, avec comme devise « faible femme, mais forte en gueule », de la grande Marcelle, sans oublier dans les Halles, à Paris, celui d'Adrienne Biasin dite « la Vieille » et ceux des membres de la dynamique association des Cuisinières de Guadeloupe, tous sont entrés dans la légende pour et par leur simple et bonne cuisine.

« La cantine de la République »

Aujourd'hui, malgré la prolifération des hamburgers, pizzerias, paninis, anonymes industriels de toute sorte plus d'autres *take away* (à emporter) et *fast* et *street food*, plusieurs cuisiniers professionnels, solistes déterminés et talentueux, sont entrés en résistance.

Cas du Père Claude (1). Quotidiennement, à Paris, en toute saison. Bien au chaud devant sa plancha et derrière sa rôtissoire, ce fils de restaurateur de Bona, dans la Nièvre, apprenti surdoué des frères Troisgros, à Roanne, en compagnie de ses complices et amis Bernard Loiseau et Guy Savoy, le jeune Claude Perraudin effectue un parcours culinaire qu'il a poursuivi pendant deux enrichissantes années chez « le primat des Gueules », l'immense cuisinier lyonnais Paul Bocuse. Facétieux, Claude qui s'est autosurnommé « le Père Claude » est aujourd'hui pour ses clients un authentique et très grand cuisinier, fort apprécié. À deux pas de la tour Eiffel, dans son restaurant unanimement rebaptisé par les médias « la cantine de la République » (2).

En plus de ses fidèles clients et de nombreuses personnalités du monde des arts et du spectacle (Jean-Paul Belmondo, Pierre Perret, Michou, Jacques Mailhot, Monica Bellucci, Isabelle Adjani, Adriana Karembeu, Sophie Marceau, Jean-Loup Dabadie, de l'Académie française, Charles Gérard, Olivier de Kersauson, Pierre Bonte...) qui fréquentent son restaurant, désormais canonisé ès qualités, le saint-père Claude régale, toutes tendances partisanes confondues, de nombreux hommes politiques comme l'ancien président de la République Jacques Chirac, Dominique de Villepin, Michel Rocard, Lionel Jospin, André Santini, Jean-Vincent Placé, Jean Glavany, François Pupponi, le maire de Sarcelles, Jean-Louis Borloo et beaucoup d'autres, sans oublier ses amis sportifs comme le pilote Sébastien Grosjean ou le basketteur Tony Parker.

Couteaux et fourchettes en main, la majorité est absolue pour déguster et apprécier, cuisinées, à la commande et à la minute, en « solo », à la plancha ou à la rôtissoire, les copieuses spécialités maison : foie gras sauté, cocotte de moules de bouchot, crevettes et encornets, poissons frais aux saveurs asiatiques, saucisse de campagne maison, entrecôte ou faux filet épais, côte de veau, foie de veau selon arrivages, l'oeuf en cocotte au foie gras et la tuber mélanosporum, les cochonnailles, les moules de bouchot et les Saint-Jacques en saison, les cuisses de grenouilles, entrecôte ou faux-filet épais aux échalotes, l'os à moelle, le foie, les ris, les rognons de veau, les tête de veau (président Chirac oblige), le baba au rhum, la salade de fruits frais, la crème brûlée, le sorbet pomme verte au calvados Toutain.... Isolé dans sa verrière transparente, avec des gestes de grand professionnel, le spectacle du Père Claude vous ouvre l'appétit. Il mérite aussi un détour comme devrait l'indiquer le redoutable Guide Michelin, qui l'ignore.

Attention ! Pour vous désaltérer, vous dégusterez, avec modération, de très bons jus de raisins sélectionnés. Ici, il y a quelques années, le Père Claude a fondé et préside le gouleyant et très fermé Club des vagabonds écraseurs de raisins. Qu'on se le dise !

(1) Choisi arbitrairement et de son propre aveu par François Roboth parmi les nombreux et meilleurs cuisiniers solistes qui officient sur le territoire français.

(2) *Le Père Claude*. 51, avenue de la Motte-Picquet, 75015 Paris. Tél : 01 47 34 03 05. Ouvert tous les jours.

(*) François Roboth est un journaliste connu pour avoir un goût prononcé pour le bon, le beau, le vrai... Ancien rédacteur en chef du Maxiguide Hachette France, coauteur de *22*, un album pittoresque sur les événements de Mai 68 en France, avec Jean-Pierre Mogui, et d'ouvrages de la célèbre collection des Guides bleus, il a également signé plusieurs contributions dans les livres *Carré d'Art : Barbey d'Aurevilly, Lord Byron, Salvador Dali, Jean-Edern Hallier, Bodream ou Rêve de Bodrum* et *Piano ma non solo*, parus en 2008, 2010 et 2012. Sur France 3, François Roboth fut l'animateur, pendant cinq ans, de « Quand c'est bon ? Il n'y a pas meilleur ! », seule émission culinaire en direct à la télévision. Jusqu'à l'arrêt de la parution de *France-Soir*, il a été durant sept ans le chef de la rubrique gastronomie, consommation et oenologie. Pour le site internet de ce quotidien, il a présenté et animé chaque semaine des vidéos de recettes cuisinées par les meilleurs chefs français..

« L'autorité conduit souvent à l'isolement, qui conduit les empereurs sur les rochers et les célibataires dans les cuisines. »

Bernard Blier, *Les Bons Vivants* (1965), écrit par Michel Audiard (film de Gilles Grangier et Georges Lautner)

Amuse-touches

En hommage à Dudley Moore (1935-2002), acteur, compositeur, pianiste, humoriste et scénariste anglais

« Le rire est la musique la plus civilisée du monde. »
Attribué à Peter Ustinov (1921-2004)

« (Edouard) Manet demande à (Alfred) Stevens :
– Êtes-vous musicien, vous ?
– Non, mais en travaillant le piano, j'aurais pu vous embêter tout comme un autre. »
Aurélien Scholl (1833-1902), in *L'Esprit d'Aurélien Scholl* (paru en 1925)

« Piano : ustensile de salon destiné à avoir raison du visiteur impénitent. Il fonctionne en déprimant les touches de l'instrument et le moral de l'auditoire. »
Ambrose Bierce (1842-1913), *Le Dictionnaire du diable*

« Les amateurs de musique ont ceci de pénible qu'ils nous demandent toujours d'être totalement muets, au moment même où nous souhaiterions être sourds. »
Oscar Wilde (1854-1900), *Aphorismes.* C'est également l'auteur du *Portrait de Dorian Gray* qui a eu, dans ses *Impressions For America* (Leadville), cette fameuse supplique « Please do not shoot the pianist. He is doing his best. » (S'il vous plaît, ne tirez pas sur le pianiste. Il fait de son mieux).

« Le comble de la pose : ne pas sortir de chez soi, sonner sur son piano toutes les heures et toutes les demies pour faire croire aux voisins qu'on a une pendule. »
Alphonse Allais (1854-1905), journal *Le Tintamarre*, 25 mai 1879

À son ami le pianiste, chef d'orchestre et compositeur allemand Hans von Bülow (1830-1894) qui lui assénait de manière lapidaire et pédante *« Bach, Beethoven, Brahms : tous les autres sont des crétins ! »*, le pianiste et compositeur allemand d'origine polonaise Moritz Moszkowski (1854-1925) aurait répliqué : « Mendelssohn, Meyerbeer et votre humble serviteur Moritz Moszkowski : tous les autres sont des chrétiens ! » C'est également à Moszkowski, réputé pour son humour volontiers caustique, qu'est attribuée cette réflexion : « Heureusement qu'il reste des professeurs de musique. Sans eux, les élèves feraient trop de progrès. »

« Après avoir entendu un certain nombre de récitals de piano, rien ne me détend plus que de m'asseoir dans le fauteuil du dentiste et de me faire plomber quelques dents. »
Attribué à Georges-Bernard Shaw (1856-1950)

« Le piano devrait être frappé de deux impôts : le premier au service de l'État, le second à celui des voisins. »
Georges Courteline (1858-1929), *La Philosophie de Georges Courteline*

« Lucile : Tiens, laisse-moi étudier mon piano. Tu me fais perdre mon temps avec tes réflexions. L'aimes-tu, au moins, le piano ?
– Baptiste : oh ! quand c'est Mademoiselle qui en joue, je crois bien. Quand c'est moi, non.
– Lucile : comment, tu connais le piano ?
– Baptiste : oui, Mademoiselle. Ma mère en avait un vieux au village.
– Lucile : allons donc ! Et tu t'en servais ?
– Baptiste : de garde-manger, oui, Mademoiselle. Au pays, nous n'avons pas les moyens de gâcher des pianos pour en faire des instruments de musique.

***

« Lucile, seule, assise au piano... : *do ré mi fa sol la si do, do si la sol fa mi ré do ré mi*. Ouf ! que c'est aride ! et dire qu'il faut apprendre !... Aujourd'hui, on ne vous épouse que lorsque vous savez jouer du piano. Il me semble pourtant que ce n'est pas pour cela qu'on se marie. *Do ré mi fa sol la si do.*

Les gammes surtout. Dieu ! que c'est ennuyeux !... Mais il paraît qu'elles délient les doigts... Comme si l'on ne pouvait pas être une bonne épouse sans avoir les doigts déliés. Je vous demande un peu !...

« Ah ! si les jeunes filles pouvaient parler librement... Je dirais tout simplement à celui qui voudrait m'épouser : "Monsieur, me voilà ! Je vais avoir vingt ans, je ne sais pas jouer du piano, mais je ne vous demande pas de savoir jouer de la flûte. Le mariage n'est pas un concert... c'est... c'est je ne sais pas bien ce que c'est... mais, enfin, l'on ne se marie pas pour faire de la musique ! Si vous voulez m'épouser sans piano, voici ma main ! Si vous ne voulez pas, j'ai bien l'honneur de vous saluer..." Et voilà !... Seulement, nous autres jeunes filles, il faut toujours nous sacrifier. »

Georges Feydeau (1862-1921), *Amour et Piano* (extraits de la scène I et de la scène II de cette comédie en un acte jouée pour la première fois le 28 janvier 1883 au théâtre de l'Athénée à Paris)

L'étonnante et amusante lévitation du « Piano volant » mise au point par Servais Le Roy (1865-1953), le premier magicien illusionniste à s'être intéressé au piano comme objet magique. Ce numéro de music-hall sera repris notamment par Mlle Durga au début du XXe siècle et par Lee Gravel, puis, fort brillamment, par Dominique Webb dans les années 1970 et Dani Lary de nos jours, avec l'entourage d'un orchestre de quatre-vingts musiciens dans le cadre de l'émission de télévision « Le plus grand cabaret du monde » animée par Patrick Sébastien.

« Le piano, comme l'argent, n'est agréable qu'à celui qui en touche. »
Erik Satie (1866-1925), dans des écrits réunis longtemps après sa mort. Souvent, il lui est aussi attribué cette variante : « Les pianos sont comme les chèques, ils ne font vraiment plaisir qu'à ceux qui les touchent. »

Toto : Dis, tu la connais, toi, l'histoire du petit garçon qui s'est fait écraser par un « ronibus » ?
M. Anastase : Non, monsieur Toto, je ne connais pas d'histoire ni de « ronibus » ! Je ne connais que la méthode, la bonne méthode « Lemenuisier ».
Toto : Ouais, surtout « la bonne » !

(...)
Toto : Je vais essayer de jouer avec mes coudes...
M. Anastase : Il sera bien temps dans votre existence de jouer des coudes... »

Répliques extraites du sketch « Toto apprend le piano » enregistré pour la première fois, en 1935, par le duo Bach (Charles-Joseph Pasquier dit, 1882-1953) et Laverne (Henri Auguste Allum dit Henry-Laverne ou, 1888-1953). Se proclamant « créateurs du théâtre phonographique », les fantaisistes Bach et Laverne eurent un succès notable dans les années 1930 et sont également les auteurs du sketch « Tout va bien » qui a inspiré Paul Misraki pour sa célèbre chanson « Tout va très bien, Madame la Marquise », interprétée par l'orchestre de Ray Ventura. L'humoriste Fernand Raynaud leur dut également le début de son sketch « Bourreau d'enfant » (« Toto, mange ta soupe ! »).

« Deux déménageurs portent au sixième étage un piano très lourd. Quand ils le posent par terre sur un palier, l'un d'eux dit : "Personnellement, je préfère la flûte." »

Attribué à Henri Mondor (1885-1962), chirurgien, littérateur et dessinateur, qui a donné son nom à plusieurs établissements hospitaliers. Dans le même esprit, est également attribué à Samson François (1924-1970) cet aphorisme : « Il n'y a qu'une catégorie de gens qui préfèrent la flûte au piano, ce sont les déménageurs. »

« Les Anglais sont le meilleur public du monde : ils applaudissent toujours, même quand vous jouez bien. »

« Quelqu'un a demandé à Schnabel : "Maestro, pourquoi ne jouez-vous pas plus les sonates de Mozart en concert ?", à quoi Schnabel a répondu : « Les sonates de Mozart sont si faciles pour les enfants, mais si difficiles pour les artistes". »

Attribué à Arthur Rubinstein (1887-1982). Cet interprète à l'esprit malicieux adorait faire rire et pouvait à l'occasion dévoiler un surprenant talent d'imitateur. Il ne fut pas avare d'aphorismes, du genre « Une femme, c'est comme un cigare, il faut souvent la rallumer » ou « Dans la vie, c'est difficile de s'imposer, c'est difficile de se maintenir, et c'est difficile de savoir s'arrêter ». Sa vue baissant fortement, il donna son dernier concert à Londres en 1976, non sans avoir eu, avec beaucoup de drôlerie, cette réflexion : « Je trouverais encore les touches, mais je ne trouve plus le piano... » Jean d'Ormesson, qui fut l'un de ses amis, a dit de lui, à l'occasion de confidences rapportées en janvier 2015 par la revue *Diapason* : « Comme Einstein, il était de ces esprits auxquels le réel apparaît sous des angles inaccessibles aux simples mortels. »

« La justice militaire est à la justice ce que la musique militaire est à la musique. »
Groucho Marx (1890-1977), du célèbre quatuor comique des Marx Brothers. Son frère aîné, Chico Marx (1887-1961), s'est illustré au piano par son amusante et magistrale utilisation de la technique dite du « doigt revolver » qui consiste à dégainer l'index de la main droite pour aller chercher la note mélodique.

« Je déteste le piano. Surtout quand quelqu'un en joue. »
Attribué à Jimmy Durante (1893-1980), acteur, humoriste, pianiste, compositeur et chanteur américain.

« Pianiste condamné à trois mois de prison, cherche musicien pour l'accompagner au violon. »

« Musicien gaucher échangerait piano droit contre piano gauche. »

Petites annonces de Pierre Dac (1893-1975), chansonnier et auteur français, à qui l'on doit également cette boutade : « Dans le monde affairiste du *show-business*, il n'est pas nécessaire d'être bon musicien pour bien connaître la musique. »

« Hum, je suis demandé à Londres pour le couronnement ! On n'est pas à une Queen près (...). Il fait efféminé, ce pianiste ! C'est gênant pour moi ! (...). Une seconde, les enfants : j'ai le bridge baladeur ! (...) Réussir, c'est savoir mentir. En amour comme en politique, les mots sont grands, mais les sentiments sont tout p'tits. »

Extraits de *La Parole* (1953), chanson-sketch (*) interprétée par Charpini et Brancato, duo comique composé de Jean-Émile Charpine dit Charpini (1901-1987) et du pianiste Antoine Brancato (1900-1991), qui eut un renom certain dans les années 1930, 1940 et 1950.

(*) Parodie d'un air de *Mannequins*, une « féerie-opérette » de Jacques Bousquet et Henri Falk qui fut jouée avec succès au milieu des années 1920.

La piquante et remarquable interprétation de *Dont' Touch My Tomatoes* (*Touche pas à mes tomates*), la chanson d'Henri Lemarchand et Jo Bouillon, par Joséphine Baker (Freda Josephine Mc Donald épouse Baker, 1906-1975) et avec l'accompagnement du très bon pianiste que fut Peter Kreuder (1905-1981), filmée par la télévision allemande dans la seconde moitié des années 1950.

« Elle avait été aussi pianiste ; mais il n'a pas ajouté si elle avait joué toute sa vie le *Concerto pour la main gauche.* »
Roger Peyrefitte (1907-2000), *L'Illustre Écrivain*

« Le rire est la plus courte distance entre deux personnes. »
Victor Borge (Borge Rosenbaum dit, 1909-2000), dans son autobiographie parue en 1997 (*Smilet er den Korteste Afstand...*). Surnommé « le prince clown du Danemark », ce pianiste et comédien américano-danois fut l'un des plus grands maîtres du XXe siècle de l'humour au piano sur scène.

Le compositeur John Cage (1912-1992) et son interprétation de « Water Walk » au cours d'une émission de télévision populaire de CBS (« I've Got A Secret ») diffusée début 1960, où il utilise une série d'objets et instruments non conventionnels, à l'exception très notable d'un piano à queue, et où il démontre avec humour, face à un auditoire quelque peu déconcerté, mais aussi amusé, qu'ils font tous de la musique...

« La politique, c'est comme la musique ou la prostitution : il faut commencer jeune. »

Pierre-Jean Vaillard (1918-1988), chansonnier célèbre pour ses « bons mots » et autres aphorismes, qui fit les grandes heures du théâtre des Deux Anes, à Paris, et dont la dalle au cimetière de Montmartre, à Paris, porte cette épitaphe : « Ci-gît Pierre-Jean Vaillard/il fut grivois, il fut paillard/Il savait voir la vie en rose/Ce fut un joyeux boute-en-train/Il composait des vers, les vers le décomposent/Gloire à son dernier quatrain. » Dans *Guirlandes et Sourires*, paru en 1966, figure également cette réflexion : « Fini la musique de Papa, ou plus exactement les instruments de Papa car ce sont les instruments qui sont en train de changer. Le piano est d'un autre âge, le violon se meurt, la harpe est antédiluvienne. »

« Antoine de La Foy : Ah nom de Dieu, de nom de Dieu, mais où faut-il s'expatrier mon Dieu pour avoir la paix. Au Groënland, à la Terre de Feu, j'allais toucher l'anti-accord absolu, vous entendez ? La musique des sphères. Mais qu'est-ce que j'essaie de vous faire comprendre, homme singe !

– Monsieur Fernand : Vous permettez ?

– Antoine de La Foy : Ah non !

– Monsieur Fernand : Monsieur de La Foy, quand vous aurez terminé avec vos instruments de ménage...

– Antoine de la Foy : Oh, vous entendez ça, des instruments de ménage, l'ironie du primate, l'humour louis-philippard, le sarcasme prud'hommesque. Monsieur Naudin, vous faites sans doute autorité en matière de Bulldozer, de tracteur et Caterpillar, mais vos opinions sur la musique moderne et sur l'art, en général, je vous conseille de ne les utiliser qu'en suppositoires. »

Répliques dites par Claude Rich et Lino Ventura, dans le film *Les Tontons flingueurs* (1963), écrites par Michel Audiard (1920-1985)

Rudolph : Oh ! Devinez ce que je viens de trouver dans le placard à balais !

– Francis : Une femme de ménage !

– Rudolph : Quoi, c'est logique ?

– Francis : Ah oui ! Et à partir du moment où le valet de chambre se trouve dans le piano, oui !

Répliques dites par André Weber et Lino Ventura, dans le film *Les Barbouzes* (1964), écrites par Michel Audiard

– Des artistes comme toi, ch'fous un coup d'pompe dans l'piano, il en dégringole une douzaine !
– Confidence pour confidence, des connards comme vous, ch'fous un coup d'pompe dans la télé, il en dégringole cinquante !

Répliques dites par Daniel Prévost et Jane Birkin dans le film *Comment réussir dans la vie quand on est con et pleurnichard* (1973), écrites par Michel Audiard

– Moi, le piano, je trouve que c'est un truc pour les filles. C'est pas que c'est plus agréable à entendre, mais c'est plus agréable à regarder !

Réplique dite par Jean Rochefort dans le film *Le Cavaleur* (1978), écrite par Michel Audiard

« Papa, Maman, la bonn' et moi
On a un'radio qui march'pas
Un très vieux piano qui détonne
Papa, Maman, moi et la bonn'
L'sam'di on va au cinéma
Maman, la bonn', moi et Papa
Ou dans notr' jardin d'Noisyl'Grand
Papa, moi, la bonn' et Maman »

Extrait de « Papa, Maman, la bonne et moi », la chanson de Robert Lamoureux (1920-2011)

Sur la porte du piano-bar où Georges Cziffra (1921-1994) a travaillé, pour survivre, dans la Hongrie de l'après-Seconde Guerre mondiale, une affiche signalait : « Ne vous faites pas voler ! Chez nos concurrents, les pianistes n'ont que dix doigts. Ici, joue le pianiste aux 50 doigts. » Une mention qui a valu son surnom au célèbre virtuose et son intitulé à l'excellent spectacle de et avec Pascal Amoyel fin 2011- début 2012 au théâtre du Ranelagh à Paris (« Le pianiste aux 50 doigts ou l'incroyable destinée de Gyorgy Cziffra »).

« À quatre ans, je m'amusais chez moi sous le piano à queue. Mon père est entré et a hurlé : "Lève-toi !", ce que j'ai fait en sursaut, me cognant évidemment la tête au piano. “Ça t’apprendra à obéir à un con !” a lâché mon père en s’esclaffant. »

« Vous faites accorder vos pianos ? Faites donc accorder vos participes. »
Francis Blanche (1921-1974), *Pensées, répliques et anecdotes*. À cet acteur et humoriste français, est également attribuée cette célèbre définition : « Un mélomane est celui qui, entendant chanter une femme dans une salle de bains, s’approche de la serrure et y colle son oreille. » Sur sa tombe, dans le petit cimetière du village d’Èze, près de Nice, il a fait inscrire cette mention : « Laissez-moi dormir, j’étais fait pour ça. » Une épitaphe constituée des derniers vers de l’un de ses poèmes, sans titre, qui commence par « J’ai rêvé ma vie les yeux grands ouverts ».

« Raymond Devos (1922-2006) confie à un interviewer :
– Se mettre au piano à 63 ans, ça oblige à progresser rapidement ! Cela dit, après onze ans de piano, je joue déjà comme un enfant de 4 ans. Je suis un vieux prodige ! Et il n’y en pas beaucoup. Car ça n’a pas d’avenir ! »
À la fin du même entretien, il livre son secret :
« Je joue du piano avec un gant blanc et un gant noir. Sans quoi je confonds les touches blanches et les touches noires ! »

« Où sont passées mes pantoufles, mes pan, pan, mes pantoufles, toufles, toufles... »
Extrait de la chanson *Les Pantoufles à Papa* (1955), sur un rythme de cha-cha, de Jean Constantin (1923-1997), qui fut reprise par les Frères Jacques avant de devenir un sketch. Bon autodidacte du piano, Jean Constantin fut à la fois un remarquable fantaisiste, au répertoire souvent fort drôle et à la présence scénique mémorable, et un grand auteur-compositeur-interprète, à qui l’on doit notamment les paroles de la chanson *Mon manège à moi*, interprétée par Édith Piaf, la musique de *Mon truc en plumes*, la chanson la plus populaire de Zizi Jeanmaire, et plusieurs chansons d’Yves Montand, dont *Pianola*. Son talent et ses incongruités enchantaient Salvador Dali, au point que l’illustre artiste lui aurait, dit-on, proposé une rente à vie.

« Gagner sa vie en jouant du piano, c'est savoir compter sur ses doigts. »
Attribué à Darry Cowl (André Darricau dit, 1925-2006), comédien, pianiste et compositeur français, auteur de *Mémoires d'un canaillou*.

« Vous avez vu le Dr Carlin ?
– Oh oui, heureusement...
– Très bon médecin généraliste.
– Ça c'était avant ! Maintenant il s'est spécialisé. Il ne fait plus que le doigt. C'est un docteur en doigt, si vous voulez...
– Première nouvelle !
– Et quand je dis le doigt, attention ! Il ne fait que l'auriculaire !
– Et vous avez l'auriculaire déficient ?
– Oui... Mais il connaît son affaire, Carlin !
– Remarquez, c'est mieux, quand ils connaissent...
– C'est sûr... Quand je suis arrivé, il m'a demandé d'ôter mon gant... Ce que j'ai fait... On perd toute pudeur devant ces gens-là !
– Pensez ! Ils ont l'habitude ! Ils voient tellement de doigts nus ! Ils ne font plus attention !
– Ça a duré quatre heures, quand même !
– C'est bien ! En quatre heures, on a le temps de faire le tour d'un doigt !
– Il a bien examiné mon auriculaire... et puis il m'a fait une lettre pour un de ses confrères spécialistes...
– Encore un ?
– Oui... De la deuxième phalange... Parce que Carlin, il fait que la première ! »

Jean Poiret (1926-1992) et Michel Serrault (1928-2007), extrait de *Le Docteur en doigt*. Même si l'inoubliable duo n'a peut-être pas songé à eux en créant leur célèbre sketch, les pianistes ne manquent pas d'être toujours particulièrement sensibilisés au sujet...

« Certains culs sont tellement beaux qu'il est bien dommage de s'asseoir dessus. »
« Quand on n'est pas adroit de ses mains, on s'y prend comme un pied. »

Attribué à Sim (Simon Berryer dit, 1926-2009). À cet humoriste, acteur et auteur, on doit un sketch du « pianiste fou » à l'occasion d'une émission des « Grosses Têtes » de Philippe Bouvard, et, bien sûr, cette réflexion qui lui valut, avec de nombreuses autres, un grand succès : « Quand j'étais jeune, je voulais être ministre ou clown. J'ai choisi la deuxième option car je suis un garçon sérieux. »

« Si vous n'avez pas les moyens d'acheter un piano entier, vous pouvez vous le procurer par octaves et le monter vous-même au fur et à mesure de vos possibilités financières. »
« Le piano par éléments », dans le *Catalogue d'objets introuvables et cependant indispensables aux personnes telles que acrobates, ajusteurs, amateurs d'art, alpinistes...* de Jacques Carelman (1929-2012), peintre et illustrateur français, auteur de la célèbre affiche de Mai 1968 représentant la silhouette noire d'un CRS brandissant une matraque, Régent, puis Transcendant Satrape du collège de Pataphysique où il fut chargé de la chaire d'hélicologie, c'est-à-dire l'étude de la spirale, c'est-à-dire la gidouille (du Père Ubu).

« *Opus 27 n° 2*, M. Beethoven, je vais clairdeluniser pour la 387e fois (...) J'avais demandé une queue complète. J'ai payé pour... (...) Mais qu'est-ce qu'il faut jouer pour qu'ils viennent ? (...) Faut dire qu'avec lui (Beethoven), y'a pas de surprise, quand c'est fini ça recommence ! (...) Fallait-il qu'il soit sourd pour composer un truc pareil ! (...) À la fin de ce mouvement, je me saborde, je me saborde... Un bon coup de couvercle sur les doigts et je me fais coupeur de bois au Canada ! »
Extraits du sketch « Le Concertiste » (*Andante de la Sonate au clair de lune* de Ludwig van Beethoven) de Bernard Haller (1933-2009), humoriste et acteur suisse

« Un compositeur, peu talentueux, à dire vrai, déclare devant un public peu convaincu : – Savez-vous que je suis né le jour où Chopin est décédé ? Un auditeur murmure : – Comme quoi un malheur n'arrive jamais seul ! »
Histoire attribuée à l'animateur de télévision et fantaisiste Jacques Martin (1933-2007)

Georges Wolinski (1934-2015), célèbre dessinateur de presse qui collabora notamment à *L'Humanité*, *France-Soir* et *Paris Match* et signa cette singulière pochette de disque. Il fait partie, avec Cabu (Jean Cabut dit), Charb (Stéphane Charbonnier dit), Honoré (Philippe Honoré dit) et Tignous (Bernard Verlhac dit), des journalistes et caricaturistes de *Charlie Hebdo*, morts assassinés, avec d'autres personnes, lors de l'attentat commis le 7 janvier 2015 au siège de la publication. « Si les salauds ne se dévouaient pas pour faire des journaux pour les imbéciles, avait-il écrit dans *Les Pensées*, paru au Cherche Midi, en 1981, je me demande ce que les imbéciles liraient. » « Quand je mourrai, avait-il également confié, un an avant sa disparition, à la station de radio Europe 1, je veux être incinéré et que mes cendres soient dispersées dans les toilettes de notre appartement. Comme ça, je pourrai voir le cul de ma femme tous les jours ! »

« Plutôt que de mettre des boules Quiès, il jouait du piano pour ne pas se laisser assourdir. »
Jean-Edern Hallier (1936-1997), *Le Refus ou la Leçon des ténèbres*. Cet écrivain avait appris le piano et il lui arrivait d'en jouer en solo et en dilettante. Des années durant, dans son majestueux appartement de la place des Vosges, à Paris, il a eu le clavier d'un quart de queue quinquagénaire d'excellente facture à portée de main, près de celui d'une robuste machine à écrire électrique...

Cabu (Jean Cabut dit, 1938-2015). Ce talentueux dessinateur humoristique reçut en 1969 le Crayon d'or du dessin de presse des mains de Pierre Dac. Après avoir collaboré à de nombreuses publications dont *France-Soir* et *La Grosse Bertha*, il est mort assassiné lors de l'attentat perpétré le 7 janvier 2015 au siège du journal satirique *Charlie Hebdo* dont il était l'une des figures les plus emblématiques. La discrète parution en 2013 de son très bel album intitulé *Cabu Swing – Souvenirs et carnets d'un fou de jazz* aux éditions Les Echappés fut chaudement saluée par le critique Jean-Louis Lemarchand qui rappela sa « passion de jeunesse » pour la musique de jazz et l'existence des superbes pochettes de disques de référence qu'il avait signées.

« Chi va piano, va sano : Fais pas dans le piano, va aux toilettes. » Manière discrète de guider l'être aimé dans le nid d'amour sans tomber dans la vulgarité.
Pierre Desproges (1939-1988), *Dictionnaire superflu à l'usage de l'élite et des bien-nantis*

« Il était tellement précoce, Mozart, qu'à trente-quatre ans et demi à peine, il était déjà mort. »
Pierre Desproges, *Textes de scène*

crapaud. *Piano crapaud, par Willem.*

Willem (Bernard Willem Holtrop dit), « Piano crapaud », dessin extrait du *Petit Larousse* 2010. Ne participant jamais aux conférences de rédaction de *Charlie Hebdo*, ce dessinateur satirique, Grand prix de la ville d'Angoulême en 2013, a échappé à l'attentat perpétré le 7 janvier 2015 au siège du journal.

Luz (Renald Luzier dit), caricaturiste de presse. Grand « musicovore » de son propre aveu, ce caricaturiste de presse qui a collaboré à des publications comme *La Grosse Bertha* ou *Fluide glacial* et échappé par chance à l'attentat perpétré le 7 janvier 2015 au siège de *Charlie Hebdo*, associe volontiers musique et dessin humoristique.

« Le piano n'était pas le violon d'Ingres de Simon Nardis. »

Christian Gailly (1943-2013), *Un soir au club* (Nardis, personnage central de ce roman, paru en 2001 aux Éditions de Minuit et adapté au cinéma en 2009 par Jean Achache, est l'anagramme du nom du pianiste Ben Sidran et un thème composé par Bill Evans et joué par Miles Davis).

« Une contrebasse, c'est plutôt, comment dire, un embarras qu'un instrument (...) Dans un appartement, elle se trouve sans cesse sur votre chemin. Elle est plantée là... Avec un air si bête, vous voyez... Mais pas comme un piano. Un piano, c'est un meuble. Vous pouvez le fermer et le laisser là où il est. Elle non. Elle est toujours plantée là comme... »

Patrick Süskind, *La Contrebasse*, pièce théâtrale à un personnage, qui a été interprétée par Jacques Villeret (1951-2005), puis par Clovis Cornillac

« Quand j'écoute trop Wagner, j'ai envie d'envahir la Pologne. »

Woody Allen (Allen Stewart Königsberg dit), dans le film *Meurtre mystérieux à Manhattan* (1993)

« J'ai toujours voulu briser une guitare sur la tête de quelqu'un. Or c'est justement ce que l'on ne peut pas faire avec un piano... »

Attribué à Elton John (Reginald Kenneth Dwight dit Elton Hercules John dit). Pianiste de formation classique et docteur *honoris causa* de l'Académie royale de musique de Londres, le chanteur entretient avec le piano depuis son enfance une relation très fusionnelle et n'hésite pas, parfois, sur scène et au clavier, à se montrer facétieux. Après avoir intitulé durant la décennie 2000 sa tournée de concerts « The Red Piano », il s'est lancé dans les années 2010 dans une série de galas à Las Vegas baptisée « The Million Dollar Piano ».

« En musique, il y a les hauts et les bas morceaux, comme dans la boucherie. »

Jean-Paul Farré, dans *Les Douze Pianos d'Hercule*. Souvent surnommé « Monsieur Piano », Jean-Paul Farré est un homme de théâtre et clown musical qui prend volontiers le piano pour partenaire depuis son premier « spectacle en solitaire », en janvier 1974. Cet artiste a ainsi été auteur, interprète et pianiste facétieux notamment dans « Le Retour à la case piano », en 1999 (théâtre de l'Est parisien) et « Les Douze Pianos d'Hercule », en 2008 et 2010 (Petit Théâtre Hébertot), spectacle qui lui a valu de se voir décerner le Molière du théâtre musical en 2010.

« C'est un scandale ! »
Pierre Douglas (Pierre Melon dit), dans sa célèbre imitation de Georges Marchais, ancien secrétaire général du Parti communiste français. Cet ancien journaliste, animateur de radio et de télévision et acteur, est un chansonnier bien connu qui a reçu une formation de pianiste classique et ne cache pas sa passion pour la musique, en général, et le piano en particulier.

« On n'accepte dans les médias que des faux subversifs. »
Jean Roucas (Jean Avril dit), dans un entretien paru le 30 janvier 2013 dans *La Dépêche*. Cet humoriste est également mime, imitateur et pianiste. Il a été pianiste accompagnateur professionnel et se révéla extrêmement talentueux comme chansonnier, avec l'instrument, sur les plus petites scènes de cabarets parisiens à la fin des années 1970.

Le spectacle de music-hall *Miousik Papillon* de Pierre Etaix, présenté au public à partir de 2010, avec Pierre Etaix, Pierre Triboulet, Odile Etaix, Pieric, Marc Goldfeder, Jean Bardy et Marc Etaix. Le piano et la musique pour piano y sont très présents et avec une fascinante drôlerie.

Christophe Binet, connu pour être l'auteur de la série « Les Bidochon », dans *Haut de gamme*, cet album de bandes dessinées paru en 2010 chez Dargaud qui dresse un portrait amusant des us et coutumes des musiciens amateurs, professeurs de piano frustrés, élèves sans talent ou concertistes querelleurs...

« Un acteur, c'est comme un piano. Il doit être bien accordé, mais il ne faut pas taper dessus trop fort. »
Attribué à Monica Bellucci

Mix et Remix (Philippe Becquelin dit), dessinateur suisse, dans *Regags* (Ed. Les Cahiers dessinés, 2012).

« Chopin ne fut jamais qu'un compositeur de salon. »
The Times (des mauvais jours).

« Rien ne ressemble plus à du Mozart que du Ravel, quand t'y connais zéro ! »
Jean-Marie Gourio, dans *Brèves de comptoir*

« Accompagnateur : pianiste frustré qui préférerait généralement raccompagner la chanteuse que l'accompagner. »
« *Concerto pour la main gauche* : œuvre célèbre de Maurice Ravel, dont on vient de retrouver une transcription pour le pied droit. »
« Liszt : compositeur ayant écrit des œuvres pour piano tellement difficiles à exécuter que certaines de ses partitions sont interdites aux moins de dix-huit ans. »

Marc Escayrol, *Mots et Brumots*

Extrait de rapport rédigé par un expert en organisation et en productivité ayant assisté à un concert symphonique au Royal Festival Hall de Londres : « Le remplacement du piano à queue par un piano droit, moins encombrant, permettrait d'utiliser plus rationnellement l'aire de stockage du magasin de rangement des instruments. Les techniques d'exécution, qui semblent ne pas avoir évolué depuis des siècles, sans aucun progrès dans l'ergonomie, mériteraient une étude approfondie. On remarque, par exemple, que le pianiste, pour interpréter sa partition, a besoin de ses deux mains et joue encore avec ses deux pieds en s'activant sur des pédales. Il y a néanmoins de sérieuses difficultés avec certaines notes. Il est probable qu'une nouvelle conception du clavier rassemblant à portée immédiate l'ensemble des touches les plus fréquemment utilisées pourraient améliorer les conditions de travail de l'interprète... »

Régulièrement entendu, dans les années 2010, à l'accueil téléphonique du conservatoire russe de Paris Serge Rachmaninov :
– Allo, pourrais-je parler à M. Serge Rachmaninov ?
Ou
– Allo, nous serions heureux que M. Serge Rachmaninov puisse honorer de sa présence la manifestation que nous organisons prochainement...

Bref dialogue, entendu lors d'un cocktail après un mémorable concert, toujours au conservatoire russe de Paris Serge Rachmaninov, entre un Américain soucieux de se donner une contenance et un gentleman très « vieille Russie » :
– Oh, yeah ! Serge Rachmaninov, very brilliant, je me souviens... Je l'ai connu lorsque j'étais tout jeune étudiant à Paris, à la fin des années 1950.
– Pardonnez-moi, mais il me semble que vous devez faire une erreur... (Rachmaninov est mort en 1943).

Blagues de clavier

Dialogue incisif à la fin d'un morceau de piano joué dans un salon par la jeune fille de la maison : « Qu'est-ce que vous pensez de son exécution ? – Je suis pour. »

C'est Jean-Sébastien Bach et Wolfgang Amadeus Mozart qui entrent dans un bar où ils sont connus.

L'aubergiste :

– Qu'est-ce vous prenez, monsieur Bach ?

– Un baby...

– Et vous monsieur Mozart ?

– Baby, comme Bach ! (Baby Come Back).

Quelle est la différence entre Chopin et Johnny Hallyday ?

Réponse : Chopin jouait du piano à queue et Johnny ah ! que il joue (fort mal) du piano...

Un très médiocre pianiste explique à un méchant journaliste aux neurones titillés par les bulles d'une coupe de champagne :

– Dans notre langage de musiciens, nous appelons une fausse note un pain. Et l'autre de lui répondre :

– Vous devriez songer à ouvrir une boulangerie !

Une fille se promène dans la forêt (elle va porter une galette et un pot de beurre à sa mère-grand, mais ça, vous connaissez déjà...).
Soudain, un crapaud sur lequel elle allait poser le pied lui crie : « Ne m'écrase pas ! Ne m'écrase pas ! » Étonnée, notre aventurière s'exclame : « Mais tu parles !

– Oui, explique le crapaud, une vilaine sorcière m'a changé en crapaud, mais auparavant j'étais pianiste. Si tu me fais un bisou, je redeviendrai normal ! » Aussitôt, la fille le prend et... le met dans sa poche. « Mais que fais-tu ? demande le crapaud étonné.

– Ben, je gagnerai plus d'argent avec un crapaud qui parle qu'avec un pianiste... »

Pierre Boulez et Arturo Toscanini « discutent ».

« Je suis le meilleur chef d'orchestre au monde, affirme Toscanini.

– Impossible, je reçois ma direction directement de Dieu », réplique Boulez. Sur ce, arrive Herbert von Karajan : « On parle de moi ? »

Où habite un pianiste ?

Réponse : dans son domicile adoré avec un sol facile à cirer (*do mi si la do ré / sol fa si la si ré*) !

– Comment, demande un critique à un compositeur, avez-vous acquis ce style qui fait votre originalité ?

– Oh, cela remonte à mon enfance. Voyez-vous, mon père était garagiste et j'adorais aller patauger dans le cambouis, mais, quand je rentrais du garage les mains atrocement sales et que je m'installais au piano, ma mère ne me permettait de jouer que sur les touches noires. J'ai conservé cette habitude pour composer mes vingt-sept symphonies...

Comment appelle-t-on un pianiste sans copine ? Réponse : un SDF.

C'est un Haïtien qui entre dans un piano-bar, à Saint-Étienne, pendant l'époque de Noël. Il s'accoude au comptoir :

– Ga'çon ! (avec l'accent).

Une blonde arrive :

– Monsieur désire ?

– Je vroud'ai un ouiski.

La blonde :

– Voilà monsieur.

– Dites-moi, il joue t'es bien ce pianiste, là-bas, dis donc.

La blonde :

– Allez le voir de ma part, il se fera un plaisir de jouer votre air favori. L'Haïtien s'approche du piano et dit au musicien :

– Je viens de la pa' de la ba'maid. J'aime'ais entend'e *Mambo* !

Le pianiste surpris :

– *Mambo* ? Je ne connais pas cette chanson, mais si vous me fredonnez les premières notes, cela me dira peut-être quelque chose.

Et l'Haïtien de chanter :

– Mambo sapin, 'oi des fo'êts...

Pourquoi le violon est-il l'instrument favori des musiciens juifs ? Parce que c'est plus facile à emporter qu'un piano en cas de pogrom.

Un brave homme dit à un ami :

– Ma fille joue du piano.

– Et ça rapporte, demande l'autre.

– Je pense bien, c'est ce qui m'a permis d'acheter la maison des voisins pour presque rien !

Quelle est la différence entre les footballeurs et les pianistes ?
Réponse : Au foot, les mi-temps sont interminables, au piano les minables sont très intermittents.

Dialogue hautement diplomatique. Qui va *piano* va sino... Nippon qui s'en dédit !

L'accordeur de pianos se présente chez Mme Z.
– Mais je n'ai jamais demandé d'accordeur ! – Vous non, mais vos voisins oui !

Réponse d'un enfant à son professeur de piano qui lui demande à quoi servent les touches noires et les touches blanches :
– Les touches blanches, c'est pour les mariages, et les touches noires, c'est pour les enterrements !

« Quand on les surveille, les patates cuisent trop lentement. Quand on va faire du piano en attendant, elles cuisent beaucoup trop vite. »
Thierry Midy

Pourquoi Gilbert Montagné se balance-t-il de droite à gauche quand il est au piano ? Pour être sûr de chanter au moins une fois dans le micro.

« Même lorsqu'elle fait sourire ou rire,
la musique n'a rien d'anodin ou d'innocent. »
Jean-Claude Martinez, *Demain 2021*

Annexes

Adresses

« La musique française a eu de grands musiciens.
Mais elle n'a jamais eu de public musical. »
Edgar Varese (1883-1965), dans un entretien radiophonique avec Georges Charbonnier (1921-1990), diffusé sur la RTF-Radio-télévision-française en 1955

Pour écouter du piano solo

En Région parisienne

* Salle Cortot
78, rue Cardinet
75017 Paris
Tél. : 01 47 63 47 48
Courriel : salle.cortot@ecolenormalecortot.com
Un haut lieu discret des amoureux de la musique et du piano, à juste titre réputé pour son acoustique.

* Salle Gaveau
45, rue La Boétie
75008 Paris
Tél. : 01 49 53 05 07/ 01 45 82 69 71 (direction)
Courriel : c.fournier@sallegaveau.com
Un établissement de grande renommée, devenu très plaisant depuis qu'il a fait l'objet de travaux de restauration.

* Salle Pleyel
252, rue du Faubourg-Saint-Honoré
75008 Paris
Tél. : 01 42 56 13 13
Internet : www.sallepleyel.fr
La bonne réputation de ce haut lieu musical a longtemps été justifiée. Mais, en 2014, des changements sont intervenus dans la direction de l'établissement. Ce lieu semble être sinon interdit au classique du moins de plus en plus destiné à accueillir des spectacles très divers. Depuis janvier 2015, l'ouverture, à La Villette, de la Philharmonie, nouvelle salle de concerts de 2 400 places, marque la volonté des pouvoirs publics d'instaurer un nouveau découpage territorial de la musique classique dans la capitale. Cependant, il n'est pas encore démontré que les amoureux de la salle Pleyel se soumettront au « diktat » politique et se rendront, de manière significative et durable, dans l'Est parisien. En outre, la vente de Pleyel à la Cité de la musique fait l'objet d'un litige sérieux, et une décision de justice a expressément interdit, fin 2014, à la Cité de la musique, opérateur public, de conclure un contrat de concession de la salle Pleyel, dans l'attente d'un jugement sur les conditions du rachat par l'État... Ce qui a provoqué un « véritable coup de tonnerre » dont n'ont pas manqué de se féliciter Mes Olivier Pardo et Jonathan Siahou, les avocats de Maria Carla Tarditi, en instance de divorce avec Hubert Martigny, l'ancien propriétaire de l'établissement, et l'interruption de fait, sans doute durable en l'absence de tout arrangement amiable, de la reprise de l'exploitation de Pleyel...

* Théâtre des Champs-Élysées
15, avenue Montaigne
75008 Paris
Tél. : 01 49 52 50 50/01 49 52 50 00 (administration)
Internet : www.theatrechampselysées.fr
En cet établissement très prestigieux qui accueille des pianistes renommés, les résonances sont souvent mémorables et parfois historiques.

* Conservatoire Rachmaninov
26, avenue de New York
75116 Paris
Tél. : 01 47 23 51 44
Lieu de concerts à juste titre renommé, avec piano solo ou non solo... Depuis sa création, en 1923, par d'anciens professeurs des conservatoires impériaux de Russie, dont Fédor Chaliapine, Alexandre Glazounov, Alexandre Gretcheninov et, bien sûr, Serge Rachmaninov, son premier président d'honneur, s'y est illustrée une longue liste d'artistes aussi prestigieux que Vladimir Horowitz, Nathan Milstein, Gregor Piatigorsky ou Alexander Borovsky. De jeunes lauréats des concours internationaux de musique s'y produisent régulièrement devant un public restreint, mais attentif et passionné.

* Salle du conservatoire de musique Maurice Ravel
33, rue Gabriel-Péri
92300 Levallois-Perret
Tél. : 01 47 15 76 76
Métro Louise-Michel ou Anatole-France
Un équipement public de grande qualité, moderne et impressionnant. À coup sûr, l'un des plus remarquables de l'Île-de-France, dans sa catégorie, mais encore relativement peu connu. Située en plein centre de Levallois, à deux pas de l'hôtel de ville, et dotée d'une scène de 300 mètres carrés, cette salle de 430 excellentes places peut accueillir des concerts avec piano et orchestre et des spectacles de danse.

* Hôtel national des Invalides
Service de l'action culturelle et de la musique du musée de l'Armée
129, rue de Grenelle
75007 Paris
Courriel : culture-ma@invalides.org
Internet : www.invalides.org
Un lieu prestigieux qui dispose d'une salle de réception magnifique dotée d'un sublime piano de concert.

* Hôtel Plaza Athénée
21, avenue Montaigne
75008 Paris
Tél. : 01 53 67 64 00
Internet : www.relais-plaza-paris.com
« Sans doute le palace le plus musical de la capitale française », selon François Roboth, avec pianiste virtuose « maison » d'origine russe, Sergueï Trocin, improvisations swing par Werner Kuchler et série de concerts privés sur des pianos Fazioli, baptisée « Harmonies du soir », créée par Véronique Bonnecaze et organisée depuis 2010 le deuxième lundi de chaque mois dans l'un des petits salons de l'établissement.

* Hôtel Westminster
13, rue de la Paix
75002 Paris
Tél. : 01 42 61 57 46
Dans le cadre très *cosy* du *Duke's Bar* de cet établissement de luxe doté d'un quart de queue Yamaha, peuvent avoir lieu des séances musicales fort plaisantes et mémorables où le pianiste ne joue pas nécessairement en solo, mais toujours pour un petit cercle de personnes. La chanteuse Véronique Soufflet s'y est produite à de nombreuses reprises à la fin des années 2000, avec ses musiciens, Jean-Luc Kandyoti, Ghassan Tarabay et Nicolas Richard de La Prade, et présente régulièrement, depuis le début des années 2010, ses nouvelles chansons, accompagnée au piano.

* Centre tchèque de Paris
18, rue Bonaparte
75006 Paris
Tél. : 01 53 73 00 22
Internet : www.centretcheque.org
Un lieu appréciable et bien connu des mélomanes.

* Bibliothèque polonaise de Paris
Société historique et littéraire polonaise
6, quai d'Orléans
75004 Paris
Tél. : 01 55 42 83 83
Haut lieu de l'émigration polonaise depuis le milieu du XIXe siècle, cette bibliothèque polonaise de Paris est la plus grande institution culturelle représentant la Pologne hors les délimitations de cet État de l'Union européenne. Au sein d'un bel immeuble du XVIIe siècle, elle a fait l'objet d'une rénovation complète et respectueuse de son caractère patrimonial au début de ce siècle. De manière très régulière, dans une salle de réception dont les fenêtres offrent une vue privilégiée et quelque peu féerique sur la Seine, elle organise des récitals de piano (et de violon) de haute tenue, pour public restreint et connaisseur, qui sait apprécier, outre le cadre, le talent des artistes et les réelles qualités d'un piano Bosëndorfer de concert. Moments mémorables assurés.

* Théâtre Adyar
4, square Rapp
75007 Paris
Tél. : 01 45 55 67 63
Lieu d'enregistrement privilégié de nombreux artistes, dont Marcelle Meyer et Yves Nat, ce petit théâtre à l'italienne de 381 sièges, réalisé deux ans avant le début de la Première Guerre mondiale, offre une excellente acoustique. Idéal donc pour apprécier le récital d'un soliste, surtout si la scène a eu la bonne initiative, comme il arrive parfois, de se parer d'un piano de concert Stephen Paulello.

* Centre culturel bulgare
28, rue de La Boétie
75008 Paris
Internet : www.ccbulgarie.com
Difficile pour un mélomane de se rendre en ce lieu sans avoir une pensée pour ce grand interprète d'origine bulgare que fut Youri Boukoff (1923-

2006), surnommé le « Rubinstein de Bulgarie »... En tout cas, des concerts de piano y sont régulièrement donnés et le jeune lauréat de concours internationaux Stefan Chaplikov s'y est produit en mars 2011.

* Église écossaise
17, rue Bayard
75008 Paris
Un espace relativement restreint et sobre, discrètement niché en sous-sol et dans une rue bien connue pour abriter le siège d'une station de radio qui eut ses heures de grande popularité et parfois de qualité. Bien qu'il reste peu connu, ce lieu a régulièrement accueilli les Concerts d'Esther au début des années 2010. De remarquables jeunes talents – dont Yun-Yang Lee et Jean-Paul Gasparian –, ont su ainsi conquérir le public et exploiter les possibilités offertes par un piano Petrof de bonne facture et au son très musical.

* Temple Saint-Marcel
24, rue Pierre-Nicole
75005 Paris
En ce lieu où un piano Fazioli est installé à demeure, des pianistes se produisent à l'occasion de concerts souvent appréciés de publics de connaisseurs. Le 15 juin 2012, Florence Delaage y a commémoré la disparition d'Alfred Cortot, cinquante ans auparavant, le 15 juin 1962, en y donnant un récital sur piano Steinway qui a fait l'objet d'un enregistrement.

* Espace Fazioli
35, rue Fondary
75015 Paris
Tél. : 01 45 78 61 11
Depuis la fin 2013, cette petite salle de concerts est désormais reconvertie en espace de vente de harpes. Pour les admirateurs de cette marque de pianos considérés parmi les meilleurs du monde, il existe toujours le « showroom Fazioli » à Milan, près du conservatoire de musique, qui comporte une petite salle de 50 sièges dotée d'un demi-queue Fazioli et utilisée lors d'événements privés ou sur invitation.

* Conservatoire national supérieur de musique et de danse
209, avenue Jean-Jaurès
75019 Paris
Tél. : 01 40 40 46 46 et 01 40 40 45 45
Internet : www.cnsmdp.fr
Des concerts de piano y sont organisés. Bien qu'elles soient destinées en priorité aux élèves de cet établissement, certaines master classes où sont invités de grands artistes et pédagogues sont parfois ouvertes au public et peuvent se révéler fort intéressantes.

* Cité de la musique
221, avenue Jean-Jaurès
75019 Paris
Tél. : 01 44 84 44 84 - 01 44 84 89 45
Internet : www.cité-musique.fr
À la médiathèque (du mardi au samedi, de 12 heures à 18 heures ; dimanche, de 13 heures à 20 heures), des archives sonores et visuelles sont accessibles et consultables sur des postes informatiques (plus de 1 200 concerts audio et plus de 200 concerts vidéo).

* Philharmonie de Paris
221, avenue Jean-Jaurès, 75019 Paris
Tél. : 01 44 84 44 84
Conçu par l'architecte Jean Nouvel, ce nouvel édifice ouvert au public depuis janvier 2015 se veut un lieu de vie. Ne se limitant donc pas à la seule activité de concerts, il comporte des salles de répétition, un pôle pédagogique, un espace d'exposition, des restaurants, une ouverture sur le parc de la Villette... Sa salle de 2 400 places devrait être principalement consacrée à la musique symphonique.

* Auditorium du musée d'Orsay Musée d'Orsay
62, rue de Lille
75007 Paris
Tél. : 01 40 49 47 17

Courriel : auditorium@musee-orsay.fr
Internet : www.musee-orsay.fr
Située au niveau – 2, sous la zone d'accueil du musée, cette salle de 347 places (dont trois pouvant accueillir des personnes en fauteuils roulants) accueille régulièrement des récitals de piano. Dotée d'une structure entièrement en bois, elle est appréciée pour son excellente acoustique. Autre particularité : l'auditorium dispose d'une boucle magnétique pour les personnes malentendantes appareillées.

* Amphithéâtre Richelieu de la Sorbonne
17, rue de la Sorbonne
75005 Paris
Tél. : 01 42 62 71 71
Depuis longtemps, se produisent en ce lieu de remarquables pianistes solistes. À l'exemple de Michaël Levinas qui y offrit une superbe interprétation des sonates de Beethoven.

* Grand Salon de la Sorbonne
45, rue des Écoles
75005 Paris
Tél. : 01 42 62 71 71
Internet : www.musique-en-sorbonne.org

* Auditorium du Louvre
Musée du Louvre Pavillon Mollien,
75058 Paris Cedex 01
Tél. : 01 40 20 55 00
De nombreux concerts y sont organisés le soir ou en milieu de journée. La programmation est en règle générale de grande qualité.

* Musée Jacquemart-André
158, boulevard Haussmann
75008 Paris
Tél. : 01 43 71 60 71
Internet : www.musee-jacquemart-andre.com

À l'initiative de l'association Autour du piano, dont Hervé Archambeau est l'animateur et le directeur artistique, des concerts élégants et conviviaux y sont organisés avec succès. S'y illustrent, il est vrai, des pianistes comme Paul Badura-Skoda, Mikhail Rudy, Jean-Marc Luisada, Danielle Laval, Anne Makarenko, Françoise Buffet-Arsenijevic...

* Maison de Radio France
116, avenue du Président-Kennedy
75016 Paris
Internet : www.radiofrance.fr
Tél. : 01 56 40 15 16
Depuis longtemps, Radio France réserve une place de choix à la musique, en général, et au piano, en particulier. De nombreux concerts gratuits y sont proposés dans le cadre de programmes éclectiques. Retrait des invitations une heure avant l'événement. Depuis la saison 2014-2015, les rendez-vous musicaux ont lieu, pour la plupart, dans des espaces rénovés de fond en comble. En outre, l'existence d'un nouvel auditorium de 1 460 places devrait être très appréciée des mélomanes.

* Sentier des Halles
50, rue d'Aboukir
75002 Paris
Tél. : 01 42 61 89 90
Courriel : senthal@club-internet.fr

* Théâtre des Bouffes du Nord
37 *bis*, boulevard de la Chapelle
75010 Paris
Tél. : 01 46 07 34 50
Internet : www.bouffesdunord.com

* Théâtre du Châtelet
2, rue Édouard-Colonne
75001 Paris
Tél. : 01 40 28 28 00
Internet : www.chatelet-theatre.com

Construit entre 1860 et 1862 par l'architecte Gabriel Davioud, qui a également dessiné le théâtre de la Ville, qui lui fait face, cet ancien théâtre impérial du Châtelet était à l'origine réservé aux représentations théâtrales. De nos jours, il est régulièrement utilisé pour des concerts classiques et des récitals de piano solo. Toutefois, ses 2 010 places vont généralement de pair avec de grosses productions et des artistes à forte résonance médiatique.

* Théâtre de la Ville
2, place du Châtelet
75004 Paris
Tél. : 01 42 74 22 77 ou 01 48 87 54 42
Internet : www.theatredelaville-paris.com
Cette institution qui dépend de la Ville de Paris est connue pour ses programmations de la danse contemporaine et, dans une moindre mesure, de théâtre, de musique du monde et de musique de chambre. Mais sa salle d'un millier de places pourrait sans doute être également utilisée pour des récitals de piano solo, en particulier pour des œuvres de compositeurs contemporains.

* Salle de l'Ancien Conservatoire
2 *bis*, rue du Conservatoire
75009 Paris
Tél. : 01 42 46 12 91
Classée « monument historique » en 1921, mais inconnue de nombreux Parisiens et des touristes, elle est l'une des premières salles de concerts de l'histoire, construite pour le concert et non pour l'opéra. Sa remarquable acoustique lui a valu d'être surnommée le « Stradivarius des salles de concerts ».
C'est en ce lieu que les symphonies de Beethoven ont été entendues pour la première fois sur le territoire français. À la fin du siècle dernier, le pianiste Victor Eresko y a donné un impressionnant récital. Mais c'est sans doute la permanence de sa discrétion et l'excellence de sa construction qui lui ont permis de survivre aux incendies, aux intempéries et aux initiatives

des politiciens français et de demeurer, encore aujourd'hui, après une restauration en 1985, dans son état d'origine. Cette salle « à l'italienne » de 956 places est épisodiquement utilisée pour des concerts de piano ou de musique de chambre sur invitation.

* Théâtre Mogador
25, rue du Mogador
75009 Paris
Tél. : 01 56 35 12 12
Internet : www.mogador.net

* Mairie du IXe arrondissement de Paris Salle Rossini
6, rue Drouot
75009 Paris
Tél. : 01 71 37 75 09
Un jeudi par mois, à 12 h 30, la mairie du IXe arrondissement de Paris accueille les jeunes talents du piano et offre une « pause piano » gratuite.

* Cathédrale américaine de Paris
Avenue George-V
75008 Paris
Tél. : 01 53 25 84 00 ou 06 72 01 31 61
Internet : www.lagv.org et contactlagv@lagv.org
À l'initiative de l'association Les Arts George V et dans le cadre des « Dimanches musicaux », des concerts gratuits d'une durée de quarante-cinq minutes y ont lieu à 16 heures la plupart des dimanches de l'année, entre septembre et juin. Souvent jeunes et dépourvus de toute notoriété médiatique, les pianistes programmés sont généralement de très bon niveau. Allicent Ratzlaff, Junghwa Lee, Michael Sellers, Han Tran, Anastasiya Timofeva et Min-Jung Kym s'y sont illustrés durant la saison 2014-2015.

* Centre Pompidou
19, rue Beaubourg 75004 Paris
Tél. : 01 44 78 48 16

* Espace Léopold-Bellan
64, rue du Rocher
75008 Paris
Tél. : 01 53 42 11 60
Internet : www.fondation.bellan.fr

* Fondation Dosne-Thiers
27, place Saint-Georges
75009 Paris
Tél. : 01 42 27 79 90

* Institut finlandais
60, rue des Écoles
75005 Paris
Tél. : 01 40 51 89 09

* Ircam
1, place Igor-Stravinsky
75004 Paris
Tél. : 01 44 78 48 16

* Mairie du XVIe arrondissement
71, avenue Henri-Martin
75775 Paris Cedex 16
Tél. : 01 40 72 16 16
La salle des fêtes sert parfois de cadre à des récitals de piano.

* Hôpital Sainte-Perrine
11, rue Chardon-Lagache
75016 Paris
Tél. : 01 44 96 31 31
L'association Jeunes Talents organise régulièrement des concerts gratuits de piano dans les jardins de cet établissement (de même que dans ceux de l'hôpital Robert- Debré, dans le XIXe arrondissement de Paris).

« Le pianiste s'enfuit dans l'ombre, la tête gluante sous le bras. »
Yves Bonnefoy, *Traité du pianiste*

Piano Biblio

« Il semble qu'au milieu d'un temps chargé de plus en plus de mémoire, oublier devienne l'urgence absolue. »

Pierre Boulez, « Mémoire et Création », cours au Collège de France, publié en 2005 dans *Leçons de musique*

En matière bibliographique, la quantité et la variété des lectures et des repères peuvent surprendre : elles sont sans doute singulières dans le tourbillon d'une époque qui se défausse à grands coups de commémorations et de son extrême propension à l'oubli instantané et à l'amnésie de longue durée. Dans bon nombre de cas et, en particulier, dès qu'il est question de piano et de pianistes, elles devraient pourtant s'imposer avec force, ne serait-ce que pour prendre la mesure du point qu'ont atteint – ou visé – ceux et celles qui nous ont devancés... Sans nullement prétendre à l'exhaustivité, cette recension de références documentaires entend bien sûr rendre hommage aux auteurs, mais aussi inciter à la curiosité et au plaisir de la lecture de travaux intellectuels, parfois ignorés ou méconnus, souvent remarquables et toujours appréciables.

Valery AFANASSIEV, *Notes de pianiste*, Paris, José Corti, 2012.

Pierre-Laurent AIMARD, *Rôle et Responsabilité de l'interprète d'aujourd'hui*, Paris, Fayard, Collège de France, 2009.
Opuscule de 46 pages.

Jacques ATTALI, *Bruits*, Paris, Presses universitaires de France, 1977.
Passionné de musique, convaincu de l'importance qu'elle a dans l'évolution des sociétés, l'auteur, essayiste fort renommé, est pianiste. L'année qui a suivi la parution de ce livre, plusieurs fois réédité et devenu un ouvrage classique de référence, il a joué son propre rôle dans *Pauline et l'Ordinateur*, le film de Francis Fehr.

Alberto AUSONI, *La Musique – Repères iconographiques*, traduit de l'italien par Chantal Moirand, Paris, Hazan, collection Guide des arts, 2006, (Mondadori, Milan, 2005).
Six pages sont consacrées au piano.

Carl Philipp Emanuel BACH (1714-1788), *Versuch über die Wahre Art das Clavier zu spielen*, Berlin, gedruckt bey C.F.Henning, 2 vol. 1753 (*Essai sur la vraie manière de jouer des instruments à clavier*, expliqué avec des exemples et dix-huit leçons

en six sonates. Avant-propos de Ralph Kirkpatrick, traduction de Dennis Collins, Paris, Jean-Claude Lattès, collection Musiques et Musiciens, 1979).
Publié en deux volumes, ce traité de Carl-Philipp Emanuel Bach fut considéré en son temps comme une source primordiale pour étudier la technique, l'interprétation, l'ornementation, l'accompagnement et l'improvisation au clavier.

Paul BADURA-SKODA, *Être musicien*, introduction et notes de Philippe Olivier, traductions de Philippe Olivier, Léa Ponthieu et Marc Vignal, Paris, Hermann, collection Points d'orgue, 2007. *Dans l'intimité des maîtres*, entretiens avec Antonin Scherrer, Lausanne, La Bibliothèque des Arts, 2014.
Par un auteur qui fait partie du « club » des très grands pianistes.

BARBARA (1930-1997), *Il était un piano noir... Mémoires interrompus*, Paris, Fayard, 1998.
La chanteuse évoque notamment ses débuts au cabaret de *L'Écluse* de 1958 à 1964.

Jean-Noël BARBIER (1920-1994), *Au piano avec Erik Satie*, Charlieu, La Bartavelle Éditeur, 1977 (Paris, Librairie Seguier, 1986).
Par un élève de Blanche Silva et de Lazare Lévy qui fut directeur de l'école de musique de Charenton-le-Pont et dont l'enregistrement de l'intégrale des œuvres pour piano seul de Satie fut primé par l'Académie du disque français.

Caline BARBIZET, *Pierre Barbizet, le chant d'un piano*, avec la collaboration de Jacques Bonnardier, Marseille, Jeanne Laffitte, 2009.

Daniel BARENBOIM et **Patrice CHEREAU**, *Dialogues sur la musique et le théâtre, Tristan et Isolde*, Paris, Buchet-Chastel, collection Musique, 2010.

Alessandro BARICCO, *Novecento : un monologo*, Milan, Feltrinelli, 1994. *Novecento : pianiste*, traduction de Françoise Brun, Paris, Gallimard, collection Folio bilingue, 2006.
Monologue théâtral par ce journaliste et musicologue italien qui raconte l'histoire d'un pianiste qui naviguait toujours sur l'océan...

René BEAUPAIN, *Chronologie des pianos de la Maison Pleyel*, Paris, Éditions de l'Harmattan, 2001 (2006, édition augmentée). *La Maison Erard – Manufacture de pianos* (1780-1959), Paris, Éditions de L'Harmattan, 2005. *La Maison Gaveau – Manufacture de pianos* (1847-1971), Paris, Éditions de L'Harmattan, 2009. *Regards d'un métèque en Météquie*, Paris, Les impliqués Éditeur, 2014.
Docteur ès sciences de l'université de Paris et ancien chercheur au Centre natio-

nal de la recherche scientifique, cet auteur a pris la fort judicieuse initiative de se pencher sur l'histoire des facteurs de pianos Pleyel, Erard et Gaveau. Son dernier ouvrage est un essai singulier et souvent passionnant. Il y rappelle notamment combien le territoire français fut *« un très grand pays de culture pianistique, instrumentale et musicale »* et, en des pages que certains « décideurs » feraient bien de prendre la peine de lire, il y met l'accent, arguments irréfutables à l'appui, sur *« une situation stupéfiante d'autodestruction culturelle »*.

Olivier BELLAMY, *Martha Argerich, l'enfant et les sortilèges*, Paris, Buchet-Chastel, 2010. *Dictionnaire amoureux du piano*, Paris, Éditions Plon, 2014.
L'auteur anime une émission quotidienne sur Radio Classique. Dans l'ouvrage figure cette réflexion de Martha Argerich : *« C'est difficile d'être pianiste. Personne ne vous attend, personne n'a besoin de vous. Comme aurait pu le dire Jacques Lacan : jouer du piano, c'est donner ce que l'on n'est pas sûr d'avoir à des gens qui ne sont pas sûrs d'en vouloir. »*

Philip R. BELT, *The Piano*, New York, W.W. Norton Company, 1988.

Boris BERMAN, *Notes From The Pianist's Bench*, New Haven, Yale University Press, 2000. *Prokofiev's Piano Sonatas : A Guide For The Listener And The Performer*, New Haven, Yale University Press, 2008.
Né en 1948, l'auteur est volontiers reconnu comme un grand pianiste et pédagogue américain d'origine russe.

Thomas BERNHARD (1931-1989), *Der Untergeher*, Francfort, Suhrkamp, 1983 (*Le Naufragé*, traduction de Bernard Kreiss, Paris, Gallimard, 1986).
Ce roman met en scène trois pianistes en Autriche : Glenn Gould, un personnage nommé Wertheimer et le narrateur.

Seymour BERNSTEIN, *With Your Own Hands – Self-discovery Through Music*, New York, Schirmer Books, Londres, Collier Macmillan, 1981. L'auteur est un pianiste-concertiste, pédagogue et compositeur américain.

Christian BINET, *Haut de gamme*, Paris, Barcelone, Bruxelles, Dargaud, 2010. Quand un auteur de bandes dessinées met en scène un pianiste désabusé, contraint de donner des leçons particulières et songeant à se reconvertir dans la charcuterie...

Idil BIRET, *Idil Biret, une pianiste turque en France*, conversations avec Dominique Xardel, préface de Claude Samuel, Paris, Buchet-Chastel, 2006 ; Istanbul, Can

Yayinlari, 2007 ; Düsseldorf, Staccato Verlag, 2007.
Cette ancienne élève de Nadia Boulanger puis d'Alfred Cortot est une artiste au rayonnement international, grâce, notamment, à ses disques diffusés à plus de deux millions d'exemplaires.

Stéphane BLET, *Introduction à l'art pianistique*, suivi de *Schumann ou les Déchirements de la double personnalité*. Essai. Bourg-La-Reine, Zurfluh Éditions, 2006.
Pianiste et compositeur né en 1969, l'auteur enseigne à l'école normale de musique Alfred Cortot, à Paris, après avoir été notamment un jeune assistant de Vladimir Horowitz. Il a formé plusieurs lauréats de grands concours internationaux et effectué de nombreux enregistrements.

Claude BOLLING, *Bolling Story*, avec la collaboration de Jean-Pierre Daubresse, Paris, Alphée-Jean-Paul Bertrand, 2008.
Autobiographie bienvenue car pleinement justifiée de ce pianiste de jazz, chef d'orchestre, compositeur et arrangeur renommé.

Yves BONNEFOY, *Traité du pianiste*, Paris, La Révolution la Nuit, 1946 (*Traité du pianiste et autres écrits anciens*, Paris, Mercure de France, 2008).
L'un des premiers poèmes de cet auteur qui, très jeune, au sortir de la guerre, fut séduit, d'une manière « ambivalente, conflictuelle », par le surréalisme d'André Breton. Rédigée à l'occasion de la réédition de 2008, une préface autobiographique évoque le souvenir d'un piano, que les parents avaient acheté pour la sœur du futur poète, et que celui-ci allait parfois discrètement faire sonner. L'esprit, emporté par le hasard de ces quelques notes, rêvait alors à tout un monde d'harmonies et, plus encore, à *« d'autres lieux et d'autres niveaux de l'existence sur terre »*. Redonnant espoir en la parole humaine, la mélodie avait sans doute fondé la vocation de Bonnefoy qui définit la parole poétique comme *« une écoute simultanée des mots déconceptualisés par les sons, des sons troublés par des mots »*.

Youri BORISSOV, *Du côté de chez Richter*, conversations, traduction de Serge Kassian et Janine Lévy, Arles, Actes Sud, collection Classica, 2008.

Pierre BOULEZ, *Leçons de musique*, Paris, Christian Bourgois, 2005.

Brigitte BOUTHINON-DUMAS, *Mémoire d'empreintes – l'enseignement du piano*, Points de vue, Cité de la musique, Paris, 1993 (1999).
Ouvrage de référence d'une pianiste et pédagogue qui a formé de nombreux concertistes, dont Claire Désert, Adélaïde Panaget (duo Jatekok) et Katherine Nikitine.

Malwine BREE (1861-1937), *The Groundwork Of The Leschetizky Method : Issued With His Approval / With Forty-seven Illustrative Cuts Of Leschetizky's Hand*, traduction de l'allemand par Theodore Baker, Mayence, 1903 (*The Leschetizky Method : A Guide To Fine And Correct Piano Playing*, traduction par Arthur Elson, introduction de Seymour Bernstein, New York, Dover Publications, 1997).
Les principes fondamentaux de la technique pianistique chers à l'illustre pianiste et pédagogue Theodor Leschetizky (1830-1915) dont Malwine Brée fut, avec Katherine Goodson, Annette Hullah et Marie Prentner, l'une des assistantes les plus renommées. Précieux pour tout aspirant concertiste, cet ouvrage peut être complété par celui publié également pour la première fois en 1903 par Marie Prentner, autre élève et assistante du maître.

Alfred BRENDEL, *Réflexions faites*, Paris, Buchet-Chastel, 1979. *Musique côté cour, côté jardin*, Paris, Buchet-Chastel, 1994. *Le Voile de l'ordre*, entretien avec Martin Meyer, traduit de l'allemand par Olivier Mannoni, Paris, Éditions Christian Bourgois, 2002. *L'Abécédaire d'un pianiste*, Paris, Éditions Christian. Bourgeois, 2014.
Musicien, mais aussi essayiste et poète, l'auteur est le célèbre pianiste autrichien, peut-être l'un des plus grands interprètes de l'histoire de la musique. Son nom est volontiers associé aux œuvres de Haynd, Mozart, Schubert et Beethoven. Né en Moravie et issu d'une famille aux ascendances italiennes, allemandes et slaves, il réside dans le quartier d'Hampstead, à Londres, et se consacre à l'écriture depuis que, souffrant d'arthrite, il s'est sagement résolu à jouer ses ultimes notes de piano en public le 18 décembre 2008 et à mettre ainsi un terme à soixante ans de carrière.

Catherine BROS et **Marc PAPILLON**, *La Main du pianiste : méthode d'éducation posturale progressive*, collection Médecine des arts, Montauban, AleXitère, 2001.
Opuscule d'une soixantaine de pages, particulièrement utile pour les solistes qui ont tendance à travailler d'arrache-doigt...

Yvette CARBOU, *La Leçon de musique d'Yvonne Lefébure*, collection Les maîtres de musique, Fondettes (Tours), Van de Velde, 1995.
Yvonne Lefébure (1898-1986) fait partie avec, notamment, Blanche Selva (1884-1942), Lélia Gousseau (1909-1997), Reine Gianoli (1915-1979), Geneviève Joy (1919-2009), Germaine Mounier (1920-2006), Blanche Bascourret de Guéraldi et Françoise Thinat des grandes pédagogues françaises du XXe siècle dans le domaine pianistique.

Thad CARHART, *The Piano Shop On The Left Bank : Discovering A Forgotten Passion In A Paris Atelier*, New York, Random House, 2001.

L'auteur, un ancien étudiant de l'université de Stanford, a tiré parti d'un séjour de plusieurs années dans la capitale française pour faire paraître cet intéressant livre de souvenirs, réimprimé à plusieurs reprises, qui évoque non seulement l'histoire et la facture du piano, mais encore certains aspects pittoresques de Paris.

Maxence CARON, *Pages – Le Sens, la Musique et les Mots*, Paris, Séguier, 2009. *Journal inexorable – Nocturne avant l'aube de pourpre*, Versailles, Via Romana, 2012. Deux des ouvrages de ce musicien et philosophe, pianiste et musicologue, né en 1976.

Barrie CARSON TURNER, *Le Piano – À la découverte d'un instrument*. Adaptation de Françoise Rose. Avec un CD : pianistes : Christian Zacharias, Moura Lympany, Stanislav Bunin... Paris, Gautier-Languereau Éditeurs, Hachette Livre, 1996. Passionnante source d'informations.

Maurice CAUCHIE (1882-1963), *La Pratique de la musique : conseils rationnels à l'usage des instrumentistes, chanteurs, chefs d'orchestre et de chœur, directeurs de théâtres et de sociétés musicales*, Paris, Les Belles Lettres, 1948.
Petit ouvrage de 140 pages par un littérateur et musicologue reconnu en son temps, qui a collaboré à l'édition complète des œuvres de François Couperin et également publié l'Index thématique des œuvres de Couperin.

Cergiu CELIBIDACHE (1912-1996), *La Musique n'est rien – Textes et Entretiens pour une phénoménologie de la musique*, textes réunis par Hadrien France-Lanord et Patrick Lang, préface d'Ida Haendel, Arles, France, Éditions Actes Sud, 2012, 336 p. Atypique, résolument « hors normes », ce chef d'orchestre – sans aucun doute l'un des plus exigeants et des plus novateurs du XXe siècle – a beaucoup réfléchi sur la musique et le caractère fondamental de sa vérité vécue. Il est connu d'un assez large public pour avoir remplacé Wilhelm Furtwängler à la tête du Philharmonique de Berlin, en 1945, laissé, avec Arturo Benedetti Michelangeli, une interprétation d'anthologie du *5e Concerto pour piano* de Beethoven et manifesté avec force ses réticences face au disque. Influencé par Husserl, le bouddhisme zen et le yoga, son travail intellectuel concernant la phénoménologie de la musique, qu'il transmettait uniquement de manière orale, est de première importance. La pianiste Elizabeth Sombart, qui se consacre à la formation des professeurs et des pianistes, est l'une de ses principales disciples.

Frédéric CHOPIN (1810-1849), *Correspondance*, traduction et annotations de Brnoslav Edouard Sydow, avec Suzanne et Denise Chainaye, 3 vol., Paris, Richard-Masse, 1953-1954. Édition définitive, revue et corrigée, 1981.

Aldo CICCOLINI (1925-2015), *Musique et Vérité*, entretiens avec Jean-Jacques Lafaye, préface d'André Tubeuf, témoignage. Témoignage d'Elisabeth Schwarzkopf, Paris, Éditions du Félin, 1998. *Je suis un lirico spinto...* entretiens avec Pascal Le Corre, collection L'Homme musicien, Paris, Van de Velde, 2007.
En 1949, le premier grand prix du concours Marguerite Long-Jacques Thibaud fut exceptionnellement décerné à deux pianistes, Aldo Ciccolini et Ventsislas Yankoff.

Ernest CLOSSON, *Histoire du piano*, Bruxelles, Éditions universitaires, Les Presses de Belgique, 1944.

Jean-Colette COLLESTER, *Rudolph Ganz : A Musical Pioneer*, Metuchen, Londres, The Scarecrow Press, 1995.
Un ouvrage en forme d'hommage à ce singulier pianiste suisse qui fut également chef d'orchestre et compositeur. Ancien élève de Ferruccio Busoni, Ganz (1877-1972) reste connu pour avoir beaucoup contribué à faire apprécier au public américain les œuvres de Claude Debussy et de Maurice Ravel (qui lui a d'ailleurs dédié son *Scarbo* dans *Gaspard de la nuit* en témoignage de reconnaissance).

Peter COOPER (1918-2004), *Style In Piano Playing*, Londres, John Calder, 1975 (*Style et Piano*, traduction de Claude Hermann, Paris, Henri Veyrier, 1984).
Riche en observations fort justes, un bon livre issu de l'expérience théorique de professeur et pratique d'artiste de concert. Né en Nouvelle-Zélande, son auteur a mené une carrière internationale de pianiste et claveciniste.

James Francis COOKE (1875-1960), *Great Pianists On Piano Playing : Godowsky, Hofmann, Lhevinne, Paderewski And 24 Others Legendary Performers*, Philadelphie, Theodore Presser Co, 1913 (New York, Dover Publications, 1999).
Cet ouvrage rassemble le contenu de remarquables conférences données par l'auteur qui fut un talentueux « touche-à-tout », à la fois journaliste, littérateur, pianiste, compositeur, éditeur...

Alfred CORTOT (1877-1962), *Principes rationnels de la technique pianistique*, Paris, Salabert, 1928. *Cours d'interprétation*, recueillis et rédigés par Jeanne Thieffry, 1932 (Paris, Genève, Ressources, 1980). *La Musique française de piano*, 1932 (Paris, Presses universitaires de France, collection Quadriges, 1981). *Aspects de Chopin*, Paris, Albin Michel, 1949 (avec une préface d'Hélène Grimaud, Paris, Albin Michel, 2010).
Ouvrages de référence par l'un des maîtres les plus illustres du piano depuis l'apparition de l'instrument. Magnifiquement écrit, *Aspects de Chopin* a fait l'objet de

rééditions nombreuses et justifiées. Au Japon, une île côtière porte le nom de Cortoshima, en témoignage de l'admiration suscitée par cet interprète français d'exception dans l'archipel nippon. Alfred Cortot fut, avec le violoniste Jacques Thibaud (1880-1953) et le violoncelliste Pablo Casals (1876-1973), l'un des membres du trio Cortot-Thibaud-Casals, formation mythique de la première moitié du XXe siècle, à la réputation mondiale.

François COUPERIN (1668-1733), *L'Art de toucher le clavecin*, Paris, chez l'auteur, 1716 (Maurice Cauchie [1882-1963] Éditions, Paris, Éditions de l'Oiseau Lyre, 1933 ; Wiesbaden, Breitkof u. Haertel, 1978...).

David CROMBIE, *Piano : Evolution, Design And Performance*, Londres, Int. Music P., 1995.
L'auteur est un journaliste anglais qui, lors de la parution de l'ouvrage, vivait dans le Surrey.

***

« La musique d'ambiance (...) n'est pas innocente. Elle n'est pas qu'une façon de dominer les bruits pénibles du travail. Elle peut être l'annonce du silence général des hommes. »

Jacques Attali, *Bruits*

***

Janos DARVAS, *Les héritiers de Liszt : l'école hongroise de piano*, DVD vidéo en hongrois, sous-titré en français, Paris, Bibliothèque publique d'information (distrib.), 2009.
Le document a été réalisé avec la participation du pianiste Zoltan Kocsis.

Catherine DAVID, *La Beauté du geste*, Paris, Calmann-Lévy, 1994 (Babel, 2006). *Crescendo – Avis aux amateurs*, collection Un endroit où aller, Arles, Actes Sud, 2006.
Le premier ouvrage vise à établir un parallèle entre le piano et le tai-chi-chuan. Le second est un essai où il apparaît que jouer du piano, même en amateur, est une façon de faire progresser son existence et de manifester sa joie d'être au monde.

Lucette DESCAVES (1906-1993), *Un nouvel art du piano*, Paris, Fayard, 1966 (Billaudot, 1978).
Ouvrage de référence de la filleule de Camille Saint-Saëns. Cette brillante concer-

tiste soliste fut aussi l'une des grandes enseignantes françaises du XXe siècle qui compta notamment Brigitte Engerer, Katia et Marielle Labèque, Géry Moutier, Jean-Claude Pennetier, Georges Pludermacher et Pascal Rogé parmi ses élèves.

Monique DESCHAUSSEES, *L'Homme et le Piano – De la connaissance physique à la perception métaphysique*, Fondettes, Van de Velde, 1982. *Frédéric Chopin : 24 études – vers une interprétation*, Fondettes, Van de Velde, 1995. *La Musique et la Vie*, Paris, Buchet-Chastel, 2011.
Ouvrages de référence d'une pédagogue fort réputée, qui fut elle-même disciple de grands maîtres comme Lazare-Lévy, Alfred Cortot et Edwin Fischer.

Christiane DEVARS, *Le Piano désaccordé*, Paris, Anne Carrière, 2005. Documentaliste pour les émissions musicales de Radio France, l'auteure raconte, dans ce roman d'inspiration autobiographique, l'histoire d'une pianiste réputée pour son talent et soudain atteinte de la maladie d'Alzheimer, à travers le prisme de sa fille.

David DUBAL, *Reflections From The Keyboard : The World Of The Concert Pianist*, New York, Summit Books, 1984. *The Art Of The Piano : Its Performers, Literature And Recordings*, New York, Summit Books, 1989 (3e édition revue et corrigée, Cambridge, Amadeus Press, 2004). *Evenings With Horowitz : A Personal Portrait*, Secaucus, New Jersey, Carol Pub. Group, 1991.
Pianiste-concertiste, professeur de piano, enseignant à la Juilliard School de New York, mais aussi animateur de télévision, conférencier et peintre, l'auteur né en 1940 est réputé pour la multiplicité de ses talents artistiques.

Maurice DUMESNIL (Maurice Hippolyte Dumesnil, 1884-1974), *Claude Debussy : Master Of Dreams*, New York, I. Washburn, 1940 (Westport, Connecticut et Londres, Greenwood, 1979).
Né à Angoulême, l'auteur fut un élève de Claude Debussy et de Isidore Philipp. Excellent pianiste, il effectua au début du XXe siècle des tournées de concerts en Europe et outre-Atlantique qui établirent sa renommée de maître de l'instrument. Époux de la compositrice Evangeline Marie Lehman, il s'est installé et est mort aux États-Unis. Cet ouvrage qu'il a laissé fournit de précieuses indications sur l'art de jouer et d'enseigner les œuvres pour piano de Debussy.

Cécilia DUNOYER de SEGONZAC, *Marguerite Long (1874-1966) : un siècle de vie musicale français*, Paris, Éditions Findakly, 1993 (*Marguerite Long, A Life In French Music*, Bloomington, Indianapolis, Indiana University Press, 1993).

Marguerite DURAS (Marguerite Donnadieu dite, 1914-1996), *Moderato Cantabile*, Paris, Éditions de minuit, 1958.
Par cette célèbre femme de lettres, mélomane et pianiste, un roman où un meurtre a lieu dans un café au-dessus duquel une femme accompagne à sa leçon de piano son fils qui rechigne à jouer la sonatine de Diabelli et s'obstine à ignorer la signification de *moderato cantabile*...

Jean ECHENOZ, *Au piano*, Paris, Les Éditions de minuit, 2003.
Roman qui, en son début, met en lumière combien la pratique professionnelle du piano implique une discipline stricte et combien le pianiste se doit à son public.

Jean-Jacques EIGELDINGER, *Chopin vu par ses élèves*, textes recueillis, traduits et commentés par Jean-Jacques Eigeldinger, Neuchâtel, Éditions de la Baconnière, Paris, Payot, collection Langages, 1970 ; Paris, Fayard, 2006. *La Note bleue : mélanges offerts au professeur Jean-Jacques Eigeldinger*, Jacqueline Weber (éd.), Berne, New York, Peter Lang, 2006. *Chopin et Pleyel*, Paris, Fayard, 2010. *Chopin, âme des salons parisiens*, Paris, Fayard, 2013.
Grand spécialiste de Chopin, l'auteur, qui fut professeur à l'université de Genève, est un musicologue reconnu.

Jacqueline EYMAR (1922-2008), *Maîtrise du clavier : 45 formules techniques pour piano*, Paris, Éditions musicales transatlantiques, 1974.
Le seul ouvrage à vocation pédagogique de cette pianiste qui fut formée par Yves Nat (1890-1956) et dont le critique musical René Dumesnil écrivit, en 1960, dans le quotidien *Le Monde* : *« J'ai rarement vu possession si complète d'une interprète par la musique qu'elle anime. »*

***

« Grâce à la musique, les passions jouissent d'elles-mêmes. »
Frédéric Nietzsche, *Par-delà le bien et le mal*

***

Jean FASSINA, *Lettre à un jeune pianiste*, préface de Jacques Rouvier, Paris, Fayard, 2000.
L'auteur est un concertiste et pédagogue réputé qui eut notamment Michel Béroff parmi ses élèves. Le préfacier est aussi un grand pédagogue qui, au conservatoire de Paris, a formé des dizaines de brillants instrumentistes, dont Hélène Grimaud, Arcadi Volodos, David Fray, Vahan Mardirossian, Romain Descharmes, Jean Dubé, Lidija et Sanja Bizjak, Philippe Giusiano, David Kadouch et Lydie Solomon.

Samouïl FEINBERG (Samouïl Ievguenievitch Feinberg dit, 1890-1962), *Pianizm kak iskunsstoo* (*Le Pianisme comme un art*), Moscou, Muzyka, 1965 (Moscou, Klassika- XXI, 2001).
Paru de manière posthume conformément au souhait de l'auteur, l'unique ouvrage d'un des grands interprètes et pédagogues russes, qui n'a, hélas, fait l'objet jusqu'à présent d'aucune traduction.

George T. FERRIS, *Scketches Of Great Pianists And Great Violonits : Biographical And Anecdotal, With Account Of The Violin And Early Violinists*, Londres, Reeves, s.d.

François-Joseph FETIS (1784-1871), *La Musique mise à la portée de tout le monde – Exposé succinct de tout ce qui est nécessaire pour juger de cet art et pour en parler sans l'avoir étudié*, Paris, Alexandre Mesnier libraire, 1830. *Méthode des méthodes de piano ou Traité de l'art de jouer de cet instrument basé sur l'analyse des meilleurs ouvrages qui ont été faits à ce sujet*, Paris, M. Schlesinger, 1840.
Musicographe et compositeur, François-Joseph Fétis fut professeur au conservatoire de Paris, maître de chapelle et directeur du conservatoire de Bruxelles, et fondateur de la Revue musicale.

Edwin FISCHER (1886-1960), *Considérations sur la musique*, traduit de l'allemand par Charles-Marie de Boncourt, collection Les Grands Maîtres, Paris, Coudrier, 1951. L'un des ouvrages du célèbre pianiste suisse.

Andor FOLDES (1913-1992), *Keys To The Keyboard, A Book For Pianists*, New York, E.P. Dutton & Co, 1948 ; Londres, Oxford Université Press, 1972.
Ouvrage de référence, édité et réédité en plusieurs langues, par un pianiste d'origine hongroise naturalisé américain.

Ben FOUTAIN, *Fantaisie pour onze doigts (Fantasy For Eleven Fingers)*, in *Brèves Rencontres avec Che Guevara (Brief Encounters With Che Guevara)*, nouvelles traduites de l'américain par Michel Lederer, Paris, Albin Michel, collection Terres d'Amérique, 2007 ; 10/18, Albin Michel, collection Terres d'Amérique, 2010.
Par un auteur originaire du Texas, une suggestive évocation d'une singulière pianiste-concertiste.

Robert FREUND, *Memoiren eines Pianisten*, préface de Max Fehr, Zürich, Hug, 1951.

Arthur FRIEDHEIM (1859-1932), *Life and Liszt : The Recollections Of a Concert Pianist*, Theodore L. Bullock ed., New York, Taplinger Publications Co., 1961 (New

York Dover Publications, 2012).
L'auteur fut élève et secrétaire de Franz Liszt. Il compta la mère de Van Cliburn parmi ses propres élèves et a laissé plusieurs enregistrements qui, en dépit d'une technique balbutiante, témoignent de son talent pianistique.

Bernard GAVOTY (1908-1981), *Vingt grands interprètes*, Lausanne, Rencontres, 1967. *Alfred Cortot*, Paris, Buchet-Chastel, 1977 (1995 et 2012).
Organiste, musicographe, l'auteur, élève de Louis Vierne et de Marcel Dupré au conservatoire de Paris, fut un brillant conférencier et un critique musical apprécié, sous le pseudonyme de Clarendon.

Gérard GEFEN, *Piano*, photos de Gilbert Nencioli, Paris, Éditions du Chêne, 2002.
Ouvrage doté d'une très belle iconographie et consacré à l'univers culturel, mais aussi social et économique de l'instrument.

Reginal R. GERIG, *Famous Pianists And Their Technique*, Bloomington, Indianapolis, Indiana University Press, 2007.

Walter GIESEKING (1898-1958) et **Karl LEIMER** (1858-1944), *Le Jeu moderne du piano d'après Leimer-Gieseking*, Paris, Max Eschig, 1932 ; traduction de O. Casa, préface de Walter Gieseking et avertissement du Dr K. Rolan, Mayence, Bernhard Schott's Söhne, 1978. *The Shortest Way To Pianistic Perfection*, New York, Dover Books, 1932. *Rhythmics, Dynamics, Pedal And Other Problems Of Piano Playing*, 1938.
Leimer fut le professeur de Gieseking au conservatoire de Hanovre et son élève lui voua sa vie durant la plus vive admiration.

Dominic GILL, *Le Grand Livre du piano*, traduction de Marie-Claire Cuvillier, Fondettes, Van de Velde, 1981.

Nicholas J. GIORDANO, *Physics Of The Piano*, Oxford et New York, Oxford University Press, 2010.

August GOLLERICH (1859-1923), *The Piano Master Classes Of Franz Liszt 1884-1886 – Diary Notes Of August Göllerich*, édition de Wilhelm Jerger, traduction et contributions de Richard Louis Zimdars, Bloomington, Indiana University Press, 1996.
C'est à August Göllerich, un ancien élève de Liszt, que l'on doit ce très précieux document.

Edwain Marshall GOOD, *Giraffes, Black Dragons And Other Pianos*, Stanford, Stanford University Press, 1982 ; 2002.
Ouvrage qui, en plusieurs centaines de pages, retrace l'évolution technologique du piano de 1700 à nos jours.

Edwin Marshall GOOD, Cynthia Adams HOOVER, Patrick RUCKER, *Piano 300, Celebrating Three Centuries Of People And Pianos*, Washington, National Museum of American History, NAMM-International Music Products Association, 2001.
Un hommage à l'instrument en quatre-vingts pages.

Vera GORNOSTAYEVA, *Deux heures après le concert.*
Ce livre de souvenirs paru en japonais et en russe au milieu des années 1990 n'est malheureusement toujours pas accessible en français ou en anglais. Son auteure, qui fut l'élève de Heinrich Neuhaus, fait pourtant partie des plus grandes pédagogues russes du XXe siècle dans le domaine pianistique. Elle a formé des dizaines d'instrumentistes éminents dont Eteri Andjaparidze, Sergei Babayan, Alexey Botvinov, Pavel Egorov, Petras Geniusas, Lukas Geniusas (son petit-fils), Andrey Gugnin, Dina Joffe, Vadim Kholodenko, Ksenia Knorre (sa fille), Alexei Kornienko, Karen Kornienko, Ksenia Knorre, Semion Kruchin, Yuri Lisichenko, Yurie Miura, Alexandre Paley, Maxim Philippov, Marian Pivka, Ivo Pogorelich, Vassily Primakov, Aleksandra Romanic, Valery Sigalevitch, Alexandre Slobodyanik (1941-2008), Ayako Uehara et Jenny Zaharieva-Maleeva.

Jay GOTTLIEB, Alain NEVEUX, François-Michel RIGNOL et Françoise THINAT, *Dix ans avec le piano du XXe siècle*, Paris, Institut de pédagogie municipale et chorégraphique, 1998.
Fruit d'une commande de la Cité de la musique de Paris, ce catalogue raisonné d'œuvres pianistiques du XXe siècle met en évidence les œuvres du répertoire de la première à la dixième année d'étude. Pianistes reconnus dans leur spécialité et pédagogues réputés, ses auteurs font autorité.

Louis Moreau GOTTSCHALK, *Notes Of A Pianist : The Chronicles Of A New Orleans Music Legend*, Princeton University Press, 1881, rééd. 2006.

Glenn GOULD (1932-1982), *Entretiens* avec Jonathan Cott, Paris, Lattès, 1983 (traduction et préface de Jacques Drillon, collection Musique et Cie, 10/18, 2001). *Écrits I et II*, traduction de Bruno Monsaingeon, Paris, Fayard, 1983-1985. *Journal d'une crise*, suivi de *Correspondance de concert*, présenté par Bruno Monsaingeon, Paris, Fayard, 2002.

Le célèbre pianiste dévoile les multiples facettes de sa personnalité. Il évoque son enfance et sa formation, les moments importants de son existence, donne les raisons de ses adieux définitifs à la scène, tout en procédant à une analyse approfondie des composantes physiques du jeu pianistique.

Hélène GRIMAUD, *Variations sauvages*, Paris, Éditions Robert Laffont, 2003. *Leçons particulières*, Paris, Éditions Robert Laffont, 2005.
Dans le premier ouvrage, largement autobiographique et traduit dans une dizaine de langues, la pianiste se décrit enfant, puis adolescente et jeune adulte, insoumise, dans un monde où l'on ne cesse de vouloir lui imposer des règles dont elle rejette les finalités. Dans le second livre, également autobiographique, mais à dimension plus philosophique et poétique, l'artiste s'interroge sur le sens de sa vie : l'enchaînement des concerts, la multiplication des déplacements, la recherche d'une absolue perfection, le temps qui lui échappe... Elle se pose des questions fondamentales sur l'existence, la musique, son pourquoi et son comment, la quête du bonheur... à travers des apologues marqués par la rencontre d'êtres mystérieux et attachants. Hélène Grimaud a également préfacé plusieurs ouvrages : *Le Loup, sauvage et fascinant* de Shaun Ellis et Monty Sloan (Paris, Michel Lafon, 2006), *Johannes Brahms* de Stéphane Barsacq (Arles, Actes Sud, 2008) et surtout *Aspects* de Chopin d'Alfred Cortot (réédité par Albin Michel en 2010).

Didier GUIGUE, *Esthétique de la sonorité – L'héritage de Debussy dans la musique pour piano du XXe siècle*, Paris, L'Harmattan, 2009.
Ouvrage de quelque 426 pages. Titulaire, non d'un doctorat de complaisance, de type Cambadélis, du nom de ce politicien français qui défraya la chronique pour avoir obtenu de l'université Paris-Diderot-Paris 7 ce diplôme en étant dispensé de maîtrise et de licence, mais bel et bien d'un doctorat en musicologie du XXe siècle à l'EHESS (École des hautes études en sciences sociales) réalisé sous la direction d'Hugues Dufourt, l'auteur est professeur à l'université fédérale de Paraíba (João Pessoa, Brésil), où il assume également la direction d'un troisième cycle en musique.

Serge GUT (1927-2014), *Franz Liszt, les éléments du langage musical*, Paris, Éditions de Fallois, Lausanne, Éditions de l'Âge d'homme, 1989 (édition revue et augmentée, Bourg-la-Reine, Zurfluh Éditions, 2008).
Un ouvrage de référence par un compositeur, théoricien et musicologue d'origine suisse, qui fut directeur de département de musique et musicologie de l'université de Paris 4.

« La musique a joué pour moi un rôle aussi important que Nietzsche. »
Michel Foucault (1926-1984), in *Dits et Écrits*

***

Reynaldo HAHN (1875-1947), *L'Oreille au guet*, Paris, Gallimard, 1937.

Majoie HAJARY, *Yoga voor de pianist (Le Yoga du pianiste)*, Naarden, Strengholt, 1989.

Kenneth HAMILTON, *After The Golden Age, Romantic Pianism And Modern Performance*, Oxford, New York, Oxford University Press, 2008.

Claude HELFFER (1922-2004) et **Catherine MICHAUD-PRADEILLES**, *Le Piano*, Paris, Presses universitaires de France, collection Que sais-je, 1985 ; 1997.
Claude Helffer fut un pianiste réputé pour son interprétation de la musique du XXe siècle. Sous le titre *Claude Helffer, la musique sur le bout des doigts*, un livre d'entretiens avec Bruno Serrou lui a été consacré, en 2005 (collection Paroles de musicien, Éditions Michel de Maule). Catherine Michaud-Pradeilles est une musicologue, également coauteur, avec Yves Guilloux, Jean Haury, le pianiste et compositeur Patrick Scheyder, Patrick Sinigaglia et Gérard Winter de *Touches à touches : pianos et brevets d'invention au XIXe siècle*, un petit ouvrage collectif paru en 1997 chez Edispo Éditions.

Hermann Ludwig Ferdinand von HELMHOLTZ (1821-1894), *Die Lehre von den Tonempfindungen als physiologische Grundlage für die Theorie der Musik*, Brunswick (Basse-Saxe), F. Vieweg, 1863 (*On the Sensation Of Tone As A Physiological Basis For The Theory Of Music*, Londres, Longmans, Green & Co, 1875, New York, Dover Publications, 1954 ; et Whitefish (Montana), Kellinger Publishing, 2005).

Alan HERSH, *A Pianist's Dictionary – Reflections On A Life*, Lanham (Maryland), Hamilton Books, 2010.
Petit dictionnaire consacré au piano et assorti de remarques personnelles liées à l'expérience de l'auteur, né en 1940, concertiste sur le territoire américain et pédagogue (il a notamment enseigné à l'université du Kentucky).

Dieter HILDEBRANDT, *Pianoforte oder Der Roman des Klaviers im 19. Jahrundert*, Munich, Hanser, 1985 (*Le Roman du piano*, Arles, Actes Sud, 2003). Essai bien documenté.

Maurice HINSON, *The Pianist's Dictionary*, Bloomington, Indiana University Press, 2004.
L'auteur est un éminent spécialiste américain du piano. Il fut un professeur apprécié et ses avis font autorité outre-Atlantique.

Pierrette HISSARLIAN-LAGOUTTE, *Style et Technique des grands maîtres du piano*, Genève, Henn, 1942 (2e édition augmentée).
Lauréate du Conservatoire national de Paris et diplômée de l'Institut international de musique, l'auteure, née en 1911, fit paraître ce premier livre qui fut un « coup de maître » en s'imposant comme un classique ouvrage de référence. Par la suite, elle publia un *Philosophie et Esthétique de l'art musical* puis, en 1983, un article consacré à Ernest Ansermet, à l'occasion du centenaire de la naissance du chef d'orchestre et musicologue suisse.

Josef HOFMANN (1876-1957), *Piano Playing – With Piano Questions Answered*, Philadelphie, Theodore Pressler Co, 1920.
Compilation de deux petits ouvrages publiés en 1907 et en 1909, ce livre constitue un précieux document « testamentaire » de l'un des plus illustres pianistes solistes du XXe siècle.

Marc HONEGGER (sous la direction de), *Science de la musique – Technique, formes, instruments*, 2 vol., Paris, Bordas, 1976 ; 1990.

Nancy HUSTON, *Les Variations Goldberg*, Paris, Seuil, 1981 (Toulouse, Actes Sud, 1994).
Premier roman écrit directement en français de l'épouse de Tvetan Todorov où un claveciniste interprète dans sa chambre, à Paris, *les Variations Golberg* pour trente personnes et qui reprend ainsi un thème créé par Georges Duhamel dans *La Nuit de la Saint-Jean*, l'un des ouvrages de sa célèbre *Chronique des Pasquier*.

Stuart ISACOFF, *Temperament – How Music Became A Battleground For The Great Minds Of Western Civilization*, Londres, Faber & Faber, 2007. *A Natural History Of The Piano – The Instrument, The Musicians (From Mozart To Modern Jazz And Everything In Between)*, New York, Alfred Knopf, 2011 (*Una historia natural del piano – De Mozart al jazz moderno*, traduction de Mariano Peyrou, Madrid, Turner, 2013).
Pianiste et compositeur, l'auteur est un passionné du piano, connu pour avoir été longtemps rédacteur en chef du magazine *Piano Today* et collaborateur régulier de plusieurs publications américaines dont le *Wall Street Journal*.

Marie JAËLL (ou **TRAUTMANN JAËLL**, 1846-1925), *La Musique et la Psychophysiologie*, Paris, Félix Alcan, 1896. *Le Mécanisme du toucher : l'étude du piano par l'analyse expérimentale de la sensibilité tactile*, Paris, Armand Colin, 1897 (Paris, Association Marie Jaëll, 1982). *Le Toucher : enseignement du piano basé sur la physiologie*, Paris, Costallat et Cie, 1899. *L'Intelligence et le Rythme dans les mouvements artistiques – L'éducation de la pensée et le mouvement volontaire, le toucher musical, le toucher sphérique et le toucher contraire*, Paris, Félix Alcan, 1904. *Les Rythmes du regard et la Dissociation des doigts* – Avec 131 figures dans le texte, Paris, Librairie Fischbacher, 1906. *Un nouvel état de conscience : la coloration des sensations tactiles*, Paris, Félix Alcan, 1910. *La Résonance du toucher et la Topographie des pulpes*, Paris, Félix Alcan, 1912. *Nouvel Enseignement musical et manuel* – Leçon de continuité auditive fondée sur la découverte de boussoles tonales : nouvelle audition des intervalles en ut majeur sous l'influence de la direction nord, Paris, Presses universitaires de France, 1922. *La Main et la Pensée musicale*, Paris, Presses universitaires de France, 1927. *Un nouvel enseignement artistique : le toucher musical par l'éducation de la main*, Paris, Presses universitaires de France, 1927. *L'Enseignement de Marie Jaëll : quelques lettres adressées à une élève* (J. Culmann), Tours, A. Moreau, 1940.
Pianiste, compositrice et pédagogue, Marie Jaëll fut l'épouse d'Alfred Jaëll (1832-1882), pianiste de rayonnement international, ami de Franz Liszt et de Camille Saint-Saëns.

Vladimir JANKÉLÉVITCH (1903-1985), *Fauré et l'Inexprimable*, Paris, Plon, 1974. *Debussy et le Mystère*, Neuchâtel, Éditions De La Baconnière, 1949. *Debussy et le Mystère de l'instant*, Paris, Plon, 1976.

Elfriede JELINEK, *Die Klavierspielerin*, Reinbek (Hambourg), Rowohlt, 1983 (*La Pianiste*, traduit de l'allemand par Maryvonne Litaize et Yasmin Hoffmann, Nîmes, Éditions Jacqueline Chambon, 1988).
Ce roman de la chef de file de la génération littéraire austro-germanique dite « pop », Prix Nobel 2004, dresse un âpre portrait d'une professeure de piano psycho-rigide qui, *« un instant fugace, éprouve le besoin d'attraper la tête de l'élève par les cheveux et de la flanquer dans le ventre du piano, jusqu'à ce qu'un magma sanglant de tripes et de cordes à boyaux gicle et s'échappe en hurlant par le couvercle »*. Le récit a fait l'objet d'une adaptation cinématographique par Michael Haneke (avec pour principaux interprètes Isabelle Huppert, Annie Girardot, Benoît Magimel et Susanne Lothar), saluée par le grand prix du jury lors du Festival de Cannes 2001 et controversée. En raison, notamment, de la scène à sensation où l'enseignante se livre à une mutilation intime dans sa salle de bains.

Gaëlle JOSSE, *Nos vies désaccordées*, Paris, Autrement, 2012.
Deuxième roman de cette auteure où le narrateur est un pianiste de renommée internationale dont l'agenda est plein trois ans à l'avance et qui suit les traces de son grand amour dans un village des Pyrénées. Au risque de comprendre que, depuis des années, il ne joue que pour être aimé et admiré, de constater que son Steinway ne lui manque pas et de dresser au détour d'une phrase : *« J'ai cru sincèrement apporter la beauté, l'émotion, la joie, la paix. Illusion ! »*, un bilan plutôt désabusé.

Jean JUDE, *Pleyel 1757-1857 – La Passion d'un siècle*, Fondettes, Imprimerie du Centre Loire, 2008.
L'auteur est un professeur de musique passionné qui a constitué, en plus de quatre décennies, l'une des plus belles collections de pianos en France, avec plus de cent cinquante instruments, dont cinq classés monuments historiques (le plus ancien datant de 1782).

Gerd KAEMPER (1929-2011), *Techniques pianistiques – L'Évolution de la technique pianistique*, Paris, Éditions musicales de la Schola Cantorum et de la Procure générale de musique, 1965 ; Paris, Alphonse Leduc, 1968.
Déposée à Paris, en 1965, cette thèse a fait l'objet de plusieurs éditions et réimpressions. Son auteur est ce virtuose allemand, élève de Walter Gieseking, qui se distingua dans les compétitions internationales dans les années 1950 et fut comparé à Glenn Gould. Vers l'âge de 35 ans, considérant avoir atteint le sommet de la technique pianistique et de sa carrière de concertiste, il cessa de se produire en public.

Roseline KASSAP-RIEFENSTAHL, *Francis Planté (1839-1934) : un siècle de piano*, Mont-de-Marsan, L'Atelier des Brisants, 2009 (avec 1 CD Rom et 1 CD).

Wilhelm KEMPFF (1898-1991), *Cette note grave – Les années d'apprentissage d'un musicien*, traduction d'Alphonse Tournier, Paris, Plon, 1955.
Ouvrage de référence de cet interprète illustre qui a donné des cours à de nombreux pianistes dont Idil Biret, Jorg Demus, John O'Conor, Gerhard Oppitz, Peter Schmalfuss, Norman Shetler, Mitsuko Uchida et Ventsislas Yankoff.

Louis KENTNER (1905-1987), *Piano*, Paris, Hatier, collection Yehudi Menuhin, 1978.
Par un éminent pianiste hongrois naturalisé britannique, un ouvrage au contenu diversifié, foisonnant et honnête, qui permet d'aborder aussi bien la connaissance du piano et quelques illustres compositeurs que la pratique instrumentale.

Mark KINGWELL, *Glenn Gould*, Boréal, 2011.

Perri KNIZE, *Un piano dans la peau*, traduction et édition françaises de Marc Valdeyron, Montpellier, Piano e forte éditions, 2014.
L'auteure est une journaliste américaine qui ne se contente pas de raconter comment elle était destinée à être pianiste ni pour quelles raisons elle a étudié le piano au Mannes College of Music. Au fil de près de cinq cents pages, cette professionnelle de l'écriture journalistique et habitante de l'État du Montana émaille son récit de nombreuses informations qui sont de nature à intéresser les « pianophiles ». Comme son nom le laisse présumer, l'éditeur est spécialisé dans la publication de livres consacrés au piano.

Pannonica de KOENIGSWARTER (1913-1988), *Les Musiciens de jazz et leurs trois vœux*, Paris, Buchet-Chastel, 2006.
Confiées à une étonnante baronne et généreuse mécène du jazz be-bop, les réponses de 300 jazzmen, dont de nombreux pianistes, à la question « Si l'on vous accordait trois vœux qui devraient se réaliser sur-le-champ, que souhaiteriez-vous ? » Née Kathleen Annie Pannonica Rothschild, Pannonica de Koenigswarter est connue pour avoir été amie, notamment, de Thelonious Monk, de Bud Powell et du saxophoniste Charlie Parker.

Grigory KOGAN, *Busoni As Pianist*, traduction et annotations de Svetlana Belsky, Rochester, University of Rochester Press, 2010.

Raoul KOCZALSZI (1884-1948), *Frederic Chopin, Betrachetungen, Skizzen, Analysen*, Köln-Bayenthal, Tischer & Jagenberg, 1936 (*Frédéric Chopin : conseils d'interprétation*, introduction de Jean-Jacques Eigeldinger, Paris, Buchet-Chastel, 1998).
Bien que volontiers oublié de nos jours, l'auteur fut l'un des plus grands pianistes de son temps. Il fut également compositeur et pédagogue renommé qui eut Monique de La Bruchollerie parmi ses élèves. Relativement nombreux, les enregistrements qu'il a laissés témoignent de son respect minutieux des œuvres et peuvent constituer des références intéressantes. Les éditions Buchet-Chastel ont eu l'excellente initiative de faire reparaître ses précieux conseils d'interprétation et de les accompagner d'une introduction d'un musicologue, spécialiste réputé de Chopin.

Ziad KREIDY, *Les Avatars du piano*, Paris, Beauchesne éditeur, 2012.
Ce petit ouvrage de moins de quatre-vingts pages propose à ses lecteurs de s'intéresser au son et aux timbres à travers les âges, de s'interroger sur l'évolution du piano, et, le cas échéant, de remettre en cause certaines « idées reçues ». Son auteur est un pianiste et chercheur en musicologie franco-libanais.

Gidon KREMER, *Lettres à une jeune pianiste*, traduction de Martin Kaltenecker, Paris, L'Arche Éditeur, 2012.
Petit ouvrage émaillé de souvenirs de concerts et de musiciens célèbres où l'auteur, violoniste renommé, s'adresse à une jeune pianiste en lui recommandant de « suivre son propre chemin », sans céder à la tentation de « vendre » sa virtuosité.

Ernst KRIS (1900-1957) et **Otto KURZ** (1909-1975), *Die Legend vom Künstler : ein geschichtlicher Versuch*, Vienne, Krystall-Verl, 1934 (*Legend, Myth And Magic In The Image Of The Artist; A Historial Experiment*, préface d'Ernst Hans Grombrich [1909-2001], traduction de Alastair Laing et Lottie M. Newman, New Haven [Connecticut], Londres, Yale University Press, 1979 ; *L'Image de l'artiste, Légende, Mythe et Magie*, Paris, Rivages, collection Galerie, 1987).

LANG LANG, *Lang Lang : Playing Keys*, avec Michael French, introduction de Daniel Barenboim, New York, Delacorte Press, 2007. *Journey Of A Thousand Miles : My Story*, avec David Ritz, New York Spiefel & Grau, 2008 (paru sous le titre *Le Piano absolu*, traduction de Judith Coppel et Annick Perrot-Cornu, Paris, Éditions Jean-Claude Lattès, 2008.

Catherine LECHNER-REYDELLET, en collaboration avec Daniel Gaudet, *Guide musical répertorié à l'usage de tous les pianistes*, Paris, Éditions Séguier, 2005. Ouvrage qui met en lumière l'apport des compositeurs à l'écriture pianistique. Pianiste professionnelle, son auteure est professeure au conservatoire de Grenoble, romancière et poète.

Michel LEGRAND, *Rien n'est grave dans les aigus*, avec la collaboration de Stéphane Lerouge, collection Documents, Paris, Cherche Midi Éditeur, 2013.
Dans cet ouvrage autobiographique, le compositeur, pianiste et chef d'orchestre, volontiers « pulvérisateur de frontières », se raconte.

Émile LEIPP (1913-1986), *Acoustique et Musique*, Paris, Masson et Cie, 1971 (Paris, New York, Barcelone, Masson, 1989 ; Paris, Presses des Mines, 2010).
Ouvrage de référence, accessible à un large public. Chercheur acousticien, l'auteur a été directeur de recherche au CNRS-Centre national de la recherche scientifique et chargé de cours au Conservatoire national supérieur de musique de Paris. Il fut également le fondateur et directeur du Laboratoire d'acoustique musicale de l'université de Jussieu-Paris 6.

Pierre LEMARQUIS, *Sérénade pour un cerveau musicien*, Paris, Odile Jacob, 2009. *Portrait du cerveau en artiste*, Paris, Odile Jacob, 2012.

L'auteur est neurologue et fait valoir les apports extrêmement fructueux de la musique sur le fonctionnement cérébral.

Wilhelm von LENZ, *The Great Piano Virtuosos Of Our Time From Personal Acquintance : Liszt, Chopin, Tausig, Henselt*, traduction de Madeleine R. Baker, New York, Da Capo Press, 1973 (réimpression de New York 1889) ; collection Harmoniques, série Écrits de musiciens, Paris, Flammarion, 1995.

Denis LEVAILLANT, *Le Piano*, Paris, Jean-Claude Lattès/Salabert, 1986 (Éditions du Point d'exclamation, 2009). *Éloge du musical*, Paris, DLM Éditions, 2012.
Le premier livre est un remarquable ouvrage de formation, d'informations et de réflexion par un pianiste et compositeur né en 1952. En 120 pages, la diversité de ses approches va de pair avec une bibliographie fournie et l'existence d'un précieux index.

Josef LHEVINNE (1874-1944), *Basic Principles in Pianoforte Playing*, Philadelphie, Theo. Presser Company, 1924 (New York, Dover Publications, 1972).
Ce texte d'une quarantaine de pages rédigées par l'un des grands pianistes du XXe siècle, qui fut l'époux de Rosina Bessie (1880-1976), s'est imposé comme un très classique ouvrage de référence.

Franz LISZT (1811-1886), *Frédéric Chopin*, avant-propos d'Alfred Cortot, introduction de Jacques-Gabriel Prod'homme, Paris, Corréa, 1941 (Paris, Buchet- Chastel, 1997).
Célèbre ouvrage de référence, réimprimé et réédité à de nombreuses reprises. L'édition de Buchet-Chastel contient l'avant-propos d'Alfred Cortot, mais est dépourvue de l'introduction de Jacques-Gabriel Prod'homme, qui fut un grand musicologue et bibliothécaire.

Paul LOCARD (1871-1952), *Le Piano*, Paris, Presses universitaires de France, collection Que sais-je ? 1948 ; 1966 et 1974, avec Rémy Stricker.
Musicologue, Paul Locard a souvent utilisé le pseudonyme de « Paul Dambly » dans son activité de critique musicale. Né en 1936, Rémy Stricker est également un musicologue. Cet ancien élève de Yvonne Lefébure fut longtemps producteur à Radio France et professeur d'esthétique musicale au Conservatoire national supérieur de musique et de danse de Paris.

Arthur LOESSER (1894-1962), *Men Women and Pianos, A Social History*, New York, Simon & Schuster, 1954 ; New York, Dover Publications, 1991.

Alain LOMPECH, *Les Grands Pianistes du xxe siècle*, Paris, Buchet-Chastel, 2012.
Série de petits portraits d'instrumentistes choisis par l'auteur, qui fut longtemps critique musical au quotidien *Le Monde*.

Marguerite LONG (1874-1966), *Le Piano de Marguerite Long*, Paris, Salabert, 1959. *Au piano avec Claude Debussy*, Paris, René Julliard, 1960. *Au piano avec Gabriel Fauré*, avec la collaboration de Janine Weill, Paris, R. Julliard, 1963. *Au piano avec Maurice Ravel*, textes réunis et présentés par le Pr Pierre Maumonier, Paris, Julliard, 1971 (Paris, G. Billaudot, 1984).
Professeure très réputée, l'auteure compta plusieurs grands pianistes parmi ses élèves, dont Samson François (1924-1970), Setrak (1930-2006) et Bruno Leonardo Gelber. Elle fut également cofondatrice avec le violoniste Jacques Thibaud (1880-1953) du prestigieux concours international qui porte son nom.

R. Allen LOTT, *From Paris To Peoria : How European Piano Virtuosos Brought Classical Music To The American Heartland*, Oxford, New York, Oxford University Press, 2003.

Paul LOYONNET (1889-1988), *Paradoxes sur le pianiste*, Montréal, Leméac, 1981. *Les Gestes et la Pensée du pianiste*, Montréal, Louise Courteau, 1985.

Bruno LUSSATO (1932-2009), *Décodage*, Paris, Interédition, 1997.
Sensible à l'art pianistique et initié dès l'âge de dix-sept ans aux chefs-d'œuvre de l'art lyrique, cet auteur mélomane a laissé cette remarquable analyse de la *Sonate pour piano n° 2* de Beethoven.

***

« La sincérité n'a rien à voir avec le talent.
Sentir mauvais est aussi une forme de sincérité. »
Arthur Honegger (1892-1965), *Écrits*

***

Daniel MAGNE, *Guide pratique du piano*, Paris, Van de Velde, 1978.
Guide pour l'amateur et le professionnel, par un passionné de l'instrument, prématurément disparu. La société Daniel Magne SA a malheureusement dû faire l'objet d'une liquidation judiciaire en 2009 et a été radiée du registre du commerce et des sociétés en 2012.

Céline MALRAUX, *Madeleine Malraux – Avec une légère intimité : le concert d'une vie au cœur du siècle*, Paris, Baker Street - Larousse, 2012 (2e éd. 2013).
L'itinéraire singulier d'une pianiste, née en 1914 et morte en 2014, qui entama une carrière de concertiste après des études aux conservatoires de Toulouse et de Paris, la mit entre parenthèses pendant ses mariages avec un résistant de la première heure, capturé par la Gestapo, puis avec son beau-frère, André Malraux, le célèbre homme de lettres et ministre, avant de redonner des concerts durant plusieurs décennies. Réalisé par sa petite-fille, l'ouvrage est enrichi de nombreux documents d'époque issus des archives familiales et de très beaux fac-similés.

Thomas MANSHARDT (1927-2009), *Aspects Of Cortot*, avec des contributions de Lawrence Amundrud, Hexham, Northumberland, APR, 1994.
Pianiste-concertiste et professeur à l'université canadienne de Regina, l'auteur fut l'un des derniers élèves d'Alfred Cortot à Lausanne entre 1957 et 1962.

Sandor MARAI, *La Sœur*, traduit du hongrois par C. Fay, Albin Michel, 2011.
Dans ce roman, le narrateur, S., pianiste de grand renom, est victime à Florence, en plein concert, d'un mal étrange qui atteint ses mains, tout son corps et aussi, surtout, son âme, sa volonté, ses attaches avec l'existence. Il va demeurer dans un état presque hallucinatoire, s'immerger dans la douleur, ne songeant qu'à l'oublier et oublier peut-être aussi une autre douleur, plus ancienne, dans l'anéantissement passager et dangereux de la morphine.

Pascal MARCELIN, *Le Passé re-composé des maîtres du piano – Master Pianists'Performances Resuscitated*, avec Patrick Kersalé, Lyon, Éditions musicales Lugdivine, 2008.
À l'initiative d'un informaticien passionné par le piano, un document multisupports sous la forme d'une vingtaine de pages imprimées, d'un CD et d'un DVD, avec les contributions notamment de Richard Buhlig (1880-1952), Ferruccio Busoni (1866-1924), Maurice Dumesnil (1884-1974), Tina Lerner (1890- ?), Mischa Levitzki (1898-1941), Josef Lhevinne (1874-1944), The Original Piano Trio, Ignacy Jan Paderewski (1860-1941), Serge Rachmaninov (1873-1943) et Moriz Rosenthal (1862-1946). Il s'agit d'un bel effort de restitution, en réalité virtuelle, des interprétations de grands pianistes d'autrefois, qui vise à ressusciter, grâce à des « rouleaux perforés » enregistrés dans le premier tiers du XXe siècle, à des techniques informatiques de pointe et à des instruments modernes de haute qualité, le jeu de ces virtuoses.

Antoine François MARMONTEL (1816-1898), *Les Pianistes célèbres*, Paris, Heugel et fils, 1878 (*Les Pianistes célèbres : silhouettes et médaillons*, Tours, Heugel, 1887, 2e éd.). *Histoire du piano et de ses origines – Influence de la facture sur le style des compositeurs et des virtuoses*, Paris, Heugel et fils, 1885.
Deux des ouvrages de référence de ce grand pianiste, pédagogue, compositeur et musicographe.

Madeleine (1887-1982) et **Ginette** (1902-1996) **MARTENOT**, *L'Étude vivante du piano*, Paris, Henri Lemoine, collection Méthode Martenot, 1967.
Maurice (1898-1980), le frère de ces deux auteures, est passé à la postérité pour avoir inventé l'instrument de musique qui porte son nom et qui fut joué pour la première fois en public en 1928. Il a également cosigné un livre sur la relaxation active. Si Madeleine fut la fondatrice, en 1912, de la célèbre école Martenot, sa sœur Ginette accompagna au piano, à l'âge de 26 ans, le premier concert d'ondes Martenot de leur frère à l'Opéra de Paris et incarna durant plusieurs décennies une certaine idée de l'enseignement de l'art et de l'épanouissement de la personne. Avec un rayonnement important en France, mais aussi en Suisse, en Belgique et en Italie.

Jean MARTIN, *Jouez avec doigté – Deux mains, dix doigts, mais tellement plus – Traité sur les doigtés*, avec la collaboration de Philippe Barraud, Lyon, Aléas, 2001.
Un livre pour comprendre le mécanisme de travail du pianiste, par un disciple d'Yves Nat et de Pierre Pasquier.

Jean-Pierre MARTY, *Les Indications de tempo de Mozart*, Paris, Séguier, 2006. *Vingt-quatre leçons avec Chopin*, Saint-Paul-Trois-Châteaux, L'Atelier d'Onze, 1999 (Sète, Éditions singulières, 2007). *La Méthode de piano de Chopin – Essai pédagogique*, Montpellier, Éditions singulières, 2007.
Le premier de ces ouvrages est un livre de référence sur le thème, publié d'abord aux États-Unis et au Royaume-Uni par Yale University Press en 1988. Son auteur fut, notamment, directeur du conservatoire américain de Fontainebleau et professeur au conservatoire de Toulouse.

Brigitte (1927-2002) et **Jean** (1917-1986) **MASSIN**, *Recherche de Beethoven*, Paris, Fayard, 1970.

Marie-Christine MATHIEU, *Gestes et Postures du musicien – Réconcilier le corps et l'instrument*, Meylan, Format Éditions, 2004.
Par une kinésithérapeute qui décrit les techniques destinées à résoudre les problèmes corporels des instrumentistes.

Tobias MATTHAY (1858-1945), *The Act Of Touch In All Its Diversity - An Analysis And Synthesis Of Pianoforte*, Tone Production, New York, Bosworth & Co, 1903. *The First Principles Of Pianoforte Playing*, Londres, New York, Longmans, Green & Co, 1905. *The Visible And Invisible In Pianoforte Technique*, Londres, H. Milford, Oxford University Press, 1932.
Ouvrages de référence de l'enseignement du piano, objets de longues et vigoureuses controverses.

André MAUROIS (pseudonyme de Émile-Salomon-Wilhelm HERZOG, 1885-1967), *Pour Piano seul*, Paris, Flammarion, 1960.
Cet écrivain prit l'initiative de regrouper toutes ses nouvelles sous ce titre.

Pierre-Michel MENGER, *Portrait de l'artiste en travailleur*, Paris, Éditions du Seuil, collection La République des idées, 2002.

Hélène MERCIER-ARNAULT, *Au fil des notes...* Paris, Plon, 2009.
Un récit d'une pianiste d'origine québécoise dont l'époux n'est autre que l'homme d'affaires - et pianiste - Bernard Arnault.

Catherine MEZAN, *Un pianiste vu de dos*, Arles, Actes Sud, collection Un endroit où aller, 2008.
Le premier roman d'une journaliste qui réside à La Roque d'Anthéron et a longtemps travaillé pour le festival de piano.

Richard MILLET, *Musique secrète*, Paris, Gallimard, 2004. *Pour la musique contemporaine*, Paris, Fayard, 2004.
Dans le premier ouvrage, l'auteur, qui, outre ses activités d'écrivain, est pianiste amateur, confie sa passion pour la musique classique et raconte que, rêvant de devenir musicien, mais détestant jouer en public, il lui est arrivé de composer une pièce atonale pour piano, inspirée par Alban Berg, Arnold Schönberg et Anton Webern. Dans le second, ce Corrézien de naissance, mais libanais de cœur se lance dans un plaidoyer en faveur de la musique contemporaine.

Claude MONTAL (1800-1865), *Abrégé de l'art d'accorder soi-même son piano*, Paris, J. Meissonnier, 1834. *L'Art d'accorder soi-même son piano, d'après une méthode sûre, simple et facile, déduite des principes exacts de l'acoustique et de l'harmonie*, Paris, J. Meissonnier, 1836 (Genève, Minkoff, 1976).
L'auteur, accordeur, puis facteur de pianos, aveugle, est notamment à l'origine de la création d'une classe d'accord de piano à l'Institut dès 1836. Son *Art d'accorder*

soi-même son piano contient *« un traité d'acoustique et l'histoire du piano et des instruments à clavier qui l'ont précédé, depuis le Moyen Âge jusqu'en 1834 ».*

Manuel Vazquez MONTALBAN, *El Pianista*, Barcelone, Seix Barral, collection Biblioteca breve, 1985 (*Le Pianiste*, traduction de Michèle Gazier, Paris, Éditions du Seuil, 1988, 1998).
Roman dont le principal personnage, un *« méchant pianiste amateur travaillant pour une assiette pleine de quelque chose de chaud et pour payer les traites mensuelles de son assurance décès »*, achève son existence en accompagnant des travestis.

Bruno MOYSAN, *Liszt virtuose subversif*, Paris, Symétrie, 2010.

Cécile MULLER, *La Musique du piano – Histoires d'écoutes et de touchers*, Paris, Fuzeau, 2008.

Heinrich NEUHAUS (1888-1964), *L'Art du piano – Notes d'un professeur*, traduction d'Olga Pavlov et Paul Kalinine, Fondettes, Van de Velde, 1971.
Ouvrage de référence, pour tout amoureux de l'instrument, de cet illustre interprète et pédagogue qui forma de nombreux pianistes-concertistes, dont Sviatoslav Richter, Emil Gilels, Vera Gornostayeva, Elisso Virsaladze, Yakov Zak, Victor Eresko et Radu Lupu. Heinrich Neuhaus est le père et grand-père des pianistes Stanislas Neuhaus (1927-1980) et Stanislav Bunin.

Ivor NEWTON (1892-1981) *At The Piano : The World Of An Accompanist*, Londres, Hamish Hamilton, 1966.
L'auteur reste connu pour avoir été l'accompagnateur de grands interprètes internationaux, dont Maria Callas et Pablo Casals.

François NOUDELMANN, *Le Toucher des philosophes : Sartre, Nietzsche et Barthes au piano*, Paris, Gallimard, 2008.

Martha NOVAK CLINKSCALE (1933-2010), *Makers Of The Piano*, vol. 1 (1700-1820) et vol. 2 (1820-1868), Oxford, Oxford University Press, 1993 et 1998.
Pianiste et historienne de la facture instrumentale, l'auteure a enseigné le piano et la musique de chambre à l'université de Riverside (Californie), puis à la Southern Methodist University.

Philippe OLIVIER, *La Musique au quotidien*, préface de Pierre Boulez, Paris, Balland, 1985.

L'auteur est musicologue, enseignant et conseiller technique auprès du maire de Strasbourg.

André OOREBEEK, *La Voix du piano – Guide de l'harmonisation pour le technicien du piano*, traduction et édition françaises de Marc Valdeyron, Montpellier, Piano e forte éditions, 2012.
À vocation très technique et d'un prix relativement élevé, ce livre-DVD est composé d'une centaine de pages et d'une soixantaine de photographies. Né en 1949, son auteur est un technicien de concert et animateur de stages professionnels qui a été formé chez de grands facteurs de pianos (Bösendorfer, Yamaha, Steinway et Bechstein). Comme son nom le laisse présumer, l'éditeur est spécialisé dans la publication de livres consacrés au piano.

Bertrand OTT, *Liszt et la Pédagogie du piano – Essai sur l'art du clavier selon Liszt*, Issy-les-Moulineaux, Établissements d'application psychotechniques, collection Psychologie et Pédagogie de la musique, 1978.

Sylvie OUSSENKO, *Chopin*, préface de Dominique Farral, collection Eyrolles pratique, Paris, Eyrolles, 2009. *Schumann*, préface de Françoise Tillard, collection Eyrolles pratique, Paris, Eyrolles, 2010. *Gabriel Bacquier : le génie de l'interprétation*, préface d'Alain Malraux, Paris, MJWF édition, 2011.
Par une auteure qui est une artiste lyrique, musicologue, traductrice, poète et romancière. Au sujet du célèbre baryton Gabriel Bacquier, il existe également un livre d'entretiens (*Gabriel Bacquier en quelques notes*) riche en interrogations sur le sens de la vie d'artiste, réalisé par Bernard Villat et Serge Moisson, préfacé par Ruggero Raimondi et paru en 2006 chez Slatikine, à Genève.

Louis PAGNERRE, *De la mauvaise influence du piano sur l'art musical – Étude sur les instruments à clavier, clavicorde, clavecin, piano*, Paris, E. Dentu, 1885.

Jacques PAILHES, *Une vie musicien*, Paris, Éditions de l'Attrape-science, 2012.
Un petit ouvrage sans prétention où l'auteur, un pianiste et arrangeur qui a dirigé l'orchestre des Folies-Bergère, s'appuie sur ses souvenirs pour distiller anecdotes et réflexions.

Robert PALMIERI et **Margaret W. PALMIERI**, *Encyclopedia Of The Piano*, New York, Londres, Garland Publication, 1996 ; Routledge, 2003.

James PARAKILAS, *Piano Roles : Three Hundred Years Of Life With The Piano*, New Haven (Connecticut), Yale University Press, 1999.

Alain PARIS, *Dictionnaire des interprètes et de l'interprétation musicale depuis 1900*, Paris, Robert Laffont, collection Bouquins, 1982.
Ouvrage de référence, en dépit des oublis, des lacunes et de problèmes de plus en plus rédhibitoires de mise à jour.

Gaby PASQUIER, *Chère Marguerite Long : souvenirs personnels*, Paris, 2001.

José Luis PEIXOTO, *Cemitério de pianos*, Lisbonne, Éditions Bertrand, 2006 (*Le Cimetière de pianos*, traduction de François Rosso, Paris, Grasset, 2008).
Un roman quelque peu énigmatique qui raconte comment, dans le cadre d'une histoire familiale, d'anciens pianos entassés dans un local attendent de retrouver une vie...

Claudine PERRETTI (1934-2005), *Une vie pour la musique – Souvenirs d'une pianiste*, Genève, Publication Corinne Walker, 2006.
Éminente pianiste-concertiste suisse, au jeu tout à fait représentatif de l'école du piano français, l'auteure fut une élève de Magda Tagliaferro et d'Alfred Cortot, et fut également une pédagogue réputée. Elle a créé une école de piano qui porte son nom à Genève et dont son assistante Corinne Walker a repris la direction.

Jacques PESSARD, *Votre Piano – Comment l'acheter, savoir s'il est bon, le garder en bon état, le réparer, l'accorder, le transporter*, Paris, Fischbacher, 1958.

Walter PFEIFFER (1886-1960), *Vom Hammer*, Stuttgart, Kohlhammer, 1948 (*Le Marteau du piano* – Étude détaillée d'un aspect important de la facture du piano, traduction de Marc Valdeyron, Le Mans, AFARP [Association française des accordeurs et réparateurs de piano]/ITEMM [Institution technologique européen des métiers de la musique], 2003).
L'auteur de cet ouvrage a dirigé la fabrique de pianos Carl A. Pfeiffer, à Stuttgart, pendant près de cinquante ans.

Isidore PHILIPP (1863-1958), *Quelques considérations sur l'enseignement du piano*, Paris, Durand, 1927. *Réflexions sur l'art du piano*, Paris, Heugel, 1931. *Le Piano et la Virtuosité*, Paris, Heugel, 1931.
Pianiste et compositeur français d'origine hongroise, Isidore Philipp fut professeur au Conservatoire national de Paris de 1893 à 1934, puis au conservatoire de New York, de 1941 à 1956.

Le Pianoforte en France : ses descendants jusqu'aux années trente, Mairie de Paris, Discothèque des Halles, ACIM, « Écouter voir », 1995.

Hugo PINSTERBOER, *L'Indispensable musical – Piano*, The Tipbook Company, Londres, Music Sales Ltd, 2004.
Rédigé par un journaliste et musicien, l'ouvrage fait partie d'une collection de livres pratiques et très accessibles.

Constantin PIRON, *L'Art du piano*, préface de Marguerite Long, Paris, Arthème Fayard, 1949.
Ce même auteur avait publié, en 1935, également chez Fayard, *L'Art de gérer et de défendre sa fortune*.

Danièle PISTONE, *Le Piano dans la littérature française – Des origines jusqu'en 1900*, Paris, Honoré Champion, 1975 (édition d'une thèse sous la direction de Jacques Chailley, université Paris-Sorbonne - Paris 4, 1973). *Pianistes du XXe siècle : critique, pédagogie, interprétation* (textes réunis et présentés par Danièle Pistone, issus de la rencontre scientifique programmée le 24 avril 2006 à la Maison de la recherche de l'université de Paris Sorbonne), collection Observatoire musical français, série conférences et séminaires, Paris, université de Paris-Sorbonne-Paris 4, 2007 ; *Pianos et pianistes dans la France d'aujourd'hui* (textes réunis et édités par Danièle Pistone), collection Observatoire musical français, Paris, université de Paris-Sorbonne-Paris 4, 2007.
L'auteure est une musicologue réputée.

Mario PIZZI, *Histoire du piano, de 1700 à 1950*, Chambéry, Mario Pizzi auteur-éditeur, 1983.

Adélaïde de PLACE, *Le Pianoforte à Paris entre 1760 et 1822*, Paris, Librairie Aux Amateurs de livres, 1987.
Édition d'une thèse de musicologie sur le pianoforte.

Marie PRENTNER, *The Leschetizky Method. Experiences In The Technic And Execution Of Pianoforte Playing – The Modern Pianist*, traduction et édition par Mary Greenwalt, M. de Kendler et A. Maddock, Londres, J. Curven & Sons, Philadelphie, Theodore Presser, 1903 (New York, Dovers Publications, 2005).
Les principes fondamentaux de la technique pianistique chers à l'illustre pianiste et pédagogue Theodor Leschetizky (1830-1915) dont Marie Prentner fut l'une des élèves et assistantes les plus renommées. Cet ouvrage, très complémentaire de celui de Malwine Brée, peut se révéler utile pour tout aspirant concertiste.

« Dans l'espace de sept octaves, il (le piano) embrasse l'étendue d'un orchestre ; et les dix doigts d'un seul homme suffisent à rendre les harmonies produites par le concours de cent instruments concertants. »

Franz Liszt (1811-1886), *Lettres d'un bachelier ès musique*

***

Eugène RAPIN, *Histoire du piano et des pianistes*, Lausanne, Bridel, 1904.

Céline RAPHAEL, *La Démesure*, postface de Daniel Rousseau, pédopsychiatre, Paris, Max Milo Éditeur, 2013.
L'évocation bouleversante et quelque peu dérangeante d'un apprentissage du piano forcené, sous la férule d'un père violent et la maltraitance complice d'une mère complaisante.

Piero RATTALINO, *Storia del pianoforte : lo strumento, la musica, gli interpreti*, Milan, Il Saggiatore, 1982 (*Historia del Piano*, Cooper City, Floride, Span Presse Universitaria, 1997). *Piano recital : l'evoluzione del gusto musicale altraverso la storia del programma da concerto*, Naples, P. Pagano, 1992.
Deux des nombreux ouvrages consacrés au piano par cet auteur qui a longtemps enseigné dans de nombreux conservatoires italiens et qui est critique musical reconnu, conseiller artistique du Festival Arturo Benedetti Michelangeli de Brescia... et époux de la pianiste-concertiste d'origine coréenne Ilia Kim.

Lucien REBATET (1903-1972), *Une histoire de la musique*, Paris, Robert Laffont, 1969.
Avec ses solides références, mais aussi ses fermes partis pris, un remarquable et précieux ouvrage par l'auteur des *Deux Étendards* et des *Épis mûrs*.

Arthur A. REBLITZ, *Le Piano – Entretien, accord et restauration*, traduction de Marc Valdeyron, Montpellier, Éditions l'Entretemps, 2005 (Vestal Press).
Ouvrage technique de référence, riche en explications très détaillées, édité en 1976 aux États-Unis, réédité en 1993, puis traduit et édité en France.
Par l'un des experts mondiaux de la restauration de pianos (rare manuel en français destiné aux techniciens du piano).

Jacques REDA, *Jouer le jeu*, Paris, Gallimard, collection Le Chemin, 1985.

Janine REDING-PIETTE, *Deux pianos, une vocation*, avec la collaboration de Sébastien Dulac, Paris, Bruxelles, La Longue Vue, 1992.

Avec son mari Henry Pierre, l'auteure a formé un duo de référence et ses avis méritent de faire autorité. Ne jouant que des œuvres écrites dès l'origine pour duo de piano, le couple a entretenu des liens d'amitié avec de nombreux compositeurs.

Félix RICHERT, *L'Art de jouer du piano, Première partie : Système de mécanisme fondamental ou base technique de l'exécution. Guide théorique du maître et de l'élève*, Paris, chez Alphonse Leduc, éditeur de musique, 1864. *Guide méthodique du professeur de piano*, Paris, Librairie internationale, 1866.
La couverture de *L'Art de jouer du piano* indique : « Méthode systématique, contenant la théorie et la pratique du toucher, comme base normale de toutes les méthodes de piano ». L'auteur, pianiste, professeur et compositeur, installé dans la petite ville de Tonnerre, en Bourgogne, fut également inspecteur de l'enseignement de la musique dans les écoles et chargé du développement des Sociétés d'orphéons et d'harmonie dans le département de l'Yonne. En 1861, il organisa deux festivals, à Sens, puis à Tonnerre, et créa une association mutuelle des orphéons de l'Yonne, dite *L'Orphéon départemental*, qui regroupa, en 1862, vingt-cinq orphéons (musique chorale) ou harmonies (musique instrumentale).

Sviatoslav RICHTER (1915-1997), *Écrits et Conversations*, recueillis et présentés par Bruno Monsaingeon, Fondettes, Éditions Van de Velde, Arles, Actes Sud, Paris, Arte, 1998.
Cet illustre interprète n'a donné son premier récital en solo qu'à l'âge de dix-neuf ans.

Paul ROES, *Essai sur la technique du piano. Le jeu de Chopin et de Liszt. Le rythme et l'acoustique. Le sens de l'art*, version française et traduction de Marie-Rose Clouzot, Bruxelles, H. Lemoine, 1935. *L'Élément fondamental de la technique du jeu chez Liszt et Chopin*, Bruxelles, H. Lemoine & Cie, 1937. *La Musique et l'Artisan du piano*, Paris, Bruxelles, Henry Lemoine, 1939. *La Technique fulgurante de Busoni*, Paris, H. Lemoine & Cie, 1941.
Pianiste et pédagogue reconnu, l'auteur eut notamment le compositeur Raffaele d'Allessandro parmi ses élèves.

Jean ROGER-DUCASSE (1873-1954), *Lettres à Marguerite Long et à son mari Joseph de Marliave*, présentées et commentées par Jacques Depaulis, Paris, université de Paris-Sorbonne, 2007.
Compositeur, l'auteur fut également professeur au conservatoire de Paris avant la Seconde Guerre mondiale.

Éric ROHMER (pseudonyme de Maurice SCHERER, 1920-2010), *De Mozart en Beethoven – Essai sur la notion de profondeur en musique*, Arles, Actes Sud, collection Un endroit où aller, 1996.
Un ouvrage érudit, passionnant et passionné sur la musique, par un auteur davantage connu du public pour les films qu'il a réalisés.

Charles ROSEN (1927-2012), *Le Style classique : Haydn, Mozart, Beethoven*, Paris, Gallimard, 1978. *Piano Notes – The Hidden World Of The Pianist*, New York, Free Press, 2002 (Londres, Allen Lane, 2003, Penguin Books, 2004).
Deux des ouvrages importants de ce pianiste américain de haut rang qui fut également un musicologue réputé et influent.

Claude ROSTAND (1912-1970), *Petit Guide de l'auditeur de musique, Les chefs-d'œuvre du piano*, avant-propos d'Alfred Cortot, Paris, Le Bon Plaisir, collection Amour de la musique, 1950.
L'un des livres de ce musicologue et critique musical qui fut conférencier des Jeunesses musicales de France.

Paul ROUGNON (1846-1934), *Mon piano. Hygiène du piano. Petit dictionnaire explicatif et historique des éléments constitutifs du piano*, Paris, Éditions Fischbacker, 1921. *Souvenirs de 60 années de vie musicale et de 50 années de professorat au conservatoire de Paris*, Paris, Éditions Margueritat, s.d (vers 1925).
Deux des ouvrages de ce pédagogue salué par Alfred Cortot, qui compta Yves Nat parmi ses élèves et fut également compositeur de nombreuses pièces pour piano (dont *L'Aragonaise*) et d'un hymne patriotique poitevin (*Les Enfants du Poitou*, pour voix et piano).

Anton RUBINSTEIN (1829-1894), *Autobiography*, traduction d'Aline Delano, Boston, Little, Brown and Company, 1890 ; St Clair Shores (Michigan), Scholarly Press, 1972. *La Musique et ses Représentants – Entretien sur la musique*, traduction de Michel Delimes (pseudonyme de Mikhail Askinasi), Paris, Heugel, 1892. Ouvrages de référence du grand pianiste, compositeur et chef d'orchestre russe.

Arthur RUBINSTEIN (1887-1982), *Mes longues années*, traduction d'André Tubeuf, collection Vécu, Paris, Robert Laffont, 3 vol., 1973-1980 (*My Young Years*, New York, Knopf, 1973. *My Many Years*, New York, Knopf, 1980).
Intéressants souvenirs de cet interprète à l'immense culture, d'origine polonaise et naturalisé américain, qui, après avoir été l'un des pianistes les plus célèbres de son temps, conserve *post mortem* une glorieuse renommée.

Michail RUDY, *Le Roman d'un pianiste – L'impatience de vivre*, Monaco, Rocher, collection Le Roman des grands destins, 2008.
Le récit d'une vie d'un interprète d'origine russe, né en 1953, dont la famille fut déportée en Ouzbékistan par le régime soviétique et qui obtint l'asile politique en France, peu après s'être vu décerner le premier grand prix du concours Marguerite-Long en 1975.

Guy SACRE, *La Musique de piano*, Paris, Éditions Robert Laffont, 2 tomes, collection Bouquins, 1998.
Quatre mille œuvres analysées par un pianiste et compositeur.

Camille SAINT-SAENS (1835-1921), *Regards sur mes contemporains* (Paris, Éditions Bernard Coutaz, 1990). *Écrits sur la musique et les musiciens* (Paris, Vrin, 2012).
Le second ouvrage est un recueil de plus de 1 100 pages écrites par ce célèbre compositeur et pianiste.

György SANDOR (1912-2005), *On Piano Playing, Motion, Sound And Expression*, New York, Schirmer Books, Londres, Collier Macmillan, 1981.
La technique du piano par un grand instrumentiste américain d'origine hongroise qui fut un ami de Béla Bartok et enseigna à l'université du Michigan, puis à la Juilliard School. Hélène Grimaud et György Sebök ont figuré parmi ses élèves.

SARA, *C'est mon papa*, Paris, L'Art à la page, 2011.
L'auteure est une illustratrice et son album sans texte, publié pour la première fois dans la collection La langue au chat, des Éditions Epigones, en 1993, et sélectionné en 2013 par le ministère français de la Culture, met en relief la fierté de l'enfant envers son père pianiste.

Erik SATIE (1866-1925), *Écrits*, textes réunis, établis et annotés par Ornella Volta, Paris, Éditions Champ libre, 1977 (1re édition). *Les Cahiers d'un mammifère*, chroniques et articles publiés entre 1895 et 1924, texte établi et présenté par Sébastien Arfouilloux, Saint-Didier, L'Escalier Éditeur, collection Écrits d'artiste, 2009.

Catherine SAUVAT, *Le Pianiste voyageur : la vie trépidante de Louis Moreau Gottschalk*, Paris, Payot, 2011.

Nikolaus W. SCHIMMEL, *La Facture du piano – Un artisanat d'art*, Wilhelm Schimmel Pianofortefabrik GmbH.
Brochure publiée à des fins promotionnelles bien comprises, mais non dénuée d'intérêt.

Artur SCHNABEL (1882-1951), *My Life And Music*, introduction de Edward Crankshaw, Londres, Longmann, 1961 ; New York Dover Publications, 1988.
Ce très grand pianiste allemand, également compositeur et pédagogue, est un célèbre interprète de Schubert et de Beethoven. Il eut pour maître Leschetizky.

Michel SCHNEIDER, *Glenn Gould Piano Solo – Aria et trente variations*, Paris, Gallimard, collection L'un et l'autre, 1988 (collection Folio, 1994).
Un très bel hommage au célèbre pianiste sous la forme d'un essai sur le mode des *variations Goldberg* par un auteur réputé, ancien directeur de la musique au ministère de la Culture. En 2013, un roman de Laure Limongi a également emprunté la structure de ces variations pour dresser le portrait d'un personnage qui ressemble à Glenn Gould.

Harold C. SCHONBERG, *The Great Pianists*, Londres, Simon & Schuster, 1963, 1987.
L'auteur est un critique musical renommé, qui publia de nombreux articles dans le *New York Times*.

Robert SCHUMANN (1810-1856), *Musikalische Haus- und Lebelnsregeln* (*Règles de vie musicales à la maison et dans la vie*) (*Conseils aux jeunes musiciens*, traduction de Franz Liszt, Lepzig, J. Schuberth & Co, ca. 1860. *L'Art du piano*, traduction de Franz Liszt, Paris, Édition classique Durand, Schoenewerk et Cie ou *Album à la jeunesse, op. 68*, pour piano, précédé des *Conseils aux jeunes musiciens*, Paris, Ed. Durand).
Précieux conseils, en une trentaine de pages, par l'illustre compositeur, qui peuvent sans doute être perçus comme lénifiants ou de simple bon sens, mais qui ont, entre autres mérites, celui de mettre en garde le jeune pianiste contre la recherche de la seule virtuosité. Robert Schumann est bien connu des mélomanes pour avoir perdu un doigt à la suite d'un accident et s'être alors entièrement livré à la composition.

Blanche SELVA (1884-1942), *Enseignement musical de la technique du piano*, sept vol., Paris, 1916-1925.

Michel SERRES, *Musique*, Paris, Éditions Le Pommier, 2011.
Ouvrage dédié à « l'amicale mémoire » de plusieurs grands interprètes (violonistes, violoncellistes, chanteurs) dont le pianiste Pierre Barbizet.

Bernard SEVE, *L'Instrument de musique*, Paris, Éditions du Seuil, collection L'ordre philosophique, 2013.

Ancien normalien et professeur d'esthétique et de philosophie de l'art à l'université de Lille-3, l'auteur décrit la relation, à proprement parler, essentielle à l'instrument de musique, trop souvent négligée par les musicologues et les instrumentistes.

Russell SHERMAN, *Piano Pieces*, New York, Farrar, Straus & Giroux, 1996. L'ouvrage rassemble une série de pertinentes réflexions d'un pianiste et enseignant américain né en 1930.

Michel SOGNY, *L'Adulte prodige, le rêve au bout des doigts*, Paris, France-Empire, 2013.
Sous une forme romanesque, l'auteur raconte l'histoire d'une des premières élèves de l'école de piano pour adultes qu'il a créée.

Martial SOLAL, *Ma vie sur un tabouret*, Arles, Actes Sud, 2008.
Autobiographie de ce pianiste à juste titre réputé pour son approche brillante, singulière et intellectuelle du jazz. Sous le titre *Martial Solal, compositeur de l'instant*, un livre d'entretiens avec Xavier Prévost (collection Paroles de musicien, Éditions Michel de Maule) lui a été consacré en 2005.

Elizabeth SOMBART, *La Musique au cœur de l'émerveillement – Confidences pour piano de Bach à Bartok*, Paris, Jean-Claude Lattès, 1996. *Paroles d'harmonie*, images de Gianpaolo Pagni, Paris, Albin Michel, 1998. *On m'appelle Plume*, Grolley (Fribourg) Éditions de l'Hèbe, 2002. *Introduction à la pédagogie Résonnance : phénoménologie du son et du geste – Un chemin de vie*, introduction de Elio Matassi, préface d'Éric de Rus, Gênes, Il ramo, 2013.
Le premier ouvrage fut salué par Yehudi Menuhin comme *« un livre très personnel qui révèle le trésor d'une expérience musicale qui n'a voulu choisir que les émotions et les pensées propices à l'élévation divine de l'existence humaine »*. Le deuxième est un opuscule d'une soixantaine de pages. À partir d'un exposé très technique de plusieurs centaines de pages et en trois volumes, en attente de publication. Le troisième apparaît comme le fruit de trente ans de recherche et d'expérience et la synthèse de l'enseignement reçu de deux maîtres : Sergiù Celibidache et Hilde Langer-Rühl.

Karlheinz STOKHAUSEN (1928-2007), *Conversations avec Jonathan Cott*, Paris, Jean-Claude Lattès, 1979.

Alain Claude SULZER, *Une mesure de trop*, traduction de Johannes Honigmann, Paris, Jacqueline Chambon, 2013.

Roman d'un auteur suisse de langue allemande qui raconte comment le caprice d'un virtuose – un arrêt brusque avant la fin d'un morceau lors d'un concert à la Philharmonie de Berlin – vient semer le désordre dans la vie de plusieurs spectateurs... Après une errance berlinoise nocturne, le virtuose finit par jouer dans un piano-bar, imposant le silence à tous les clients.

William Leslie SUMNER (1915-2003), *The Pianoforte*, Londres, McDonald, 1966.

***

« Ne te montre pas plus juge que critique ;
et tu accroîtras ainsi ton propre plaisir. (...) Vis heureux. »
Domenico Scarlatti (1685-1757),
dans la préface de ses *Essercizi per gravicembalo* (trente sonates).

***

Philipp TAYLOR (1949-2007), *Anton Rubinstein, A Life In Music*, Bloomington, Indiana University Press, 2007.
Par un auteur anglais qui était réputé pour sa connaissance approfondie de la musique russe et est, malheureusement, décédé des suites d'une longue maladie. Traducteur de divers ouvrages, il a également publié des textes consacrés aux opéras de Tchaïkovski.

Jacques THIBAUD (1880-1953), *Un violon parle : souvenirs de Jacques Thibaud*, avec Jean-Pierre Dorian, Paris, Lausanne, Montréal, Éditions du Blé qui lève, 1947 (Paris, del Duca, 1953).
Mort avec le compositeur et pianiste René Herbin (1911-1953) dans l'avion qui devait les conduire en Asie pour donner des récitals à Saigon, puis à Tokyo, cet interprète commença par apprendre le piano avant de devenir l'un des plus grands violonistes du XXe siècle et créa, en 1943, avec Marguerite Long le célèbre concours international de piano et de violon qui porte leurs noms. Outre cet ouvrage et *Jacques Thibaud, violoniste français* du musicologue Christian Goubault paru chez Honoré Champion, en 1988, il existe un livre de Jean-Luc Tingaud intitulé *Cortot-Thibaud-Casals : un trio, trois solistes* et publié en 2000 chez Josette Lyon.

Raymond THIBERGE (1880-1968), *Analyse des actes du virtuose ou la Technique pianistique contribuant à la culture générale de l'enfant*, Châtillon-sur-Seine, Imprim. Veuve E. Leclerc, 1916, 1924. *L'Enseignement physiologique de la technique* *pianistique*, Paris, Imprim. Chaix, 1926. *Le Pianiste, son habileté manuelle et son habileté cérébrale – Les erreurs d'utilisation des facultés, causes des échecs*, Vire, Ed. Lecvire, 1951. *Une nécessaire révolution pédagogique dans l'enseignement musical, le pianiste, sa technique manuelle, sa technique cérébrale*, Paris, Divert-Thiberge, 1967.

Charles TIMBRELL, *French Pianism : Historical Perspective*, préface de Gaby Casadesus, 2e éd. revue et augmentée, Londres, Kahn et Averill, 1999.

Alfred TOMATIS (1920-2001), *L'Oreille et la Vie*, Paris, Robert Laffont, collection Réponses Santé, 1977 (Paris, Le Grand Livre du mois, 1998, Paris, Librairie générale française, 1999).

Pierre TRAN, *Le Moi intime du piano*, Paris, Van de Velde, 2009.

François-René TRANCHEFORT (sous la direction de), *Guide de la musique de piano et de clavecin*, Paris, Fayard, collection Les Indispensables de la musique, 1987.
Cahier d'écoute comportant deux mille analyses d'œuvres.

Joanna TROLLOPE, *The Other Family*, New York, Simon & Schuster, 2010 (*Désaccords mineurs*, traduction de John-Frédérik Hel-Guedj, Paris, Éditions des Deux Terres, 2012).
Par une romancière britannique appréciée pour ses best-sellers, le récit des problèmes familiaux, parfois plus majeurs que mineurs, provoqués par le décès brutal d'un pianiste et en raison, notamment, du legs d'un piano de concert par le défunt...

André TUBEUF, *Appassionata : Claudio Arrau, prodige, dandy*, Paris, NiL, 2003. *La Quatorzième Valse*, Arles, Actes Sud, 2008.
Écrit par un critique musical et agrégé de philosophie qui fut membre du cabinet de deux ministres de la Culture dans les années 1970, le premier ouvrage dresse le portrait du grand pianiste Claudio Arrau (1903-1991). Le second ouvrage est un roman autour de Dinu Lipatti (1917-1950), cet interprète d'exception disparu prématurément, que Emil Cioran admirait beaucoup et louait pour avoir eu la « gentillesse » de mourir jeune, et auquel Georges Perec a consacré le 166e de ses 480 souvenirs dans *Je me souviens*.

Pascale VANDERVELLEN, *Le Piano de style en Europe – Des origines à 1850*, Liège, Éditions Mardaga, 1994.
Ouvrage très documenté, consacré à l'histoire du pianoforte en Europe et à l'étude des éléments tant décoratifs que mécaniques.

Marc VELLA, *Éloge de la fausse note*, préface de Pierre Richard, Montréal, Le Jour Éditions, 2012.
Un petit livre sympathique qui, selon son préfacier, « *invite à s'écarter des idées toutes faites, du conforme, du conventionnel* » et « *à réapprendre à regarder l'autre avec intérêt, tolérance et compassion* ». Né en 1961, l'auteur est ce « pianiste-nomade » passionné, compositeur et poète, qui a impulsé « Festi-Piano », un « Festival de la Touche », une fête du piano classique improvisé au Domaine d'Essart, à Genac, en Charente.

Andreï VIERU, *Éloge de la vanité*, Paris, Grasset, 2013.
Recueil de réflexions de ce pianiste roumain qui évoque, notamment, la condition des artistes contemporains.

Stéphane VILLEMIN, *Les Grands Pianistes*, préface de Louise-Antoinette Lombard, Genève, Georg, 1999.
Portraits de vingt-cinq musiciens et de plusieurs duos de pianistes.

Kurt VONNEGUT (1922-2007), *Player Piano*, New York, Charles Scribuer's sons, 1952 (*Le Pianiste déchaîné*, traduction d'Yvette Rickards, Paris, Casterman, 1975).
Premier roman, dans le genre dystopique, de cet écrivain américain renommé qui, à partir de la folle partition d'un piano mécanique, décrit un monde si mécanisé que les êtres humains y sont devenus inutiles...

Gérard WANG, *À contre-bruit*, Paris, Jean-Claude Simoën, 1977.

Marie-Christine et **Jean-François WEBER**, *J.K.Mercken, premier facteur parisien de fortepiano*, Paris, Éditions La Flûte de Pan, 1986 ; Sampzçon, Delatour, 2008.
Histoire d'un facteur de pianoforte à la fin du XVIIIe siècle.

Janine WEIL, *Marguerite Long : une vie fascinante*, Paris, Julliard, 1969.

Gabriel WEINREICH, « Comment vibrent les cordes d'un piano », in *Sons et Musique*, avec Frederick Saunders, John Sundberg et E. Donnell Blackham, collection Bibliothèque Pour la science, diffusion Belin, 1980 ; *Mechanics of Musical Instruments* (ouvrage collectif, avec Avraham Hirschberg et Jean Kergomard), Vienne, New York, Springer verl., 1995.

Charles-Marie WIDOR (1844-1937), *Initiation musicale*, Paris, Hachette, collection des initiations, 1923.
Grand organiste, compositeur et professeur (il fut le successeur de César Franck

au conservatoire de Paris), l'auteur a créé de nombreuses pièces pour piano solo et pour deux pianos. Une rue porte son nom dans le seizième arrondissement de Paris.

Friedrich WIECK (1785-1873), *Clavier und Gesang : didaktisches und polemisches*, Leipzig, F. Whistling, 1853 (*Piano And Song : How To Teach, How To Learn And How To Form A Judgment Of Musical Performances*, traduit de l'allemand en anglais par Mary P. Nichols, Boston, Oliver Ditson & Co, 1875, réédité en 2012).
Ouvrage régulièrement réimprimé jusqu'à nos jours de ce pédagogue allemand qui ouvrit à Leipzig, en 1817, une fabrique de pianoforte et un service de prêt de partitions. Sa fille Clara (1819-1896), pianiste-concertiste et compositrice, épousa Robert Schumann.

Jean WIENER (1896-1982), *Allegro appassionato*, Paris, Fayard, 2012 (collection Les Bâtisseurs du xxe siècle, Paris, Pierre Belfond, 1978).
Les mémoires d'un musicien d'exception, compositeur, pianiste, claveciniste, chanteur et comédien, auteur de nombreuses musiques de films et d'œuvres classiques.

John-Paul WILLIAMS, *Le Piano – L'ouvrage indispensable pour tout savoir sur le piano*, Paris, Éditions Minerva, 2003.
Ouvrage de vulgarisation par un acousticien qui enseigne la restauration et la technologie du piano à la London Metropolitan University. Contenu assez complet, mais qui n'a aucun caractère indispensable sinon dans son sous-titrage...

Klaus WOLTERS, *Le Piano. Une introduction à son histoire, à sa facture et à son jeu*, traduction d'Evelyne Liard, Lausanne, Paris, Payot, 1971.
Bon historique et belle iconographie.

Dominique XARDEL, *Les Pianistes*, préface de Claude Samuel, collection Si c'était à refaire, Paris, Séli Arslan éditeur, 2002.
Quarante-deux pianistes classiques, âgés de 26 à 80 ans, témoignent au sujet de leur activité de musicien professionnel.

Zhu XIA-MEI, *La Rivière et son secret : des camps de Mao à Jean-Sébastien Bach, le destin d'une femme d'exception*, Paris, Robert Laffont, 2007.
Autobiographie de cette éminente pianiste qui fut victime de la politique de « rééducation » menée en Chine dans les années 1960 et jusqu'en 1976 à l'égard des artistes et des opposants au régime du Grand Timonier. Née en 1949, Zhu Xia-Mei est professeur au Conservatoire national supérieur de musique et de danse de Paris depuis 2002.

Pierre-Joseph-Guillaume ZIMMERMAN (1785-1853), *Encyclopédie du pianiste compositeur*, Paris, 1840.
Beau-père de Charles Gounod, l'auteur, qui fut pianiste et compositeur, a laissé, outre diverses pièces pour piano, cet ouvrage dont les deux premières parties constituent une méthode de l'art de jouer du piano. Éminent professeur au conservatoire de Paris, il eut, parmi ses nombreux et illustres élèves, César Franck et Georges Bizet. Aux soirées musicales qu'il organisait, participèrent Chopin, Liszt et Thalberg. Volontiers mésestimée en France, son *Encyclopédie* n'en a pas moins eu un rayonnement international. Elle a notamment fait l'objet, en 1991, aux États-Unis, d'un mémoire par Brian Arlon Jones, comprenant une traduction en anglais et des commentaires (Domenican College of San Rafael, University of California).

***

« Dans l'orchestre du casino
Un Russe tenait le piano
L'Espagnol jouait du banjo
Un Grec faisait son numéro
Deux Noirs soufflaient dans leur saxo
Le batteur était Parigot
L'Italien chantait les tangos
La salle en chœur criait « Bravo ».
Voilà la jolie guerre. »

Jean Breton (Jean Bretonnière dit, chansonnier du XXe siècle, né en 1911- ?),
Diseur tapant

***

Thèses et mémoires

Helena ASHIKHMINA, « Enseignement du piano dans les écoles de musique en Russie et en France », mémoire sous la direction de Jean-Pierre Mialaret, université de Paris-Sorbonne, 1999.

Mélisa BEAUJOUR, « Pianistes argentins à Paris », mémoire sous la direction de Danièle Pistone, université de Paris-Sorbonne-Paris 4, 2010.

Jean CHATAURET, « L'interprétation pianistique filmée par Bruno Monsaingeon », mémoire sous la direction de Michel Chion, université Sorbonne Nouvelle-Paris 3, 2008.

Carl-Frédéric ESTHER, « Le Meuble de piano (1860-2005) », mémoire (licence en histoire de l'art), sous la direction de Jean-Patrick Duchesne, université de Liège, faculté de philosophie et lettres, département des sciences historiques, histoire de l'art, archéologie et musicologie, 2005-2006.

Charlotte Nalle EYERMAN, « The Composition Of Feminity : The Significance Of The "Woman At The Piano" Motif in Nineteenth-Century French Culture From Daumier To Renoir », thèse d'histoire de l'art, université de Berkeley (Californie), 1997.

Aurélie FRABOULET MEYER, « Corps et interprétation : lorsque le corps pianistique raconte une histoire », thèse sous la direction de Michel Imberty, université de Paris-Ouest-Nanterre-La Défense-Paris 10, 2010.

Rémi JACOBS, « Recherches sur la musique de piano en France, 1800-1870. Le piano à quatre mains et les duos de pianos », thèse de musicologie, Paris, conservatoire de musique, 1971.

Fériel KADDOUR, « Le Geste du pianiste », thèse sous la direction de Joëlle Caullier, université Charles-de-Gaulle à Lille, 2009.

Veronika KOREN, « Planification et spontanéité dans l'interprétation pianistique », mémoire sous la direction de François Madurell, université de Paris-Sorbonne-Paris 4, 2012.

Flavio PIRES COUTINHO, « La dernière semaine avant le concours ou le concert », mémoire sous la direction de François Madurell, université de Paris-Sorbonne-Paris 4, 2012.

Lisa RICHARD, « La construction des carrières pianistiques aujourd'hui », mémoire sous la direction de Gilles Demonet, université de Paris-Sorbonne-Paris 4, 2011.

Alexandrine SOUCHAUD, « Les pianistes amateurs en concours : mises à l'épreuve pour une reconnaissance ? » thèse sous la direction de François Madurell, université de Paris-Sorbonne-Paris 4, 2013.

Inès TAILLANDIER-GUITTARD, « Alfred Cortot, interprétation de Frédéric Chopin », thèse sous la direction de Alban Ramaut, université Jean-Monnet de Saint-Étienne, 2013

Olga TCHISTIAKOVA, « Un cours de piano : micro-analyse des situations didactiques », thèse sous la direction de Jean-Pierre Pialaret, université Paris-Sorbonne-Paris 4, 2006.

Sha XIONG, « Les attentes déclarées des jeunes pianistes chinois à Paris : réalités d'un enseignement : une étude de cas », mémoire consacré pour l'essentiel au rôle du chant dans l'apprentissage du piano, sous la direction de François Madurell, université de Paris-Sorbonne-Paris 4, 2011.

Indre Eugenija ZELVYTE GUISIANO, « Les tendances pianistiques des années 1985 à 2010 à travers trois concours internationaux : Chopin de Varsovie, Long-Thibaud de Paris et Tchaïkovski de Moscou », thèse sous la direction de Danièle Pistone, université de Paris-Sorbonne-Paris 4, 2014.

Revues

Piano, hors-série annuel – du moins jusqu'en 2013 – de *La lettre du musicien.*

Médecine des arts, n° 73, dossier spécial Piano, Éditeur Alexitère, 2012. Audio, Vidéo & Co.

« Richter l'insoumis », cassette vidéo. Réalisation Bruno Monsaingeon. Portrait d'un des plus grands pianistes de tous les temps.

« Je hais la musique », long métrage de Pascal Pistone sur les angoisses et les frustrations des musiciens au début du XXIe siècle.

« La vie est comme la musique : il faut suivre son oreille,
ses sentiments et son instinct, et non des règles. » (1)
Samuel Butler, *The Notebooks of Samuel Butler*

(1) "Life is like music, it must be composed by ear, feeling and instinct, non by rule. Nevertheless one had better know the rules, for they sometimes guide in doubtful cases, though not often."
Samuel Butler, *The Notebooks of Samuel Butler* (1912), Ed. Hogarth Press, 1985, chap. I, p. 110

Jean-Pierre Thiollet

Auteur et coauteur de nombreux ouvrages, parus chez divers éditeurs (Vuibert, Nathan, Europa-America, Jean-Cyrille Godefroy, Economica, Dunod, Anagramme, H & D, Frédéric Birr...) et dans différents domaines, Jean-Pierre Thiollet est originaire du Haut Poitou, en Aquitaine. Né en 1956, il a reçu sa formation au sein des lycées de Châtellerault, des classes préparatoires aux grandes écoles du lycée Camille-Guérin à Poitiers, puis des universités de Paris 1 – Panthéon-Sorbonne, 3 – Sorbonne Nouvelle et 4 – Sorbonne. Il est membre de la Grande famille mondiale du Liban (RJ Liban) depuis 2007.

Diplômé en lettres, arts et droit (DES - Diplôme d'études supérieures, maîtrise, licence...), il a exercé des fonctions de rédaction en chef et de délégation du personnel à *France-Soir*, de 2009 à 2012. Il a également été rédacteur en chef au *Quotidien de Paris*, au sein du groupe de presse Quotidien présidé par Philippe Tesson, et collaborateur de publications comme *L'Amateur d'art, Paris-Match, Vogue Hommes, Théâtre Magazine, La Vie française, Vivendi Magazine...*

Signataire de l'introduction de *Willy, Colette et moi* de Sylvain Bonmariage, réédité par Anagramme éditions, il fut, avec Frédéric Beigbeder, Alain Decaux, Mohamed Kacimi et Richard Millet, l'un des invités, en 2005, du Salon du livre de Beyrouth, à l'occasion de la parution de *Je m'appelle Byblos.*

Passionné par la musique, en général, et le piano, en particulier, il fut aussi, à la fin du siècle dernier, président du Cercle Victor Eresko et coproducteur d'une *Intégrale des études de Chopin*, interprétées par Radoslav Kvapil.

Parmi ses ouvrages récents, figurent *Sax, Mule & Co : Marcel Mule ou l'éloquence du son, Carré d'art : Jules Barbey d'Aurevilly, Lord Byron, Salvador Dali, Jean-Edern Hallier*, avec des contributions de Anne-Elisabeth Blateau et de François Roboth, *Bodream ou rêve de Bodrum*, avec des contributions de Francis Fehr et de François Roboth, et *Piano ma non solo*, avec les témoignages de Jean-Marie Adrien, Mourad Amirkhanian, Florence Delaage, Caroline Dumas, de l'Opéra de Paris, Virginie Garandeau, Jean-Luc Kandyoti, Frédérique Lagarde et Genc Tukiçi, et avec des contributions de Daniel Chocron, Jean-Louis Lemarchand et François Roboth.

« La vérité d'un homme, c'est d'abord ce qu'il cache. »
André Malraux, *Antimémoires*

« Personne ne lui résiste au fond à la musique. On n'a rien à faire avec son cœur, on le donne volontiers. Faut entendre au fond de toutes les musiques l'air sans notes, fait pour nous, l'air de la Mort. »

Louis-Ferdinand Céline, *Voyage au bout de la nuit*

Remerciements

Nos chaleureux remerciements vont à tous ceux qui ont contribué, à leur manière, de près ou de loin, consciemment ou non, à la poursuite de ce projet éditorial et, en particulier, à Jean-Marie Adrien, Annie Auger, Sophie Bardit, Adam Barro (alias Mourad Amirkhanian), Sébastien Bataille, Monique Baudin, Philippe et Michèle Bazin, Ariane Benhamour, Alegria Beracasa (†), Léone (†) et Anne-Elisabeth Blateau, Anna Blazejczyk, Lella du Boucher, Romain, Roland et Claude Bourg, Ana et Carmen Bravo, Pierre Cardin, Patrice Carquin, Jacqueline Cartier, Adeline Castillon, Paul (†) et Rachel Chambrillon, Jean-Marc Chardon, Pierre et Huguette Cheremetieff, Daniel Chocron, Philippe Cohen-Grillet, Laurie Clément, Michèle Dautriat, Daniel et Marie-Claire Degrandi, Florence Delaage, Charles Desjardins, Bernard (†) et Nezha Dhayer, Alain et Maria Didion, Tatiana Dougha, Laurence Douret-Vaivre, Blandine Dumas, Caroline Dumas, Bernard Dupret, Philippe Dutertre, Régis et Eveline Duvaud, Jango Edwards, Victor et Elena Ereko, Susy Evelyne, Nassera Fadli, Francis Fehr et Virginie Garandeau, François Gabillas, Didier Gaillard, Marie-Lize Gall, Brigitte Garbagni, Anne de Gasperi (†), Patrice Gelobter, Madeleine Gervais de Lafond, Bernard Gilbert, Robert Giordana, Rémi Gousseau, Cyril Grégoire, Marie-Françoise Guignard, Patrice et Marie-Hélène Guilloux, Dominique (†) et Joëlle Hardy, Elizabeth Herbin, Dominique Joly, Jean-Luc Kandyoti, Anna Kasyan, Jean-Pierre et Hopy Kibarian, Reine Kibarian, Sandra Knecht, Jean et Many Kriegel (†), Ingrid Kukulenz, Radoslav Kvapil, Isabelle de Labarthe, Christian Lachaud, Christelle Lachasse, Frédérique Lagarde, Cécile Lamotte d'Incamps, Eliane de La Brosse, Nicolas Richard de La Prade, Misora Lee, Bernard Legrand, Albert Robert de Léon, Patrice Lestrohan (†), Ghislaine Letessier, Jean-Marie Londeix,

Didier et Pascale Lorgeoux, Christophe-Emmanuel Lucy, Emmanuel Malézieux du Hamel (†), Monique Marmatcheva, Rémy Marsault, Odile Martin, Jean-Claude Martinez, André (†) et Paulette (†) Masson, Isabelle Maurin, Laurent du Mesnil du Buisson, François Meynot, Colette Meunier-Sicard (†), Evelyne, Marie, Alain et Jean-Claude Mondon, Jean-Michel et Marie-Odile Morin, Fabrice Moysan, Gérard Mulliez, Abdallah Naaman, Hiromi Nagakawa, Phuc et Toine Nguyen Xuan, Jill Nizard, Jean-François et Corinne Pastout, Marie-Josée Pelletant, Jean Penot dit Janksonn, Denise Perez, Philippe Portejoie, Jeanine Povill, Martine Pujalte, Guy Quintrie Lamothe, Richard et Gabrielle Rau, Viviane Redeuilh, Raoul Relouzat, Ariel Ricaud, Christian Richard, Daniel Rivière, François Roboth, Édith Rognon, Christian Rossi, Elisabeth Schneider, Philippe Semblat, Sylvie Sierra-Markiewicz, Jacques Sinard, Véronique Soufflet, Bernie Stico, Ghassan Tarabay, Francis Terquem, Philippe Tesson, Marie-Claude Tesson-Millet (†), Cécile, Elisabeth, Hélène, Monique, Augustin et Pierre Thiollet, David et Genc Tukiçi, Franck Vedrenne, Dominique Védy, Caroline Verret, Evelyne Versepuy, Alain Vincenot, Sylvie Viollet, André et Mauricette Vonner, Thierry Wartelle, Catherine Wartelle (†), Paul Wermus, Laurent et Marie-Henriette Wetzel.

« Ne tirez pas sur le pianiste
J'ai fait ce que j'ai pu
Laissez-moi aussi dire la vaste prairie de mes jours de raisins
Et le vin condamné des années que voici. »

Tristan Tzara (1896-1963), *Sans Coup férir*

« Si la musique est la nourriture de l'amour, jouez-en. »

William Shakespeare, *La Nuit des rois*, acte I, scène I (*)

(*) "If music be the food of love, play on.
Give me excess of it ; that surfeiting,
The appetite may sicken and so die."

